KB001432

개발자가 직접 알려주는 한권으로

코딩과 드론 날로먹기(개정2판)

2021년 12월 21일 개정2판 1쇄 발행
2023년 1월 3일 개정2판 2쇄 발행

저 자 이현종 · 박재일
발 행 자 정지숙
마 케 팅 김용환

발 행 처 (주)잇플ITPLE
주 소 서울 동대문구 답십리로 264 성신빌딩 2층
전 화 0502.600.4925
팩 스 0502.600.4924
홈페이지 www.itpleinfo.com
이 메 일 itpleinfo@naver.com
카 페 http://cafe.naver.com/arduinofun
유 튜 브 www.bit.ly/ITPLE_TV

ISBN 979-11-90283-98-4 03000

이 도서의 국립중앙도서관 출판예정도서목록(CIP)은 서지정보유통지원시스템 홈페이지(http://seoji.nl.go.kr)와 국가자료종합목록 구축시스템(http://kolis-net.nl.go.kr)에서 이용하실 수 있습니다.
(CIP제어번호 : CIP2020032589)

개발자가 직접 알려주는
한권으로
코딩과 드론
날로먹기
조종/코딩/대회

머리말

제임스 와트가 발명한 증기기관에서 시작된 혁명은 사람이 직접 물건을 생산하는 수공업의 시대에서 기계가 물건을 만드는 공업의 시대를 열었습니다. 수천 년 동안 이어졌던 농업 문화와 삶은 기계의 등장으로 한순간에 바뀌었습니다. 바로 1차 산업혁명입니다.
1차 산업혁명이 시작된 지 1세기가 지나, 에디슨의 백열전구가 상용화되면서 2차 산업혁명인 전기의 시대가 열렸습니다. 석탄을 사용했던 공장은 전기를 사용하는 새로운 시스템을 도입해야만 했습니다.
1970년대 말부터 컴퓨터가 대중화되면서 정보화 시대가 열리고 3차 산업혁명이 시작되었습니다. 모든 지식이 데이터화되어 컴퓨터와 인터넷으로 원하는 정보를 쉽게 공유할 수 있는 시대가 된 것이죠. 공유한 지식은 새로운 지식을 다시 만들어 내어 새로운 산업을 발전시켜 또다시 세상을 바꿨습니다.

2016년 1월 말 세계경제포럼에서 '4차 산업혁명'이라는 용어가 처음 사용되었습니다. 그 자리에서 세계 석학들은 이전의 산업혁명처럼 새로운 시대가 올 것으로 생각했습니다.
그리고 같은 해 3월, '4차 산업혁명'이라는 용어를 널리 알린 사건이 있었습니다. 사람들을 충격에 빠트린 알파고와 이세돌의 바둑 대국이었습니다. 바둑의 수는 우주의 원자 수보다 많아서 당연히 이세돌이 이길 것이라 대다수 전문가가 예상했습니다. 하지만 모두의 예상과 달리 알파고가 세계 최고의 바둑기사를 4:1로 이긴 바꾼 혁명적인 사건이었습니다.
'4차 산업혁명'이라는 말은 독일의 인더스트리(Industry) 4.0에서 나왔습니다. 독일 지멘스의 암베르크 공장은 소프트웨어로 모든 기계를 연결했습니다. 모든 생산 공정을 소프트웨어가 관리했습니다. 그랬더니 불량률은 약 0.001%를 기록했고, 생산성은 4000% 향상되었습니다. 생산과정에서 매일 5,000만 건의 정보가 새롭게 만들어졌습니다. 이렇게 만들어진 빅데이터를 바탕으로 불량률과 가동률을 점검했고, 최고의 생산성을 달성할 수 있었습니다.
세계경제포럼 회장 클라우스 슈밥은 '4차 산업혁명의 핵심은 디지털, 물리적, 생물학적 경계가 없어지면서 기술이 융합되는 것이다'라고 했습니다. 4차 산업혁명을 이끄는 원동력은 바로 **연결과 융합**입니다. 4차 산업혁명의 핵심인 인공지능, 사물인터넷, 빅데이터, 5G, 클라우드 컴퓨팅 등의 기술이 다른 산업을 만나 새로운 부가가치를 만들어 내는 것입니다. 기술 간의 융합으로 업종 간 또는 산업 간 영역이 무너져 모든 것이 연결되고 지능화되는 초연결, 초지능의 시대인 것이죠.

융합의 핵심인 4차 산업혁명 시대에서 '드론'은 큰 변화를 가져올 것입니다. 예전에 생소했던 드론은 4차 산업혁명과 함께 이제는 친숙한 단어가 되었습니다.
 드론은 무인 비행체로, 공간적 제약을 벗어나 다양한 소프트웨어 기술과 융합하여 새로운 가치를 만들 수 있어서 4차 산업혁명의 핵심 기술로 주목받고 있습니다. 헬리콥터와 같은 회전익 비행체의 한계를 극복한 드론은 항공, 소프트웨어, 센서 등 첨단기술과 융합한 산업으로 성장 잠재력이 매우 큽니다. 인공지능, GPS, 빅데이터 등 여러 기술과 결합하면 드론의 활용 분야는 무궁무진해질 것입니다. 드론의 시작이 된 군사용 무기에서부터 건설, 에너지, 물류, 재난구조, 교통 관측, 과학 연구, 농업, 환경오염 제거, 촬영, 취재, 취미 등 활용할 수 있는 분야는 그야말로 무궁무진합니다

드론 시장은 앞으로 10년간 연평균 17% 성장하여 25년에는 239억 달러 규모에 이를 것으로 전망됩니다. 우리나라 정부도 대통령령으로 4차산업혁명위원회 설치를 정했고, 드론을 8대 선도 산업으로 지정해서 적극적인 투자를 하고 있습니다. 전문가들은 모바일 생태계를 만든 스마트폰처럼 드론이 새로운 생태계를 만드는 플랫폼이 될 것으로 예상합니다.
이제 드론은 스마트폰처럼 우리 삶에 없어서 안 될 물건이 될 것이므로 드론의 구조와 과학원리를 잘 이해해야 하고, 직접 조종하고 코딩할 수 있어야 합니다. 또한, 창의적인 생각으로 다른 기술과 융합할 수 있는 기초 소양을 잘 길러야 합니다.

드론과 마찬가지로 또 다른 4차 산업혁명의 핵심 기술은 소프트웨어입니다. 소프트웨어는 4차 산업혁명을 이끌어 갈 핵심동력으로 소프트웨어 경쟁력이 바로 개인과 국가의 경쟁력이 될 것입니다. 소프트웨어를 열심히 공부하고 창의적인 생각으로 소프트웨어를 다른 기술과 융합할 수 있다면 새로운 역사를 쓸 수 있다고 생각합니다.
드론과 소프트웨어로 세상을 바꾸는 '혁명가'가 되길 바랍니다.

책소개

4차산업혁명 시대에 가장 중요한 기술 중의 하나는 무엇일까?
필자는 4차산업혁명 시대 속에서 우리가 보게 되는 모든 것들이 소프트웨어에 의해 변화되어 가고 있고 여기서 가장 핵심기술이 "코딩능력"이라고 생각합니다. 영국을 시작으로 일본, 미국 및 여러 국가에서 소프트웨어 교육을 학교 정규 필수 과정으로 운영하고 있으며 현재 우리나라도 코딩교육 의무화가 되어있습니다.

이 책은 드론 코딩 제어를 통해 학생부터 성인까지 재미있고 즐겁게 배울 수 있으며 미션을 통해 대회까지 나갈 수 있도록 하였습니다.

이 책에서는 크게 3가지 부분으로 나누어져 있습니다.
1) 드론에 대한 이론, 시뮬레이터, 비행실습 (1~3장)
2) 스크래치 방식의 블록프로그램 학습 (4~5장)
3) 블록프로그램 드론제어 (6~10장)

1~3장 드론을 이해하고 가상으로 드론을 조종하고 실제 드론 조종까지 실습하는 방법을 통해 다른 드론 이론, 실습 책보다 풍부하게 구성되어 있고,
4~5장 순수하게 스크래치 방식의 블록프로그램 기초부터 응용 프로그램 제작까지 학습할 수 있도록 해놨으며,
6~10장은 앞에서 배운 드론과 프로그램학습을 기초로 블록프로그램을 이용한 드론 센서, LED, 조종프로그램, 자율비행, 드론 군집비행 실습까지 학습할 수 있도록 구성되었습니다.
그리고 11장과 부록에는 앞에서 배운 것들을 토대로 미션, 대회, Q&A 등으로 활용할 수 있는 방법을 배치하였습니다. 특히 이 책에서 사용하는 코드론 미니는 어린 아이들도 안전하게 비행할 수 있고, 시뮬레이터를 통해 자신의 드론 상태파악 및 관리를 할 수 있는 고성능 드론이며 다음과 같은 분들에게 추천합니다.
1. 드론제어 입문자 : 초, 중, 고 및 일반 드론 입문자
2. 코딩교육 관련자 : 코딩을 쉽고 재미있게 가르치고 싶은 교육 강사

3. 이공계 대학생 : 대학생을 위한 IoT 코딩 제어 기초 소양 교육

앞으로도 드론은 농약 살포, 지질조사, 치안, 드론 택시 등 다양한 서비스영역으로 발전할 것입니다. 그래서 드론은 기본적으로 그 특성을 잘 이해하고 조종하는 것을 실습해보는 것은 매우 중요합니다. 그리고 가까운 미래에는 단순한 조종이 아니라 자율, 인공지능과 같은 프로그래밍이 탑재된 드론들이 우리가 잠들어 있는 밤에도 우리를 위해 일하거나 보호해주거나 우주로 가서 다양한 일들을 해 줄 것입니다. 이 책을 통해 많은 사람이 4차산업혁명의 필수인 코딩 제어 드론을 배우고 미래의 도구로 활용할 수 있기를 진심으로 바랍니다.

이 책은 소프트웨어와 하드웨어를 모두 배울 수 있는 도서로써 코딩을 배우는 데 있어서 실제 드론을 소프트웨어로 제어할 수 있으므로 쉽고 재미있게 코딩을 배울 수 있도록 구성되어 있습니다. 이 책을 기본으로 다양한 응용 콘텐츠들이 잇플출판사 카페 https://cafe.naver.com/arduinofun 에서 업데이트될 예정입니다. 또한 잇플TV http://www.bit.ly/ITPLE_TV 에서 저자직강 영상이 지속해서 업데이트될 예정입니다. 여러분들의 훌륭한 결과물을 공유할 수 있도록 만들어 보세요.
해당 도서에 나오는 드론 구입처 : www.itple.shop

목차

처음 만나는 드론 _011

Chapter 2

드론 시뮬레이터 _ 029

Chapter 3

조종의 첫걸음 _ 057

Chapter 4

처음 만나는 스크래치 _ 071

Chapter 5

코딩과 함께하는 미술 여행 _ 101

Chapter 6

드론 정보와 센서 _ 141

목차

코딩으로 조종하기 _173

Chapter 8

드론 곡예비행 _ 205

Chapter 9

컨트롤러로 코딩하기 _ 223

Chapter 10

드론 군집비행 _ 239

Chapter 11

드론 게임하기 _ 261

부록 _ 271

한권으로 코딩과 드론 날로먹기

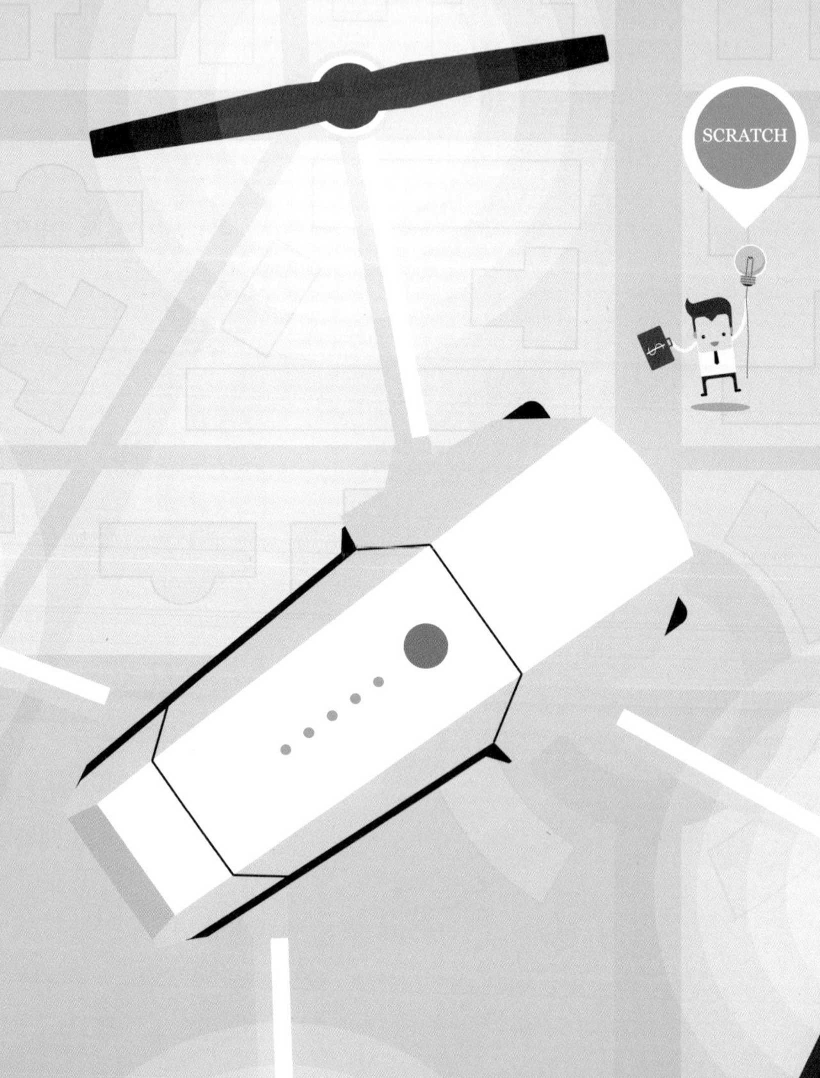

Chapter 1

처음 만나는 드론

1. 드론의 정의
2. 드론의 가치
3. 드론의 원리
4. 드론의 구조

DRONE

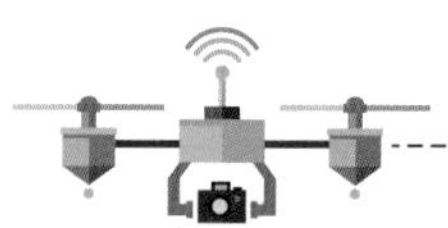

1 드론의 정의

2018년 열린 평창 동계올림픽 개막식은 볼거리가 많았습니다. 그중에서도 하늘을 수놓은 드론의 군집비행이 큰 화제였습니다. 생방송으로 진행된 개막식에서 1218대의 드론 '슈팅스타'가 움직이면서 스노보더, 오륜기 등의 모양을 만들었고, 새로운 기네스 기록을 세웠습니다.

'드론'은 무인 비행체(Unmanned Aerial Vehicle)로 사람이 탑승하지 않고, 원격으로 조종하거나 소프트웨어로 움직이는 비행 장치를 말합니다. '드론'이라는 뜻은 최첨단 기술과 밀접한 관계가 있는 것 같지만 수벌이 윙윙거리며 나는 모습이나 그 소리를 의미합니다. 또한, 16세기 영국에서는 게으른 남자를 드론이라 했습니다.

윙윙거리는 수벌과 게으른 남자라는 뜻을 가졌던 드론이, 어떻게 무인 비행체를 의미하게 되었을까요?

미국 해군 제독 윌리엄 스탠리(William Standley)는 1935년 영국 해군의 훈련을 참관했습니다. 그때 영국 해군은 'DH 82B Queen Bee(여왕벌)'라는 원거리 조종 무인 비행기를 띄워 날려 놓고 이를 맞추는 사격 훈련을 선보였습니다.

깊은 인상을 받은 스탠리 제독은 비슷한 비행체를 만들었고, 영국 '여왕벌'에 경의를 표현하기 위해 '게으른 수컷 벌'의 뜻을 가진 '드론'이라는 이름을 붙였습니다. 이후 미군은 전통 비행기를 연습용으로 개조한 무인 비행기를 드론이라 불렀습니다.

▲ 수벌과 드론

무인 비행체를 나타내는 다른 용어도 있습니다. 현재 우리 군에서는 무인 비행체를 UAV(Unmanned Aerial Vehicle)라고 부르고, 국제민간항공기구인 ICAO(International Civil Aviation Organization)에서는 RPAS(Remotely Piloted Aircraft Systems)라고 부릅니다.

1960년, 소련의 군사 시설을 정찰하던 미국의 유인 정찰기 U2가 미사일에 격추되는 사건이 있었습니다. 이후 미국은 자신의 군인을 보호하기 위해 정찰기능 중심의 무인 비행기를 본격적으로 개발했습니다. 이렇게 드론은 군사 목적으로 개발되었고, 현재에도 상용화한 드론

의 80% 이상이 군사적 목적으로 사용됩니다. 최근 민간에서도 상업용 드론 시장이 빠르게 성장하고 있으며, 다양한 기술과 융합하여 새로운 시장을 열고 있습니다.

드론에는 어떤 종류가 있을까요? 드론은 용도나 크기 등으로 종류를 구분할 수도 있지만, 날개의 형태로 드론의 종류를 설명하겠습니다. 드론은 날개의 형태에 따라 고정익(fixed wing) 드론, 회전익(rotary wing) 드론, 그리고 두 가지 방식이 혼합된 복합형으로 나눌 수 있습니다. 우리가 흔히 보는 비행기모양의 드론을 고정익 드론이라고 합니다. 고정익 드론은 날개가 고정되어 있고, 프로펠러나 엔진의 힘으로 비행합니다. 따라서 이 · 착륙할 때 활주로가 필요하며, 일정 속도 이상이 되어야 날 수 있어서 제자리에 멈출 수 없습니다.

이러한 단점을 극복하고자 활주로 없이 이 · 착륙할 수 있고, 제자리에서 비행할 수 있는 회전익 드론이 등장했습니다. 회전익 드론은 프로펠러를 빠르게 회전시켜 비행합니다. 하지만 동력 낭비가 심하고, 끊임없이 날개를 회전시키기 때문에 공기 흐름에 민감합니다.

▲ 고정익 드론

고정익 드론과 회전익 드론의 단점을 보완하기 위해 만들어진 것이 틸트로터형 드론입니다. 틸트로터형 드론은 이 · 착륙, 정지 비행은 회전날개를 이용하고, 수평으로 움직일 때는 고정날개를 사용해 움직입니다. 하지만 이 드론 역시 공기 흐름이 불안정하면 추락할 수 있습니다.

▲ 회전익 드론

마지막으로 개발된 드론은 멀티 로터형 드론입니다. 우리가 흔히 알고 있는 드론이 이 멀티 로터형입니다. 멀티 로터는 날개(rotor)가 여러(Multi) 개 있다는 뜻입니다.

로터형 드론은 세 개 이상의 회전날개로 비행합니다. 공기 역학적 안정성도 뛰어나고, 회전익 드론처럼 수직으로 이 · 착륙할 수

▲ 틸트로터

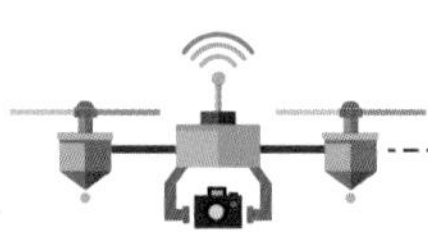

있고, 제자리에서 비행할 수도 있습니다.

또한, 여러 개의 날개를 사용하므로 추락위험도 줄었습니다. 로터형 드론은 프로펠러의 개수에 따라 쿼드(4)콥터, 헥사(6)콥터, 옥타(8)콥터 등으로 나뉘고, 드론마다 특성이 다릅니다.

Quard Copter
쿼드콥터

Hexa Copter
헥사콥터

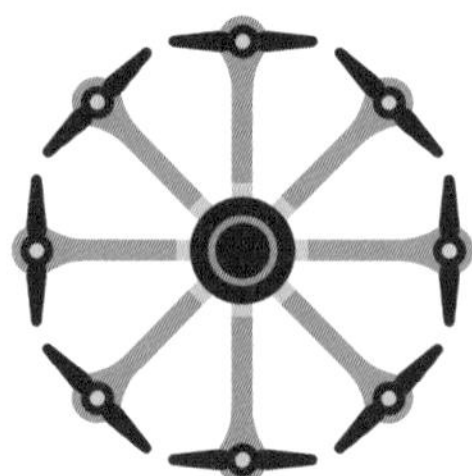

Octa Copter
옥타콥터

▲ 멀티콥터의 종류

2 드론의 가치

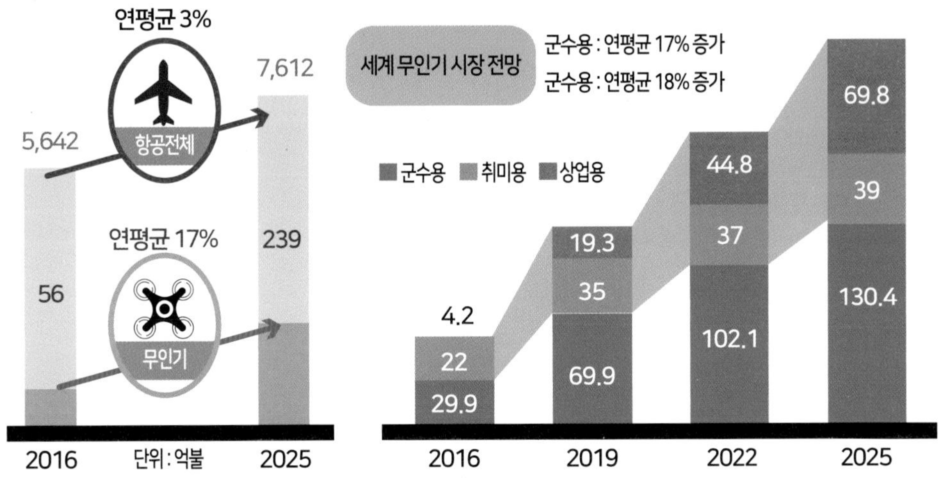

▲ 드론시장 전망(출처 : TealGroup)

드론 산업은 통신 · 제어 기술의 발전으로 미래의 비즈니스 도구이자 4차 산업혁명의 핵심 키워드가 되고 있습니다. 항공, 소프트웨어, 센서 등 첨단기술과 융합한 산업으로 성장 잠재력이 매우 큽니다. 드론 시장은 향후 10년간 연평균 17% 성장하여 2025년에는 239억 달러 규모에 이를 것으로 전망됩니다.

세계 여러 나라에서도 드론 산업에 관한 관심이 커지고 있습니다. 미국은 드론 산업 키우고자 10개 도시에서 시범 산업을 진행하고 있습니다. 우리나라도 드론을 8대 선도산업으로 지정해서 적극적인 투자를 하고 있습니다.

드론은 이제 우리 일상에서 흔하게 볼 수 있습니다. 전문가들은 드론이 그 자체로 거대한 산업이자 기존의 산업 시스템을 바꾸게 될 것으로 전망합니다. 조종이 쉽고, 운용과 관리 비용이 상대적으로 저렴하고 수직 이착륙을 할 수 있어 다양한 분야에 활용됩니다.

모바일 생태계를 만든 스마트폰처럼 드론도 새로운 생태계를 만드는 플랫폼이 될 것이라고 합니다. 기술 및 부품, 소프트웨어, 서비스 등 관련 산업의 성장을 이끌고, 4차 산업혁명과 더불어 인공지능, GPS, 빅데이터 등 여러 기술과 결합하면 드론의 활용 분야는 무궁무진해질 것입니다. 드론의 시작이 된 군사용 무기에서부터 건설, 에너지, 물류, 재난구조, 교통 관

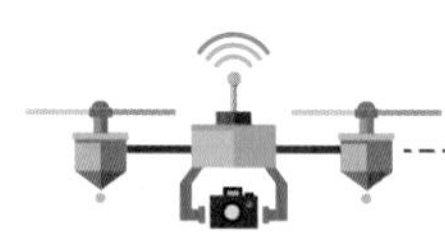

측, 과학 연구, 농업, 환경오염 제거, 촬영, 취재, 취미 등 활용할 수 있는 분야는 그야말로 무궁무진합니다

많은 영화사는 아슬아슬한 장면을 촬영하기 위해 고해상도 카메라가 달린 드론을 사용합니다. 원래는 헬리콥터를 사용해서 사람이 직접 촬영해야 하지만, 드론을 사용해서 촬영 비용을 많이 줄이고 있습니다. 지진이나 해일과 같은 자연재해뿐만 아니라 여러 시위나 사고 현장 등 기자가 접근하기 어려운 지역에 드론을 보내 사진이나 영상을 촬영해서 기사를 씁니다. 이를 드론 저널리즘(Drone Journalism)이라고 합니다.

한국토지주택공사(LH)는 드론을 토지조사에 활용하고 있습니다. 드론이 공중에서 촬영한 사진으로 면적을 측정해서 주택이 얼마나 있는지 등의 현황조사를 합니다. 사람이 가서 직접 조사하는 것보다 적은 비용으로 더 정확하고 빠르게 조사할 수 있게 되었습니다.

2014년 브라질 월드컵에서 브라질 정부는 치안을 위한 감시용 드론을 운용했습니다. 또한, 미국의 카오틱 문 스튜디오(Chaotic Moon Studios)가 개발한 무인 경비 드론 '큐피드'는 카메라로 집을 지키며 위험인물을 발견하면 전기 충격 장치로 기절시킵니다. 미국 마이애미 경찰은 적외선 카메라를 단 드론을 띄워 큰 인명피해 없이 현장에 숨은 범인들을 찾아내 체포했습니다.

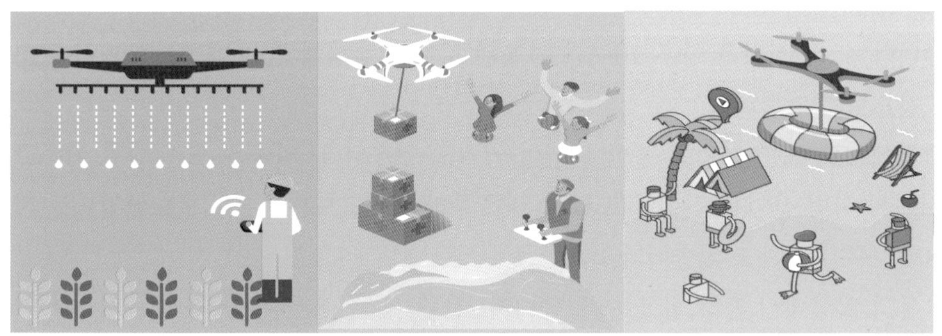

▲ 농약살포/구호물품 이송/구조 활동

농업 분야도 드론 덕택에 새로운 변화를 맞이하고 있습니다. 농약을 살포할 때 드론을 사용하면 기존의 방식보다 시간과 비용 면에서 매우 경제적이고 안전합니다. 앞으로는 파종에서 수확까지 전 과정에 드론이 쓰일 것입니다.
대규모 농업이 발달한 미국에서도 드론을 적극적으로 활용하고 있습니다. 드론에 달린 카메

라로 경작지를 조사해 필요한 비료를 자동으로 계산합니다. 어떤 농약과 비료를 얼마나 사용할지, 드론으로 축적한 데이터를 바탕으로 계산합니다. 심지어 열매 색깔을 분석해서 작물 상태를 파악하거나 나무에 살충제를 뿌리기도 합니다. 사물인터넷과 드론 기술의 융합으로, 농업의 새로운 패러다임인 스마트 팜(Smart Farm) 시대가 열리고 있습니다.

세계 인구는 2050년이면 90억 명을 넘어갈 것으로 예상합니다. 늘어나는 농산물 수요를 만족시키고 농업 생산성을 높이기 위해선 혁신적인 기술이 필요한데, 드론이 큰 역할을 담당할 것으로 기대됩니다.

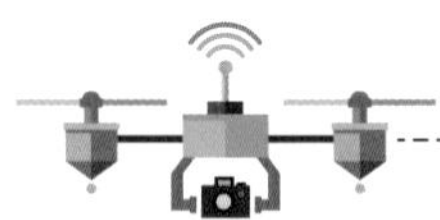
DRONE

3 드론의 원리

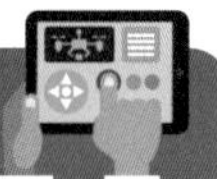

비행기를 띄우는 힘을 양력이라고 합니다. 사람들은 '베르누이 정리'로 양력이 생겨서 비행기가 뜬다고 알고 있습니다.

베르누이 정리에 따르면, 공기 같은 유체의 속도와 압력은 반비례합니다. 속도가 빨라지면 압력은 낮아지고, 속도가 느려지면 압력은 높아집니다.

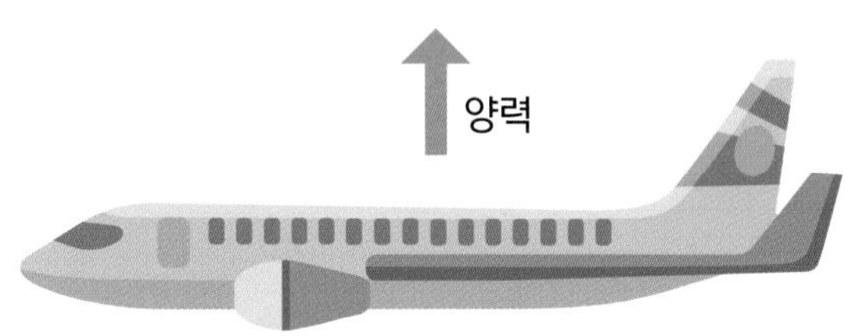

▲ 양력: 유체의 흐름에 물체가 수직 방향으로 받는 힘

날개를 수직으로 잘랐을 때, 유선형의 단면 모양을 에어포일(airfoil)이라고 합니다. 에어포일 위를 흐르는 공기는 속도가 빨라지며 압력이 낮아지고, 아래를 흐르는 공기는 속도가 느려지며 압력이 높아집니다. 이렇게 위 아래에 압력 차가 생기고, 에어포일 아래의 높은 압력이 에어포일 위의 낮은 압력 쪽으로 날개를 밀어 양력이 생깁니다.

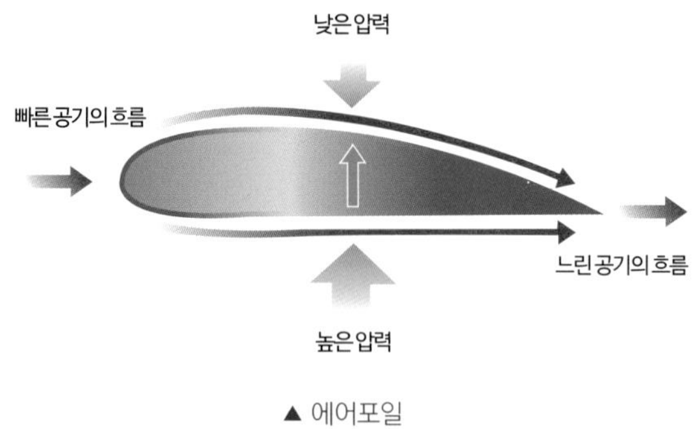

▲ 에어포일

공기가 누르는 힘을 '기압'이라고 하는데 이 기압 차로 비행기가 뜨는 것입니다. 1기압의 힘은 어느 정도일까요? 우리가 일상 받는 1기압의 압력은 10m 정도의 물기둥을 어깨에 이고

있는 상태에서 받는 압력과 비슷합니다. 만약 가로, 세로의 길이가 1m인 물기둥이 있다면 약 10m까지 올리는 힘이 1기압입니다. 무게로 계산하면 약 10톤의 무게(물 1㎥가 약 1톤)입니다. 이런 기압의 힘으로 면적이 넓이가 넓을수록 더 많은 무게를 위로 올릴 수 있습니다.
기압 차이로 양력을 발생하는 간단한 실험이 있습니다. 깔때기에 탁구공을 대고 바람을 불면 탁구공이 떨어지지 않고 뜨는 것을 볼 수 있습니다. 깔때기에 바람을 불면 기압이 낮아지고, 깔때기 밑 쪽의 기압이 높아져 탁구공이 뜨는 것입니다.

▲ 기압 차로 양력 발생

'동시통과이론'으로 기압 차가 생긴다고 많은 교재나 블로그에서 설명합니다.

"에어포일 앞에서 만난 공기가 위-아래로 갈라지고, 에어포일 뒤에서 다시 만나야 한다. 따라서 위의 공기는 더 멀리 이동해야 하므로 빨라진다. 그러면 위쪽과 아래쪽의 압력 차이가 생겨서 양력이 생긴다."

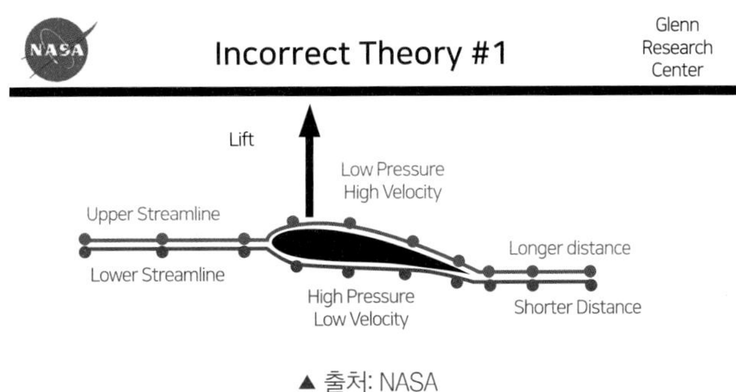

▲ 출처: NASA

하지만 이 설명은 잘못되었습니다. 실제로는 에어포일 뒤에서 공기가 만나지 않고, 위쪽 공기가 더 빨리 움직입니다.
그리고 베르누이 정리로만 비행기의 양력을 설명한다면 거꾸로 나는 비행기는 어떻게 설명할 수 있을까요? 거꾸로 뒤집힌 비행기 날개의 위-아래가 바뀌어서 비행기가 추락하지 않을까요? 위-아래가 평평한 날개인 비행기는 어떻게 날 수 있을까요? 또한, 베르누이 정리만으로는 비행기가 뜰 수 있는 충분한 양력이 생기지 않습니다.

양력은 베르누이 정리뿐만 아니라, 뉴턴의 법칙과 함께 설명해야 합니다. 뉴턴은 물체의 움직임과 그 원리를 '프린키피아'로 알려진 '자연철학의 수학적 원리'라는 책에 정리했습니다.

이 책은 총 3권으로 구성되어 있습니다. 1권과 2권은 물체의 움직임에 관해 체계적으로 정리했으며, 3권은 1권과 2권의 지식을 바탕으로 태양계의 구조를 설명했습니다. 1권과 2권의 내용이 바로 그 유명한 뉴턴의 운동 법칙입니다. 이 법칙으로 물체의 움직임을 분석하고 예측할 수 있게 되었습니다. 뉴턴의 운동 법칙은 다음과 같습니다.

제1법칙: **관성의 법칙**	정지한 물체는 계속 정지하려고 하고, 운동하는 물체는 계속 운동하려고 한다.
제2법칙: **가속도의 법칙**	물체가 힘을 받으면 속도가 변한다.
제3법칙: **작용과 반작용의 법칙**	모든 작용에 대해 크기는 같고 방향은 반대인 반작용이 존재한다.

다음 그림에 날개를 지나는 공기의 흐름이 나타나 있습니다.

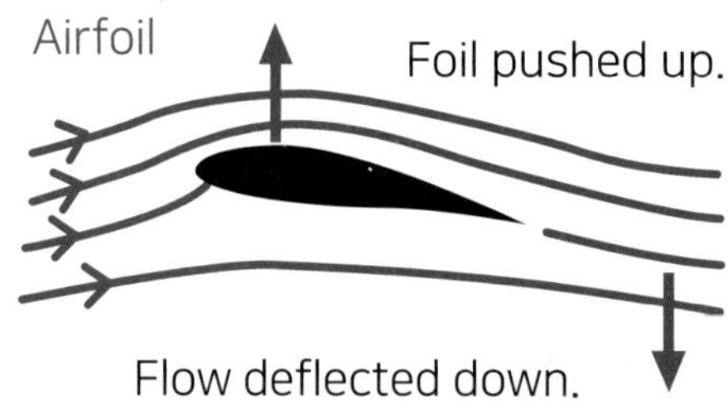

▲ 출처: NASA

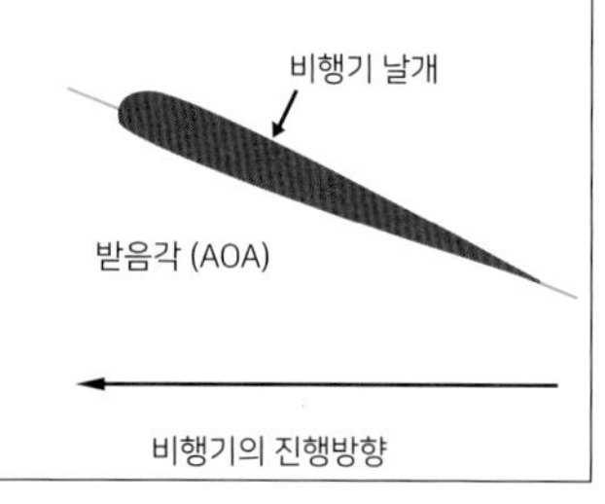

왼쪽에서 오른쪽으로 흐르는 공기는 날개를 지나면서 위에서 아래 방향으로 속도가 변합니다. 공기의 흐름이 아래쪽으로 바뀌면, '작용-반작용의 법칙'에 의해 날개는 위쪽으로 향하는 힘인 양력 받습니다.

실제로 비행기 날개는 위와 같은 공기의 흐름을 만들기 위해 '받음각'이라는 것이 있습니다. 날개의 앞면이 진행 방향에 비해 약간 들려있음으로써 생기는 각도입니다.

연도 평평하지만, 작용-반작용 법칙으로 하늘을 날 수 있습니다.

그래서 비행기가 날기 위해서는 앞으로 빠르게 움직여야 합니다. 고정익 드론이 왜 활주로나 발사장치가 필요한지 알 수 있겠죠?

▲ 날개의 받음각

그러면 드론은 어떻게 날 수 있으며 왜 날개가 여러 개 필요할까요?

먼저 헬리콥터를 살펴보겠습니다. 헬리콥터 몸체에는 큰 프로펠러가 있습니다. 이 프로펠러를 '로터(rotor)'라고 합니다. 몸체에 있는 로터를 '메인 로터(Main Rotor), 꼬리 쪽의 작은 로터는 '테일 로터(Tail Rotor)'라고 합니다. 헬리콥터와 같은 회전익 비행체는 프로펠러를 빠르게 회전시켜 양력이 생기게 합니다. 그래서 활주로가 없어도 수직으로 이 · 착륙할 수 있고, 제자리에서 비행할 수 있는 겁니다.

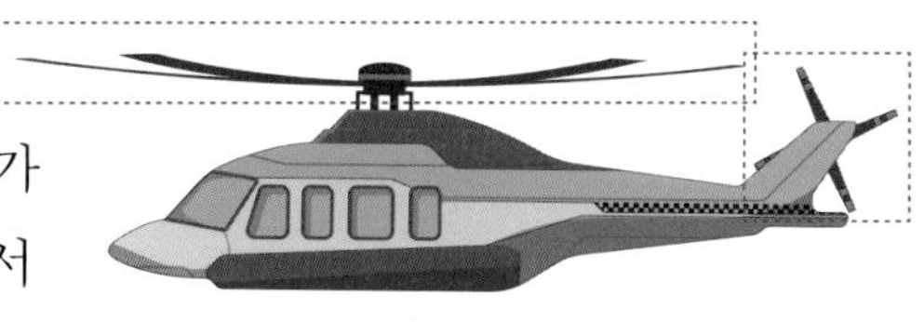
▲ 헬리콥터

테일 로터는 왜 필요할까요? 여기서 작용과 반작용의 법칙을 생각해봅시다. 로터가 회전하면 작용과 반작용의 법칙에 따라 헬리콥터 몸체(동체)가 반대 방향으로 회전합니다. 로터가 시계 반대 방향으로 회전하면 헬리콥터 몸체는 시계 방향으로 회전합니다. 테일 로터가 회전해서 헬리콥터 몸체가 반대로 회전하지 않도록 합니다. 테일 로터가 없으면 영화에서처럼 헬리콥터 몸체는 빙글빙글 돌 것입니다.

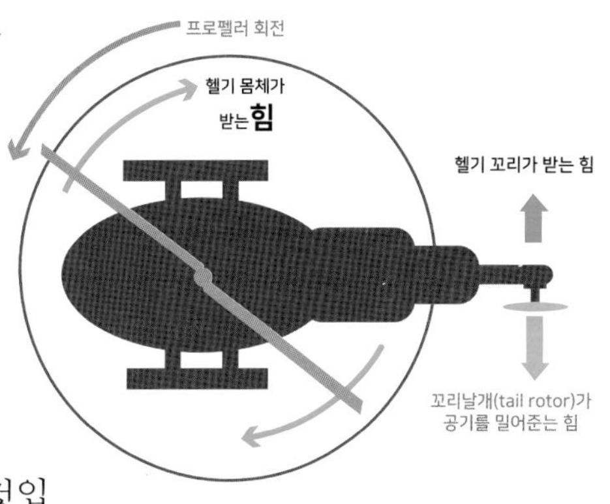

▲ 헬리콥터의 원리

이것이 회전익 비행체가 고정익 비행체보다 에너지 효율이 떨어지는 이유 중 하나입니다. 테일 로터의 힘은 회전익 비행체가 뜨는 데 사용하는 것이 아니고 메인 로터의 회전력을 상쇄시키기 위해 사용하기 때문에 에너지를 소모하는 것이죠. 그리고 움직이기 위해서 메인 로터에는 복잡한 장치가 필요합니다. 이런 장치들이 없으면 단순히 위-아래로만 움직입니다.

드론을 보면 시계방향으로 회전하는 프로펠러가 있고, 시계 반대 방향으로 회전하는 프로펠러가 있어서 회전에 따른 반작용을 상쇄시킵니다. 헬리콥터의 테일 로터와 달리, 프로펠러 모두 양력을 발생시키는 데 사용하므로 에너지 효율이 높습니다. 또한, 복잡한 장치가 없이도 프로펠러의 회전 속도를 조종해서 움직일 수 있어서 구조도 단순합니다.

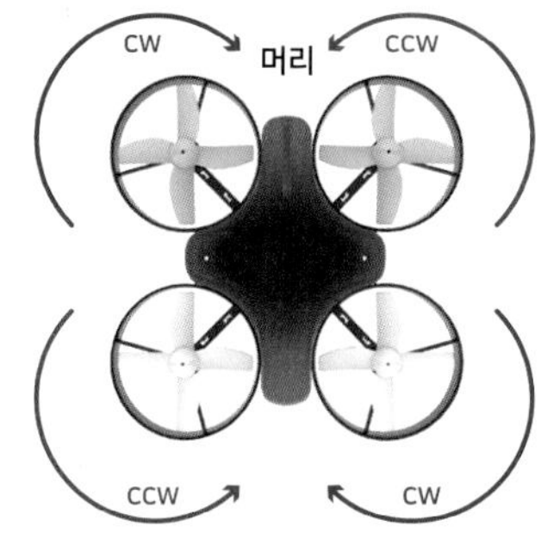

▲ 드론 프로펠러의 회전 방향

따라서 드론의 프로펠러는 회전하면서 공기를 아래쪽으로 밀 수 있도록 연결해야 합니다. 그렇지 않으면 위쪽으로 공기를 밀어서 드론이 균형을 잡지 못해 날 수 없습니다.
드론에 작용하는 힘은 위로 뜨는 양력, 물체를 아래로 끌어당기는 중력, 드론이 기울면서 앞으로 가게 해주는 추력, 공기와 드론의 마찰로 추력을 방해하는 항력이 있습니다.

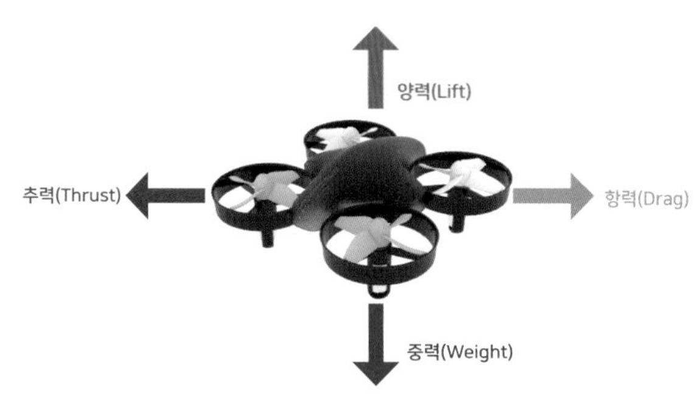

▲ 드론에 작용하는 4가지 힘

프로펠러를 빠르게 회전시켜서 양력이 중력보다 크면 위로 뜨게 됩니다. 반대로 중력이 양력보다 더 강하면 드론은 아래로 내려갑니다.
드론이 이동하기 위해선 추력이 필요합니다. 추력이 항력보다 크면 추력이 향하는 방향으로 이동합니다.

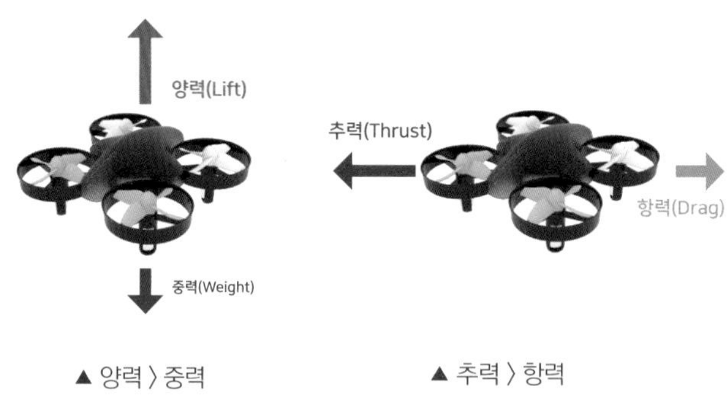

▲ 양력 〉 중력 ▲ 추력 〉 항력

4가지 힘의 크기가 같으면 제자리 비행을 할 수 있습니다. 이 상태를 호버링(Hovering)이라고 합니다.

드론의 구조

앞에서 드론의 원리를 배웠습니다. 그럼 4개의 프로펠러에 모터만 연결해 회전시키면 드론이 날 수 있을까요?

그렇지 않습니다. 드론이 공중에서 균형을 잡고, 원하는 곳으로 가려면 다양한 부품과 센서가 필요합니다.

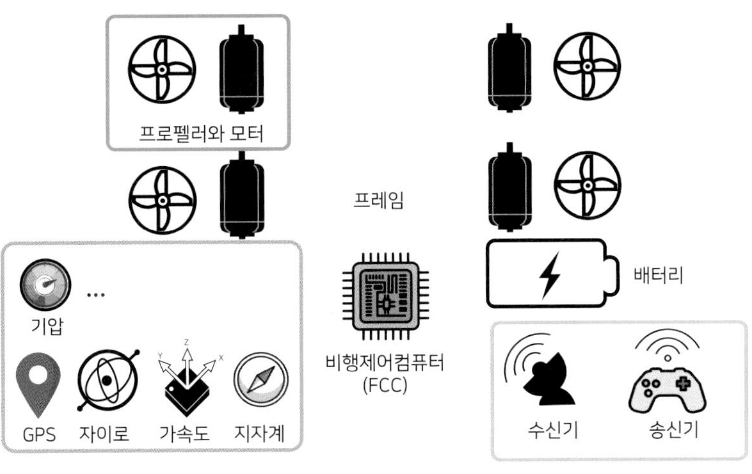

▲ 드론의 구성

■ 모터

모터는 전기와 자기의 성질을 이용합니다. 전기와 자기장이 만든 힘으로 모터가 회전합니다. 드론에 사용하는 모터는 브러시드(Brushed) 모터와 브러시리스(Brushless) 모터로 구분할 수 있습니다. 브러시드(Brushed) 모터는 우리가 흔히 사용하는 DC 모터입니다. 모터 내부를 보면 브러시가 있습니다.

▲ 브러시드(Brushed) 모터와 구조

전류를 흐르면 자기장의 방향에 따라서 코일이 회전합니다.

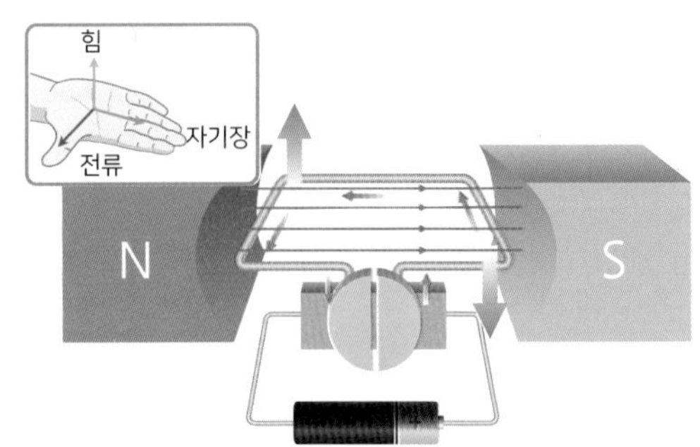

▲ 브러시드(Brushed) 모터의 회전 원리

브러시드 모터는 가격이 저렴해서 많이 쓰이지만 브러시와 정류자의 마찰로 오래 사용하기 힘듭니다.
브러시리스(Brushless) 모터는 말 그대로 브러시(Brush)가 없는(-less) 모터입니다.
영어 앞글자를 따서 'BLDC 모터'라고 부릅니다. 브러시리스 모터는 안에 있는 전자석(고정자: Stator)과 바깥에 있는 영구자석(회전자: Rotor)의 상호작용으로 회전합니다.

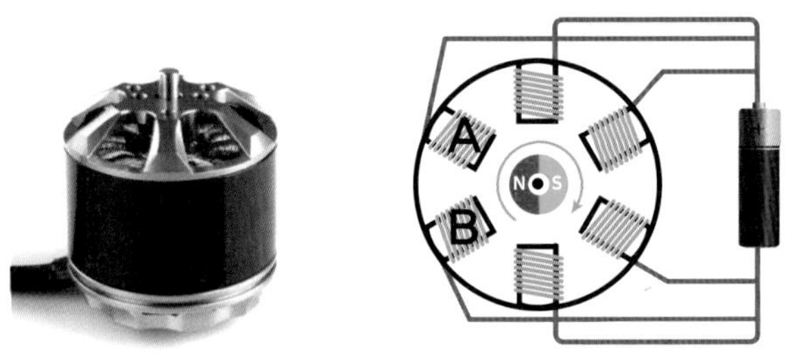

▲ 브러시리스(Brushless) 모터의 회전 원리

코일에 전류가 흐르면 전자석이 됩니다. 코일 A에 전류가 흐르면 반대 극인 회전자와 고정자가 서로를 끌어당깁니다. 그 다음에 코일 B에 전류가 흐르면 서로 끌어당겨서 조금 더 회전합니다. 코일에 순서대로 전류를 보내서 회전자를 회전시킵니다.
브러시가 없어서 오래 사용할 수 있지만, 코일 각각에 신호를 줘야 하므로 변속기(ESC) 같은 장치를 써서 모터에 안정적인 전류를 보내야 합니다.

■ 센서

드론이 균형을 잡고 비행하려면 센서도 필요합니다. 비행 제어 컴퓨터(FCC: Flight Controller Computer)는 드론의 두뇌와 같은 역할을 합니다. 송신기에서 보낸 신호를 수신기로 받아서 어떤 명령을 보냈는지 확인하여 조종자가 원하는 대로 드론이 움직일 수 있게 합니다. 또한, 다양한 센서에서 읽은 값을 계산해서 드론이 안정된 자세로 날 수 있게 합니다.

▲ 다양한 센서

자이로, 가속도 센서	자이로 센서는 X, Y, Z축으로 운동하는 물체의 회전 각도를 측정합니다. 가속도 센서는 물체의 가속도와 방향을 이용하여 움직임, 진동, 충격 등 물체의 운동 상태를 감지해서 3차원 공간에서 전후·좌우·상하 움직임을 측정합니다.
GPS	'위성 위치확인 시스템'의 줄임말입니다. 위성에서 받은 신호로 드론의 위치를 확인합니다. 드론이 제자리에서 가만히 있으려면 자신의 위치를 알아야 하고 비행하다가 원래 있던 곳으로 자동으로 돌아오기 위해서도 처음 이륙했던 위치를 알아야 합니다. 이때 GPS가 필요합니다. GPS가 없으면 드론은 제자리 있지 못하고 조금씩 움직입니다.
지자계 센서	지자계 센서는 드론의 방향을 정해줍니다. 지구는 큰 자석과 같아서 나침반은 항상 일정한 방향을 가리킵니다. 자북(磁北, Magnetic North)은 나침반이 가리키는 북쪽을 말하며, 지자계 센서는 자북과의 각도 측정해서 드론의 방향을 확인합니다. ▲ 지구의 자기장
기압 센서	기압 센서는 드론과 지면의 기압 차를 측정해서 드론이 같은 높이로 날 수 있게 합니다. 기압 센서가 없으면 드론이 같은 고도를 유지할 수 있게 조종자가 컨트롤러로 직접 조종해야 합니다.
관성 측정 장치(IMU)	관성 측정 장치(IMU)는 자이로 센서, 가속도 센서 등으로 기울어짐, 속도, 이동 방향 등을 계산해서 드론이 안정된 자세로 비행할 수 있게 합니다. 드론은 GPS가 없어도 날 수 있지만, 관성 측정 장치가 없으면 균형을 잡을 수 없어 날 수 없습니다.
비행제어컴퓨터(FCC :Flight Controller Computer)	비행제어컴퓨터는 드론에서 두뇌와 같은 역할을 합니다. 송신기에서 보낸 신호를 수신기로 받아서 어떤 명령을 보냈는지 확인하며, 조종가가 원하는 대로 드론이 움직일 수 있도록 합니다. 또한, 다양한 센서에서 읽은 값을 계산해서 드론이 안정된 자세로 날 수 있게 합니다.

이 책에서 사용하는 드론은 브러시드 모터를 사용합니다. 속도를 제어하기 위한 4개의 모터 드라이브 칩도 있습니다. 하우징과 드론의 덮개로 보드를 보호해줍니다.

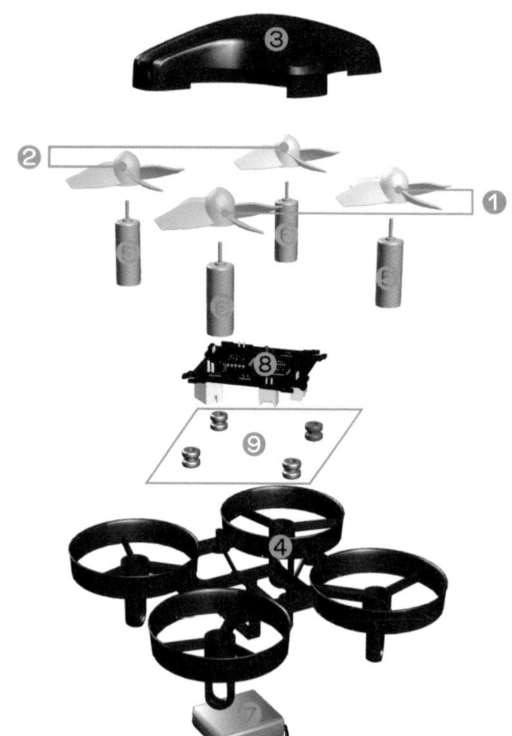

No	Name	Quantity
1	CCW 프로펠러(B)	2
2	CW 프로펠러(A)	2
3	하우징	1
4	프레임	1
5	CCW 모터	2
6	CW 모터	2
7	리튬 배터리	1
8	메인보드	1
9	고무 댐퍼	4

▲드론의 구조

	스스로 평가하기	확인
1	드론의 뜻을 이해할 수 있습니다.	
2	다양한 드론의 종류를 구분할 수 있습니다.	
3	드론이 나는 원리를 설명할 수 있습니다.	
4	드론의 구조를 이해할 수 있습니다.	

Memo

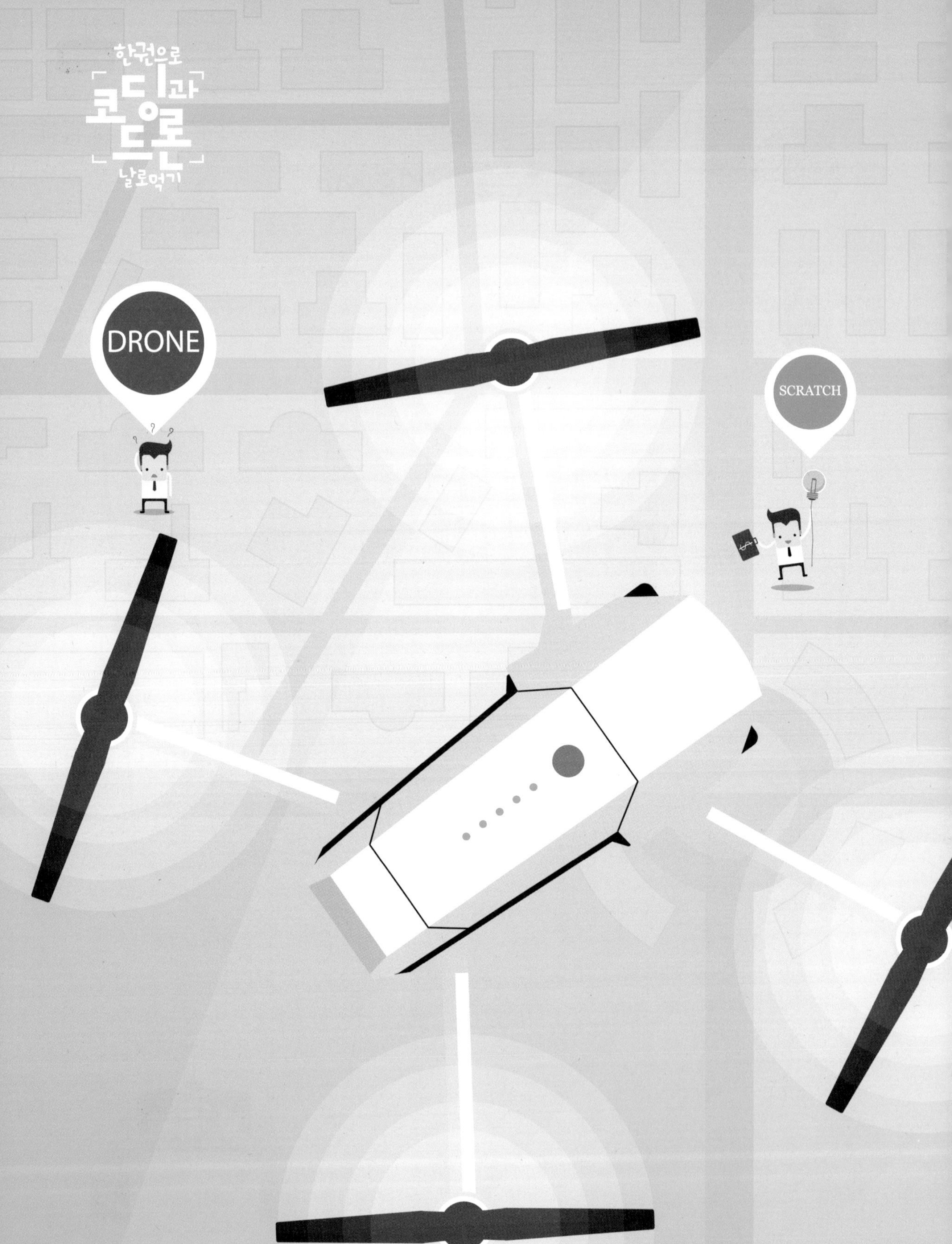

한권으로
날로먹기
DRONE
SCRATCH

Chapter 2

드론 시뮬레이터

1. 시뮬레이터 살펴보기
2. 키보드로 연습하기
3. 쓰로틀 · 롤 · 피치 · 요우
4. 시뮬레이터 설정하기
5. 컨트롤러로 연습하기
6. 시뮬레이터 게임하기

DRONE

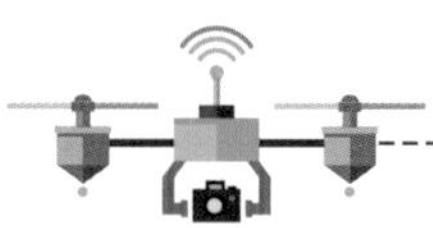

1 시뮬레이터 살펴보기

드론을 처음부터 능숙하게 조종하거나 코딩할 수 있다면 좋겠지만, 생각보다 어렵습니다. 드론 조종방법을 배우고 드론을 조종해보지만, 우리가 원하는 대로 드론이 잘 움직이지 않습니다. 그러다가 드론이 벽에 부딪히고, 바닥으로 몇 번 떨어지면 드론이 고장 나지 않을까 하는 두려움도 생깁니다.

드론을 처음 배울 때 드론 시뮬레이터로 배우면 이런 걱정을 할 필요 없이, 재미있게 배울 수 있습니다. 드론 시뮬레이터는 드론을 처음 배우는 사람이나, 드론을 조종하고 싶지만 두려움을 가진 사람을 위해 제작된 프로그램입니다. 드론을 가상 세계에서 조종하면서 드론의 특징과 조종방법 등을 반복적으로 익힐 수 있습니다.

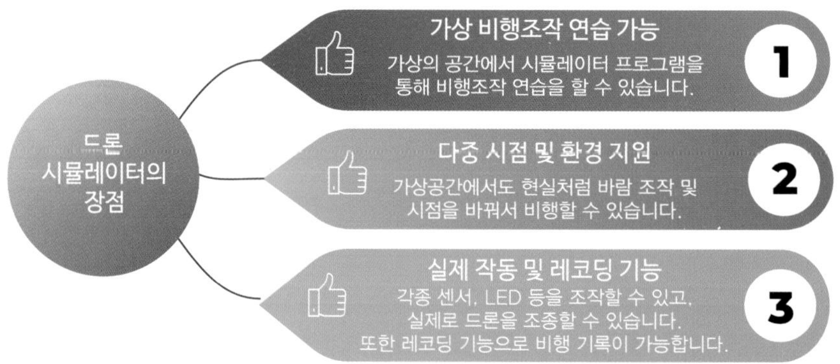

인터넷 주소창에 〈http://www.robolinksw.com〉이라고 쓰고 로보링크 '교육·기술지원 웹사이트'에 들어갑니다. 로킷 브릭을 다운로드한 것처럼 〈코드론 미니〉를 선택해서 드론 시뮬레이터 파일을 다운로드합니다.

압축 파일을 풀면 그림과 같은 아이콘이 생깁니다.
아이콘을 더블클릭하면 시뮬레이터 프로그램이 실행됩니다.

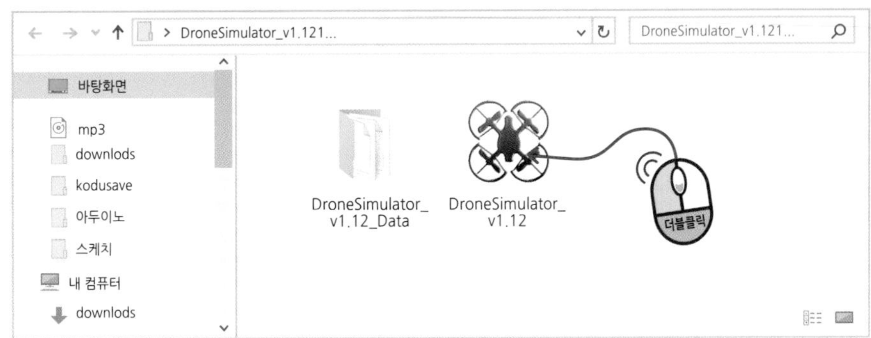

시뮬레이터나 로킷 브릭으로 드론의 센서값을 읽거나 조종하기 위해 드론 컨트롤러(조종기)를 PC와 연결하고 컨트롤러와 드론을 페어링하면 됩니다.

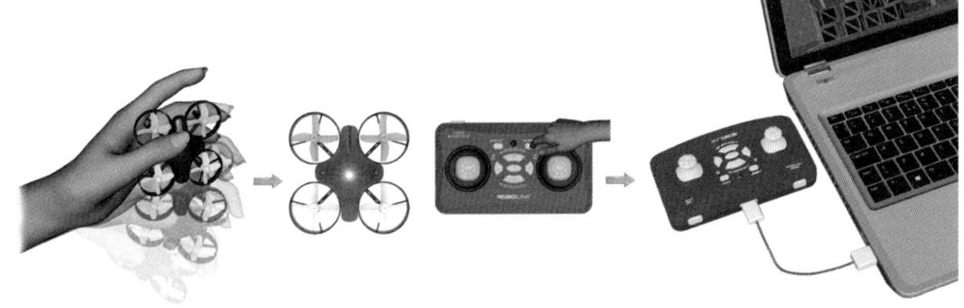

▶ USB 케이블을 PC(노트북)에 연결합니다.
▶ 마이크로 5핀 단자를 조정기(컨트롤러) 포트에 연결합니다.

그리고 코딩하여 드론을 움직이려면 조종기와 조종기 USB 드라이버가 필요합니다. '드라이버(Driver)'란 '컴퓨터와 연결된 특정 장치와 통신하여 이를 제어하는 역할을 하는 프로그램'을 말합니다. 보통 '장치 드라이버'라고 하는데 '장치(Device)'란 컴퓨터에 연결된 주변기기들을 의미하며 이런 각각의 하드웨어 장치를 제어하는 기능을 가진 프로그램이 바로 드라이버입니다. 마우스처럼 컴퓨터에 연결하면 자동으로 설치되는 드라이버도 있지만, 사용자가 직접 설치해야 하는 드라이버도 있습니다.

컴퓨터 운영체제가 Windows 10인 경우 컨트롤러와 컴퓨터를 USB로 연결하면 자동으로 컨트롤러 USB 드라이버가 자동 설치됩니다. 하지만 Windows 7과 Windows 8에서는 드라

이버를 수동으로 설치해야 합니다. 로보링크 '교육·기술지원 웹사이트'로 가서 USB Helper Download를 클릭하여 다운로드 합니다. 압축 파일을 풀고, 드라이버 설치 프로그램을 실행합니다.

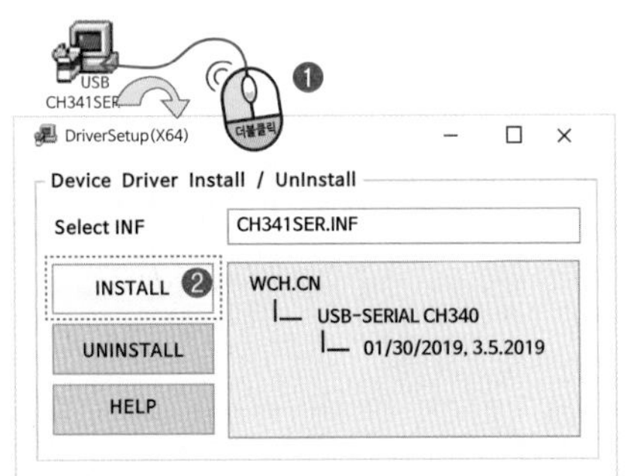

〈장치 관리자〉에서 컨트롤러가 잘 연결되었는지 확인할 수 있습니다. 그림과 같이 '장치 관리자'를 검색하면 〈장치 관리자〉 창이 나옵니다.

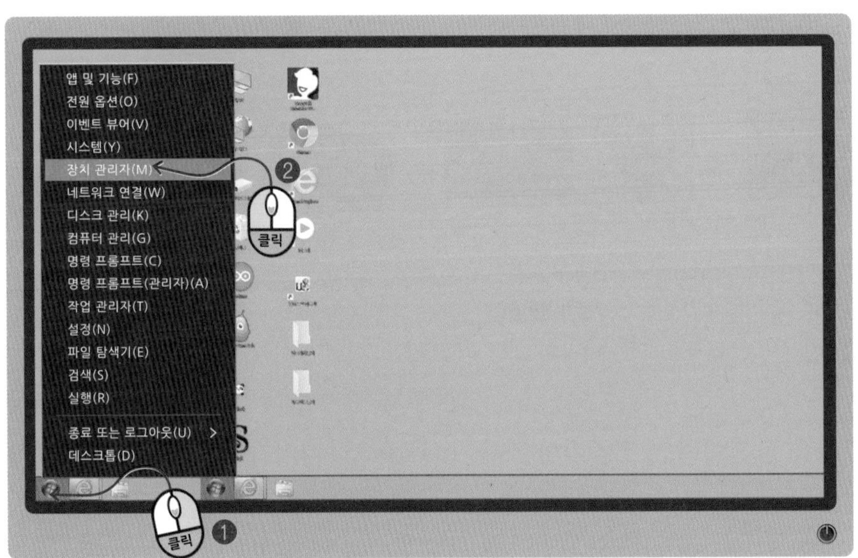

다른 방법으로 〈내 PC〉에서 〈속성〉을 선택하고 〈장차 관리자〉 클릭해도 됩니다.
〈장치 관리자〉 창에서 포트를 선택합니다.

연결이 잘 되었다면 그림과 같은 포트가 보입니다. COM 뒤에 오는 숫자는 컴퓨터마다 다를 수 있습니다.

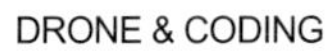

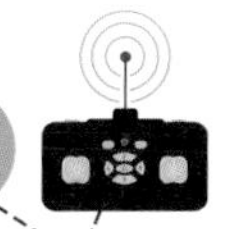

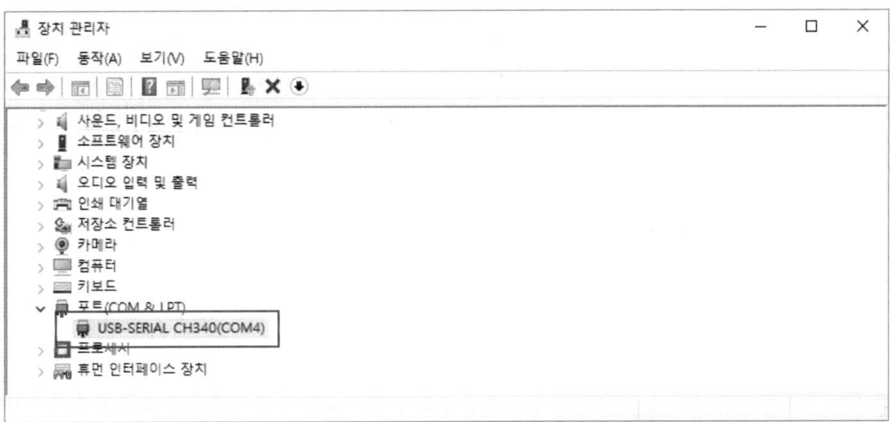

Windows 7이나 Windows 8도 마찬가지입니다. 장치 이름이 'STMicroelectronics virtual COMport'로 표시될 수도 있습니다.

컨트롤러, 키보드와 마우스는 명령을 내리는 입력장치이고, 드론과 컴퓨터는 입력장치의 명령을 출력하는 출력장치입니다.

입력장치

조종기

키보드&마우스

출력장치

드론

모니터

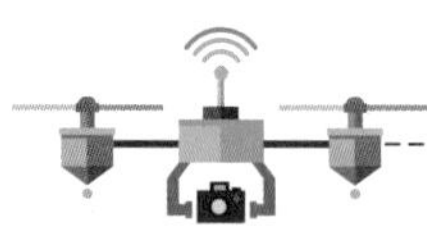

2 키보드로 연습하기

시뮬레이터에서 키보드와 컨트롤러로 조종 연습을 할 수 있습니다. 먼저 키보드로 드론 조종 연습하는 방법을 알아보겠습니다. 그림과 같이 〈CoDrone MINI〉를 클릭하고 〈Training〉을 클릭합니다.

그러면 시뮬레이터 화면이 나옵니다. 실제 드론과 마찬가지로 가상의 드론 역시 모든 기능은 '이륙'한 후에 사용할 수 있습니다. 빨간색으로 표시한 〈이륙(Take Off)〉 키를 마우스로 누루고 있으면 드론이 이륙합니다. Shift 키를 눌러도 됩니다. 이렇게 이륙한 상태에서 드론을 움직일 수 있습니다.

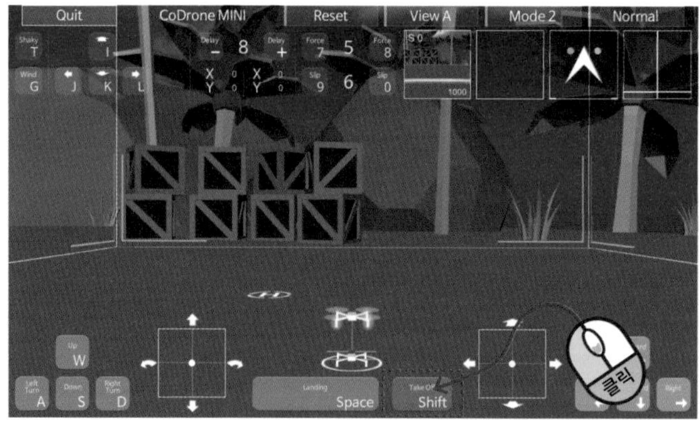

비행 중인 드론을 정지(착륙)시키려면 〈착륙(Landing)〉 키를 1초간 눌러줍니다. 그러면 드론이 천천히 착륙합니다. 비상정지 기능도 있습니다. 〈착륙〉을 빠르게 두 번 클릭하거나, 스페이스 키를 빠르게 두 번 누릅니다.

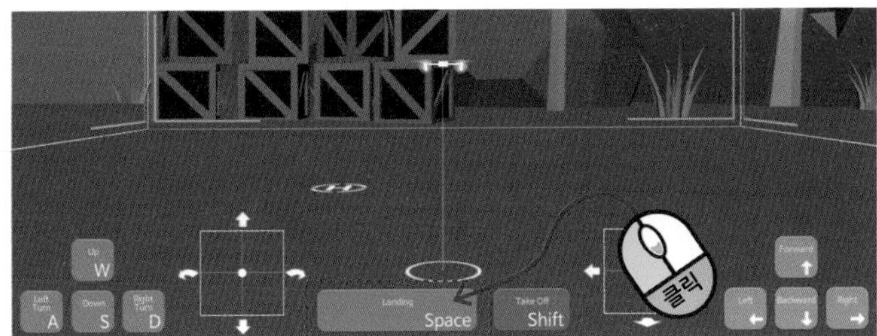

드론 조종은 양손으로 합니다. 왼손으로 W, A, S, D 키를 조작하고, 동시에 오른손으로 네 개의 화살표 키를 조작합니다. 드론의 비행은 '전후 이동', '좌우 이동', '상하 이동' 그리고 '제자리 회전'의 네 가지 동작을 조합하여 원하는 방향으로 드론을 움직입니다. 시뮬레이터에서는 드론이 움직일 때, 일정한 범위가 있습니다. 드론은 이 범위 안에서만 움직입니다.

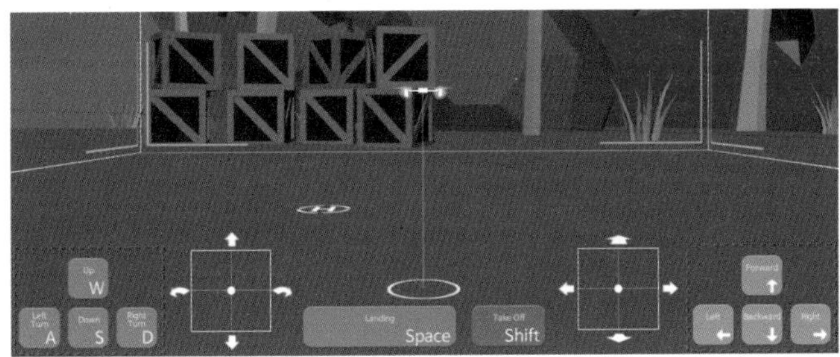

시뮬레이터로 연습하다 보면 드론이 보이지 않거나 다시 시작하고 싶을 때가 있습니다. 이럴 때 〈Reset〉를 클릭합니다. 그러면 시뮬레이터가 처음부터 시작됩니다.

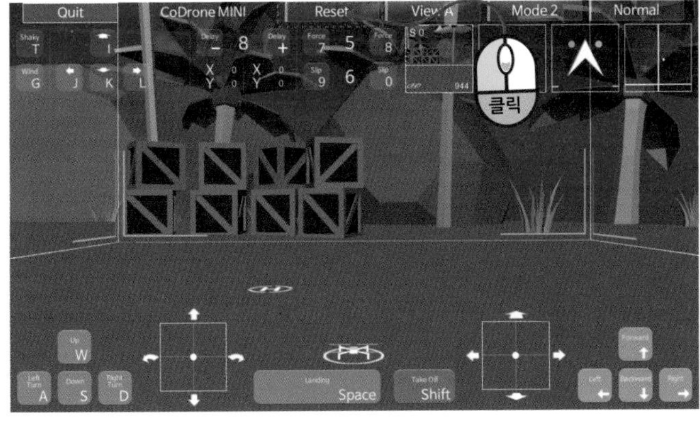

드론 컨트롤러는 4가지 방식이 있습니다. 그중에 가장 많이 쓰는 방식이 'Mode 2'입니다. 왼손으로 '상하 이동'과 '회전', 오른손으로 '전후 이동'과 '좌우 이동'을 합니다.

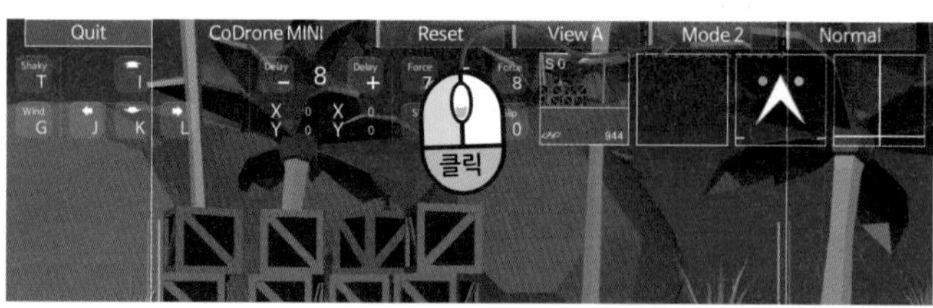

오른쪽 위의 〈Mode〉 버튼을 클릭하면 Mode가 1→2→3→4 순으로 바뀝니다. 'Mode 2'를 가장 많이 사용하지만 다른 모드를 사용해서 드론을 조종해도 됩니다.

조종 모드 설정

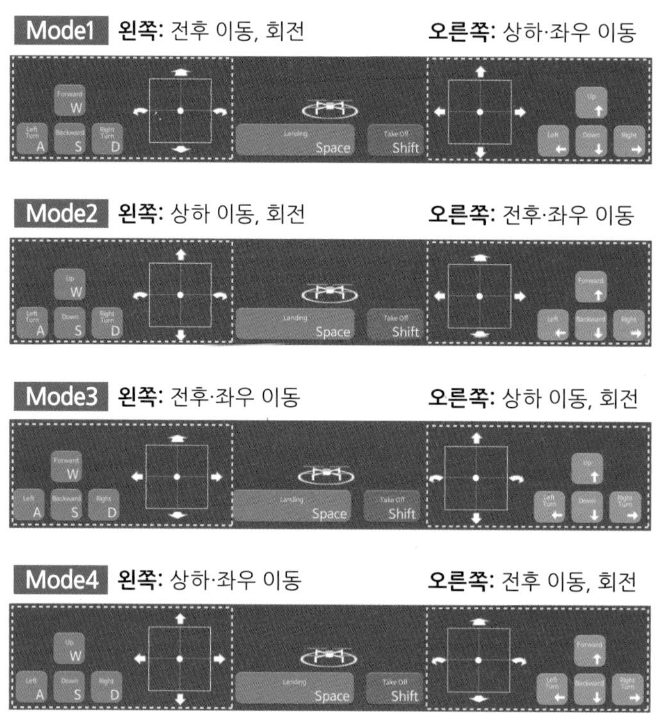

연습 모드에서 나가려면 〈Quit〉을 클릭하면 됩니다.

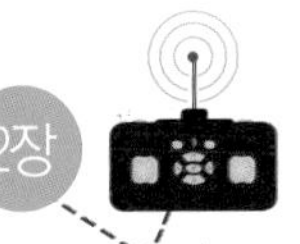

3 쓰로틀 · 롤 · 피치 · 요우

드론에는 빨간색과 초록색 LED가 있습니다. LED가 달린 부분이 드론의 헤드(머리)입니다. 헤드가 보는 쪽이 드론의 정면입니다. 시뮬레이터 오른쪽 위에 빨간색으로 표시한 화면(UI)이 보입니다. 각각의 화면은 드론의 움직임에 관한 상태를 알려줍니다.

- ▶ 첫 번째 화면은 원뿔 모양으로 드론에 가해지는 힘의 방향을 나타냅니다.
- ▶ 두 번째 화면은 드론의 방향과 공간 안에서 드론의 높이를 나타냅니다.
- ▶ 세 번째 화면은 수직으로 내려다본 공간에서 드론의 위치를 나타냅니다.

아래 화면을 보니, 드론을 오른쪽으로 회전했고, 시뮬레이터 공간의 가운데에 있다는 것을 알 수 있습니다.

드론을 처음 조종하면 드론의 헤드가 어디인 줄 몰라서 이상하게 조종하는 경우가 있습니다. 드론을 앞으로 움직여야 하는데 뒤나 왼쪽-오른쪽으로 움직이는 것이죠. 쓰로틀, 롤, 피치, 요우를 배울 때 시뮬레이터와 이 화면을 같이 보는 것을 추천합니다.

〈W〉 키와 〈S〉 키를 누르면 드론이 위-아래로 움직입니다.

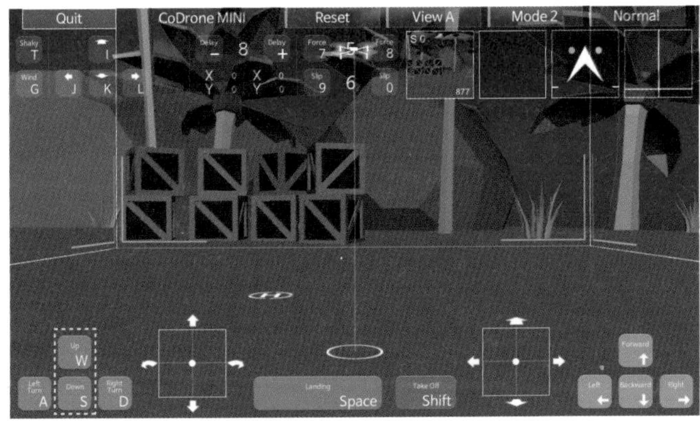

이렇게 위-아래로 움직이는 것을 쓰로틀(Throttle)이라고 합니다. 4개의 프로펠러가 빠르게 회전해 공기를 밀어내어 위로 올라갑니다. 쓰로틀은 커지게 됩니다.
반대로 천천히 회전하면 아래로 내려갑니다. 쓰로틀은 작아집니다. 〈W〉 키를 누르면 드론이 올라가고(쓰로틀(+)), 〈S〉 키를 누르면 내려갑니다(쓰로틀(-)).

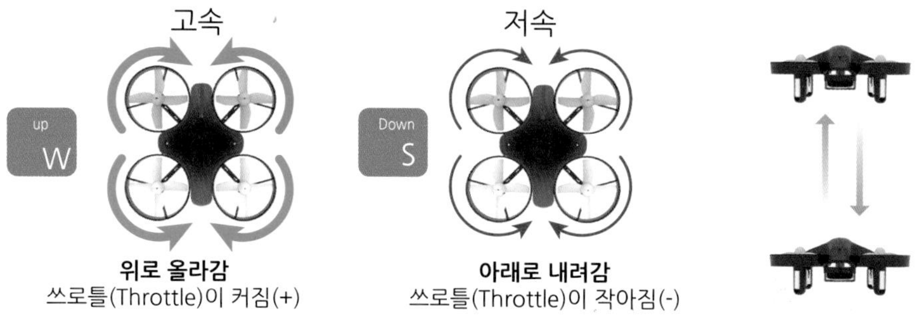

〈A〉 키와 〈D〉 키를 누르면 제자리에서 왼쪽-오른쪽으로 회전합니다. 왼쪽-오른쪽으로 회전하는 것을 요우(Yaw)라고 합니다.

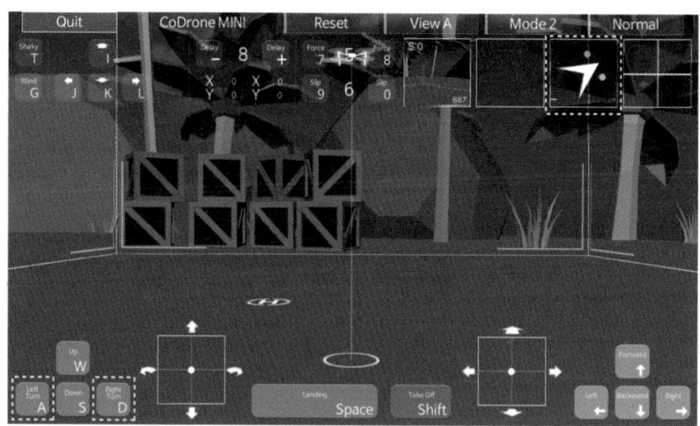

어떻게 드론이 회전할 수 있을까요? 뉴턴의 세 가지 법칙 중 '작용-반작용의 법칙'으로 설명할 수 있습니다. 시계 반대 방향으로 회전하는 프로펠러는 빠르게, 시계방향으로 회전하는 프로펠러는 천천히 회전합니다. 그러면 시계 반대 방향으로 도는 힘이 시계방향으로 보는 힘보다 강합니다. 드론 몸체에 시계 반대 방향으로 도는 힘이 작용해서 드론 몸체는 시계방향으로 회전합니다. 그러면 드론은 오른쪽으로 회전합니다. 드론이 오른쪽으로 회전하면 요우는 커집니다.
반대인 경우는 왼쪽으로 회전하고 요우는 작아집니다.
요우 축이 회전해서 제자리에서 왼쪽-오른쪽으로 회전하는 것이죠.

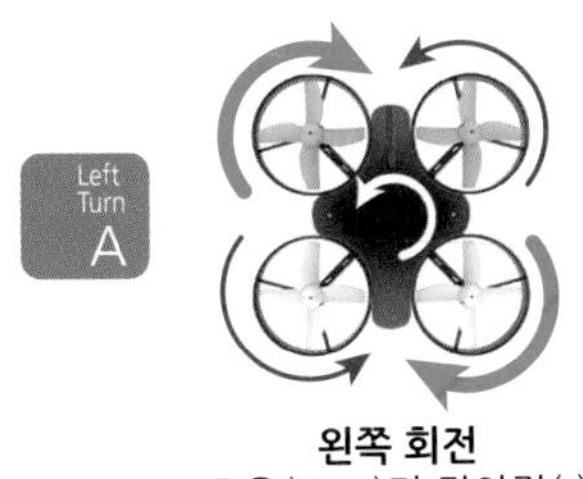

왼쪽 회전
요우(Yaw)가 작아짐(-)

오른쪽 회전
요우(Yaw)가 커짐(+)

〈화살표 위쪽(↑)〉 키와 〈화살표 아래쪽(↓)〉 키를 누르면 드론이 앞-뒤로 움직입니다. 앞-뒤로 움직이는 것을 피치(Pitch)라고 합니다.

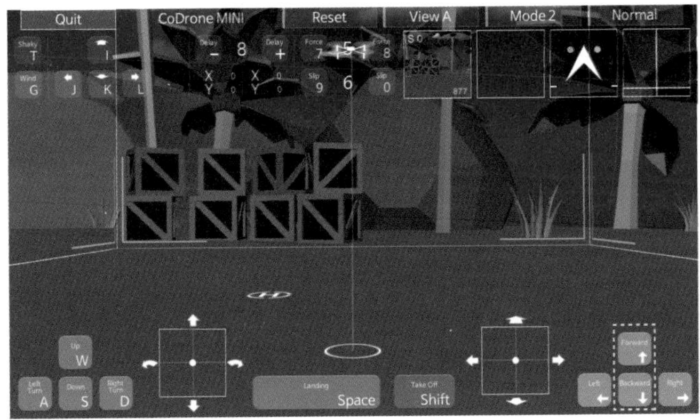

그림과 같이 헤드 반대쪽 프로펠러가 더 빠르게 회전하면 드론이 앞쪽으로 움직입니다. 그러면 피치는 커집니다.

헤드 쪽 프로펠러가 더 빨리 회전하면 드론은 뒤로 움직입니다. 이때 피치는 작아집니다.

드론의 피치 축이 회전해서 앞-뒤로 움직이는 겁니다.

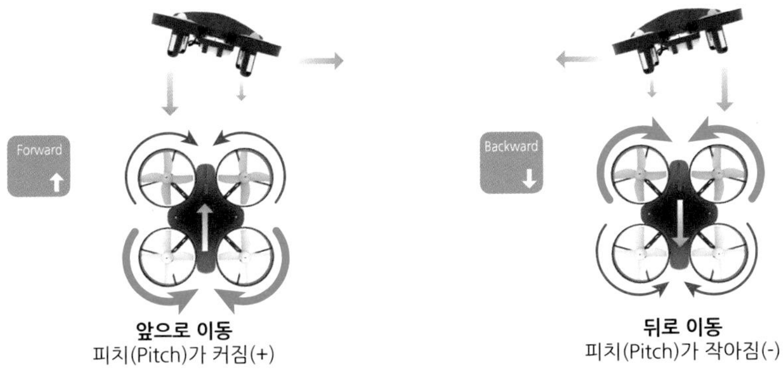

앞으로 이동
피치(Pitch)가 커짐(+)

뒤로 이동
피치(Pitch)가 작아짐(-)

〈화살표 왼쪽(←)〉 키와 〈화살표 오른쪽(→)〉 키를 누르면 드론이 왼쪽-오른쪽으로 움직입니다. 왼쪽-오른쪽으로 움직이는 것을 롤(Roll)이라고 합니다.

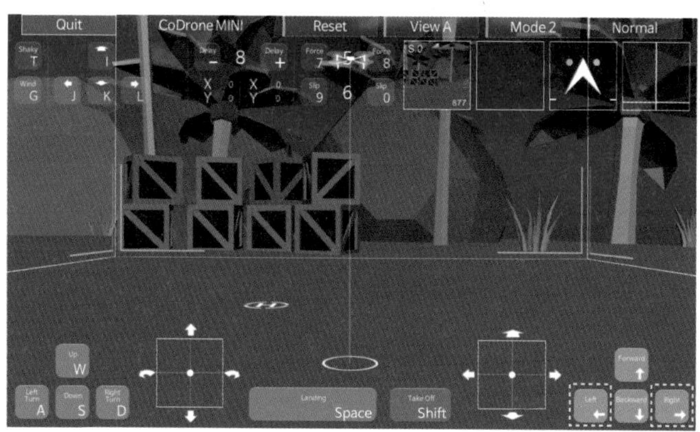

헤드의 왼쪽 프로펠러가 더 빠르게 회전하면 드론이 오른쪽으로 움직입니다. 그러면 롤은 커집니다.
헤드의 오른쪽 프로펠러가 더 빠르게 회전하면 왼쪽으로 움직입니다. 반대로 롤은 작아지는 것입니다.

이렇게 드론의 롤 축이 회전하면 왼쪽-오른쪽으로 움직입니다.

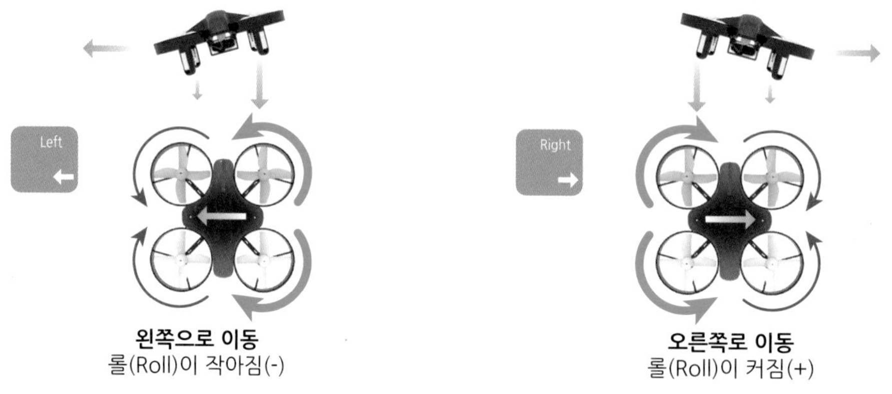

왼쪽으로 이동
롤(Roll)이 작아짐(-)

오른쪽로 이동
롤(Roll)이 커짐(+)

쓰로틀, 롤, 피치, 요우를 그림으로 정리해보겠습니다.

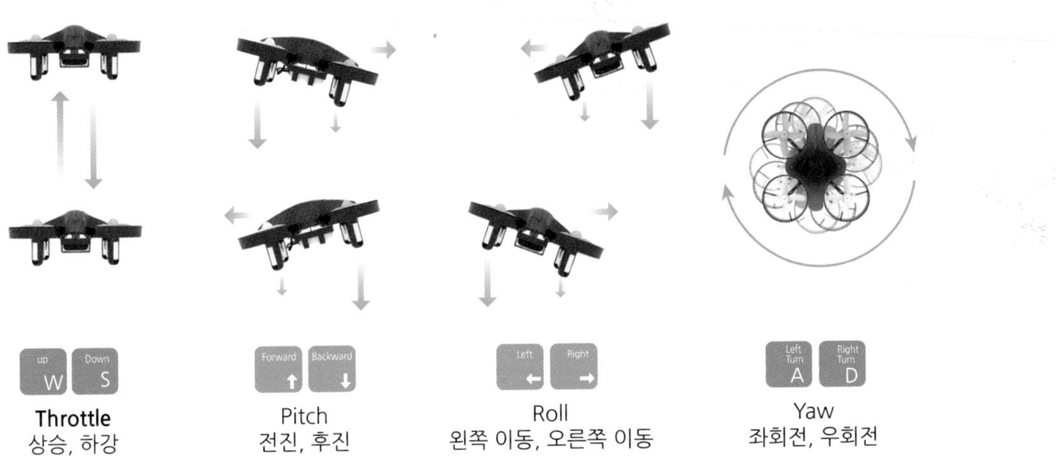

시뮬레이터를 사용하면 실제로 드론을 날리지 않아도 드론이 어떻게 나는지 확인할 수 있습니다. 어떻게 하면 드론이 원을 그리면서 날 수 있을까요? [요우] 값, [피치] 값 또는 [롤] 값을 동시에 바꾸면 됩니다.

다음과 같이 [요우] 값과 [롤] 값을 마이너스로 정하면 드론이 원을 그립니다.
[요우] 값을 바꾸면 회전하는 힘으로 드론이 원을 그리며 비행합니다.

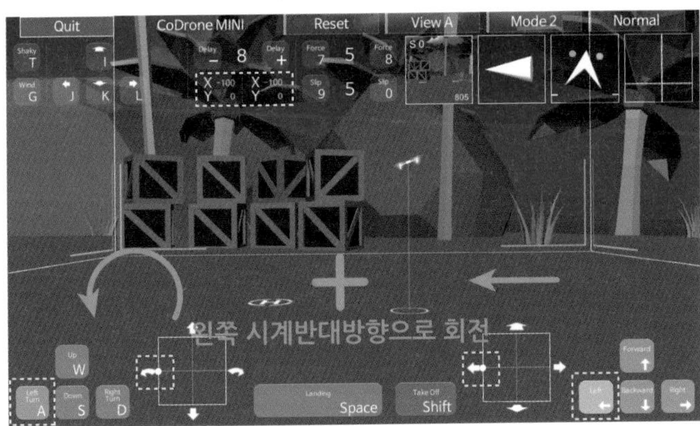

[요우] 값은 플러스, [롤] 값을 마이너스로 정하면 드론이 시계 방향으로 회전합니다.

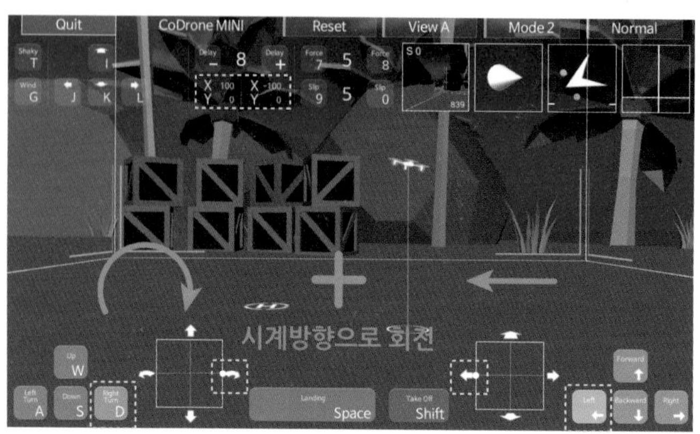

〔요우〕 값, 〔피치〕 값, 〔롤〕 값을 바꿔서 8가지 방법으로 원을 그릴 수 있습니다. 이것을 표로 나타내면 다음과 같습니다.

요우	피치 또는 롤	회전 방향	요우	피치 또는 롤	회전 방향
↻	↑	앞쪽 시계 방향	↻	→	오른쪽 시계 방향
↺	↑	앞쪽 시계 반대 방향	↺	→	오른쪽 시계 반대 방향
↻	↓	뒤쪽 시계 방향	↻	←	왼쪽 시계 방향
↺	↓	뒤쪽 시계 반대 방향	↺	←	왼쪽 시계 반대 방향

원의 크기는 어떻게 바꿀까요? 〔요우〕 값으로 원의 크기를 바꿀 수 있습니다. 〔요우〕 값이 작고 〔피치〕나 〔롤〕값이 크면 큰 원을 그립니다. 회전하는 속도보다 전후좌우로 움직이는 속도가 크기 때문에 드론이 큰 원을 그리고, 반대의 경우는 작은 원을 그립니다.

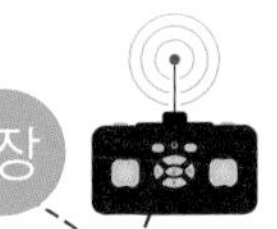

4 시뮬레이터 설정하기

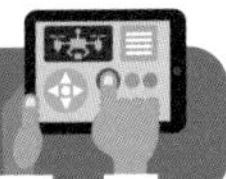

드론 조종하는 방법은 배웠지만, 우리가 원하는 대로 드론을 조종하기 쉽지 않습니다. 드론 조종하는 방법은 머리가 아닌 몸으로 익혀야 합니다. 먼저 착륙 연습부터 해보겠습니다.

바닥에 (H)라는 글씨가 쓰인 곳이 보입니다. 이곳이 착륙 지점입니다.

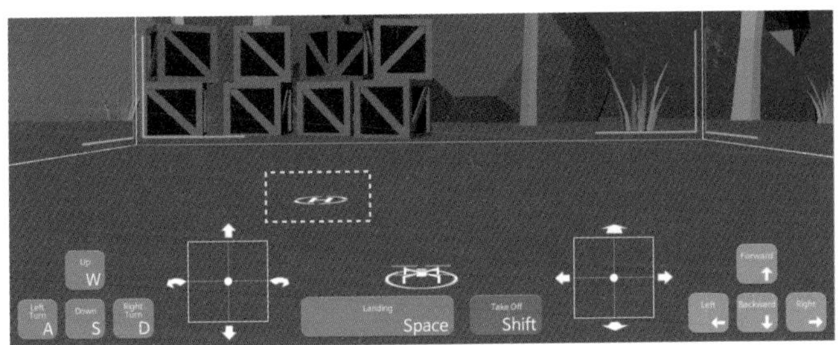

드론을 이륙시키고 이곳에 착륙시키면서 드론을 조종하는 방법을 연습하겠습니다.
드론이 이륙하면 드론 아래에 동그라미가 표시됩니다. 이 표시를 잘 살펴서 착륙합니다.

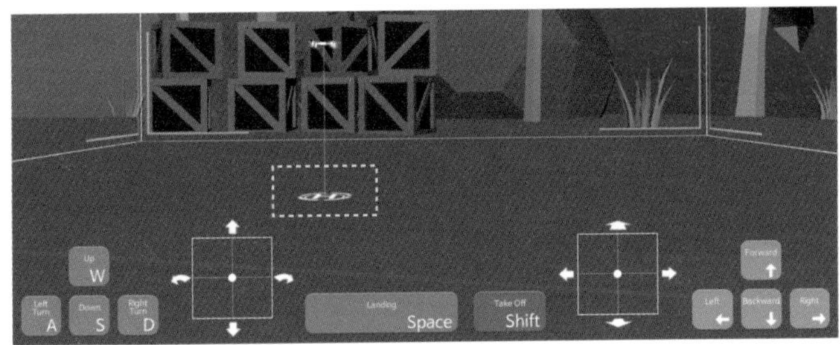

그러면 새로운 착륙 지점이 생깁니다. 이렇게 여러 번 착륙 연습을 해서 드론 조종하는 방법을 익힙니다.

드론이 멀리 떨어지면 어디가 앞인지 구분하기 어렵습니다. 오른쪽 위 화면으로 드론의 방향을 알 수 있지만, 실제 조종할 때는 눈으로 확인해야 합니다. 드론이 멀리 날아갈수록 눈으로 확인하기 어려워서 조종하기 힘들어집니다.
드론의 정면이 아닌, 조종자를 기준으로 움직이면 방향이 헷갈리지 않습니다.
〈Absolute〉 모드를 사용하면 조종자를 기준으로 드론이 움직입니다. 드론 헤드 방향이 바뀌

어도 조종자가 오른쪽으로 조종하면 드론이 오른쪽으로 움직입니다.

빨간색으로 표시한 곳을 클릭해서 〈Normal/Absolute〉 모드로 바꿀 수 있습니다. 우리가 앞에서 연습했던 것은 〈Normal〉 모드였습니다. 그래서 드론 헤드의 방향이 바뀌면 조종하기 어려웠습니다.

〈A〉 키나 〈D〉 키를 눌러 드론을 왼쪽-오른쪽으로 회전시킵니다. 그리고 화살표 키를 누르면 드론 헤드의 방향에 상관없이 드론이 화살표 키 방향으로 움직입니다.

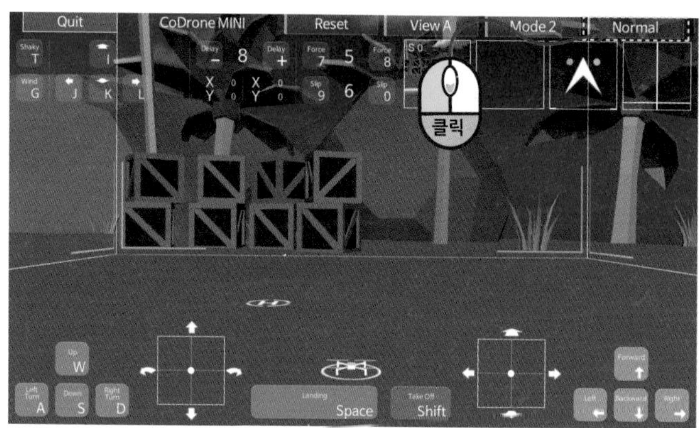

실제 드론 조종할 때도 조종자를 기준으로 움직일 수 있습니다. 이것을 〈헤드리스(Headless)〉 모드라고 합니다. 드론의 헤드(Head) 방향에 상관없이(-less) 조종자를 기준으로 드론을 움직일 수 있습니다. 헤드리스 기능을 사용하기 위해서는 GPS 센서나 관성 측정 장치(IMU)를 사용해서 처음 이륙했던 방향을 기억합니다. 그래서 조종자가 바라보는 방향으로 드론을 조종할 수 있습니다.

연습화면을 잘 보면 그림과 같은 보라색 공이 있습니다. 드론을 조종해서 이 공에 닿으면 점수가 올라가고 보라색 공이 다른 곳으로 움직입니다.

착륙 연습을 열심히 했으면 보라색 공을 찾는 연습을 해봅시다. 빨간색으로 표시한 작은 화면은 서브 화면입니다. 드론이 현재 보고 있는 화면을 보여줍니다. 드론을 움직이다 보면 서브 화면에 보라색 공이 보입니다.

위쪽에 글자와 숫자는 보라색의 공의 상태와 드론에 닿은 공의 개수를 나타냅니다.

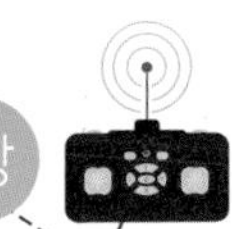

아래 숫자는 보라색 공까지의 거리를 나타냅니다.

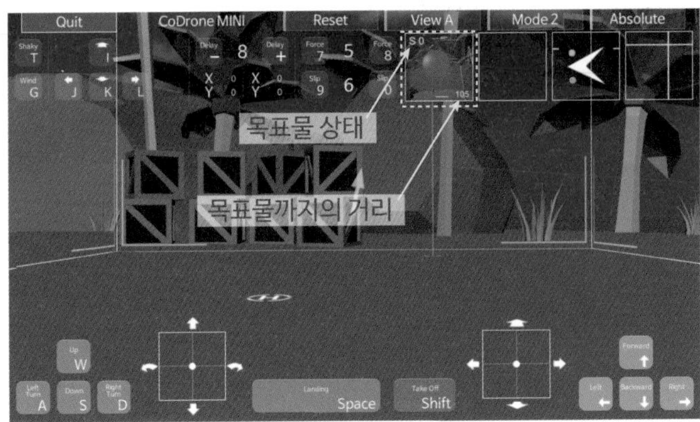

서브 화면을 클릭하면 그림과 같이 글자가 S에서 M으로 바뀝니다.

S(Stay: 고정)는 보라색 공이 가만히 있다는 것, M(Movement: 움직임)은 보라색 공이 움직이고 있다는 것을 알려줍니다. 공이 움직이면 닿기 더 힘들겠죠?

그런데 서브 화면을 보고 공을 찾는 것은 어렵습니다. 어떻게 하면 될까요? 화면의 시점을 바꾸면 됩니다. 빨간색으로 표시한 〈View A〉를 클릭하면 〈View B〉로 바뀝니다.

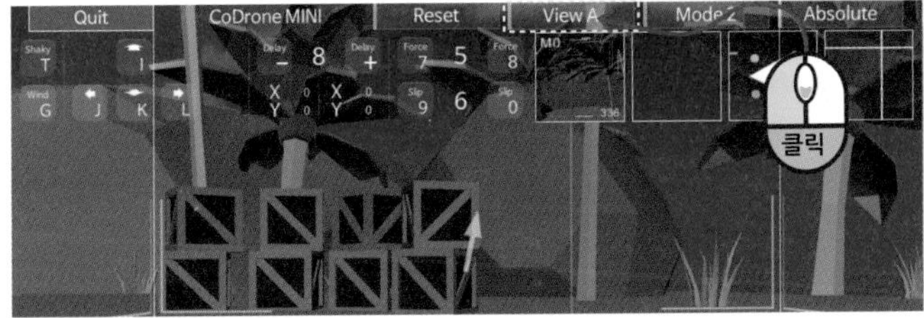

메인 화면이 드론이 보는 화면으로 바뀌었고, 서브 화면은 조종자가 보는 화면으로 바뀌었습니다. 시점이 바뀌면 메인 화면과 서브 화면이 서로 바뀝니다.

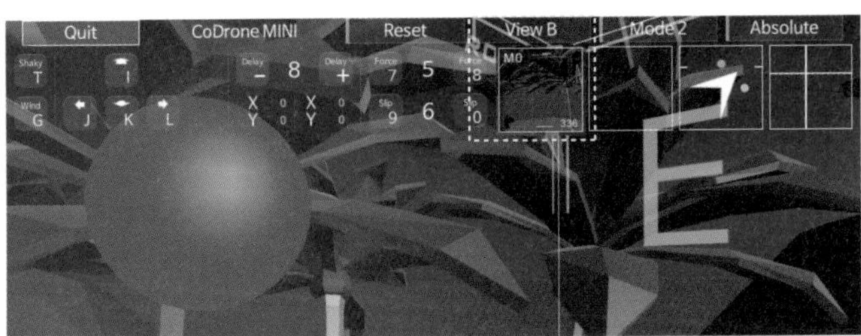

View A	**메인화면** : 조종자 시점 **서브화면** : 드론 시점	View B	**메인화면** : 드론 시점 **서브화면** : 조종자 시점

〈View B〉로 시점을 바꾸면 공을 찾기가 더 쉽습니다. 착륙과 공 찾기 연습을 열심히 하면 드론 조종에 익숙해질 것입니다.

그리고 시뮬레이터 입력하는 쓰로틀, 요우, 피치, 롤의 범위를 정할 수 있습니다. 〈Ctrl〉 키를 누른 채로 〈W〉〈A〉〈S〉〈D〉 키나 〈화살표〉 키를 누르면 그림처럼 입력할 수 있는 범위가 정해집니다. 마우스로 클릭해서 범위를 정할 수도 있습니다.

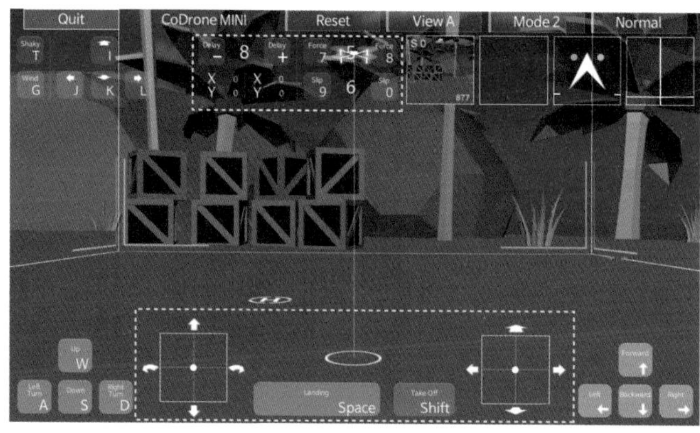

그러면 정해진 범위에서만 쓰로틀, 요우, 피치, 롤 값이 바뀝니다. 이런 방법으로 드론에 가하는 힘의 크기를 조절할 수 있습니다.

키를 누르면 쓰로틀, 요우, 피치, 롤 값의 범위를 확인할 수 있습니다.

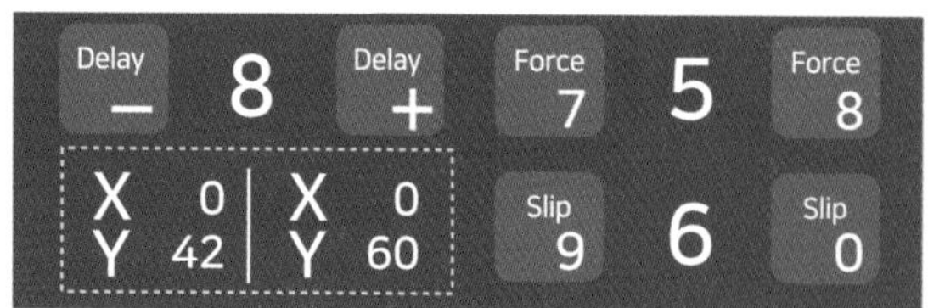

시뮬레이터에서 드론이 움직이는 모습도 설정할 수 있습니다.

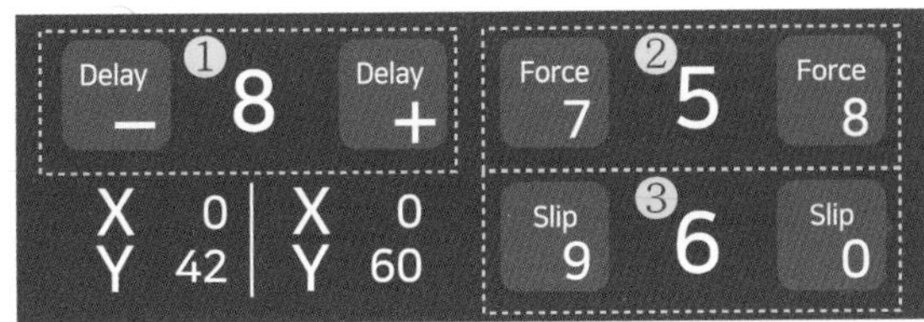

❶ 지연(Delay)은 실제 컨트롤러로 조작하는 것처럼 레버의 입력값을 얼마나 천천히 줄 것인지를 정합니다. Delay 값이 클수록 천천히 움직이고, 작을수록 바로 움직입니다. 〈−〉와 〈+〉를 클릭하면 Delay 값이 바뀝니다. 값을 바꾸고 드론을 왼쪽–오른쪽으로 움직여서 차이를 확인합니다. 1에서 10까지 값을 바꿀 수 있습니다.

❷ 힘(Force)은 드론에 가해지는 힘의 값을 말합니다. Force가 클수록 더 빠르게 움직입니다. 1에서 9까지 값을 바꿀 수 있습니다.

❸ 미끄러짐(Slip)은 드론이 움직이거나 멈출 때, 미끄러지는 정도를 말합니다. 값이 작으면 멈출 때 바로 멈추고, 값이 크면 멈출 때 더 멀리 미끄러집니다. 값이 크면 드론을 조종하지 않아도 미끄러져서 조금씩 움직입니다. 1에서 9까지 값을 바꿀 수 있습니다.

불안정(Shaky) 기능을 사용하면 드론을 불안정 상태로 만들 수 있습니다. 〈T〉 키를 누르거나 버튼을 클릭하면 됩니다.

버튼을 한 번 누르면 버튼 옆에 체크 표시(∨)가 생깁니다. 그러면 드론의 상태가 불안정해집니다. 버튼을 체크할 때마다 불안정해지는 정도가 다릅니다.

버튼을 한 번 더 누르면 체크 표시가 사라지고 드론은 다시 안정된 상태가 됩니다.

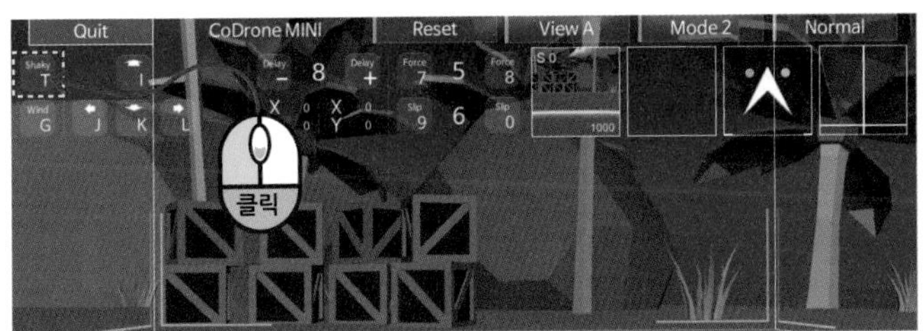

노란색으로 표시한 버튼이 미세조정 버튼입니다. 이 버튼으로 드론이 공중에서 일정한 높이를 유지할 수 있도록 합니다. 이것을 '호버링' 이라고 합니다. 버튼에 있는 키를 누르거나 클릭하면 됩니다.

드론이 조금씩 움직이는 방향을 잘 살펴 반대 방향으로 조정합니다. 이것을 트림이라고 합니다.

'호버링', '트림'은 3장에서 더 자세히 알아보겠습니다.

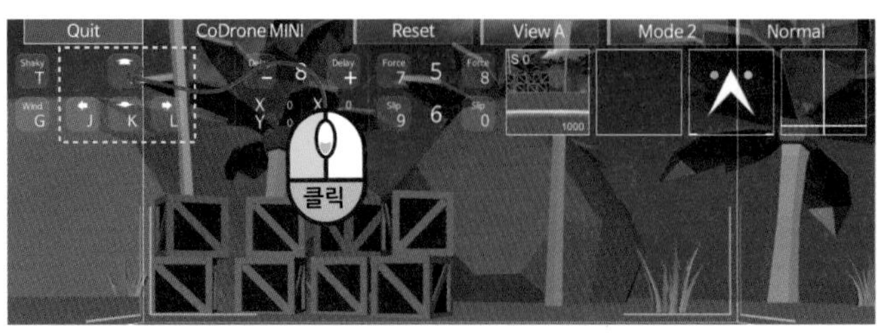

피치(PITCH) 미세조정

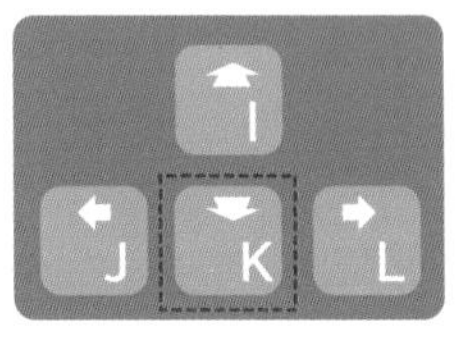

드론이 앞으로 흐른다면 〈K〉버튼을 눌러 조정합니다.

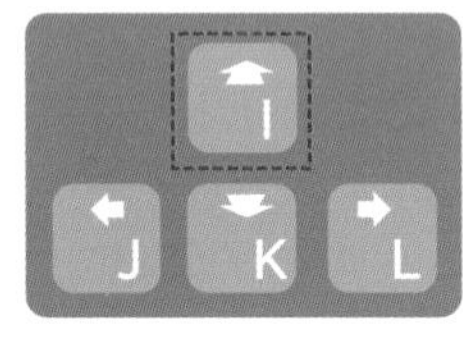

드론이 뒤으로 흐른다면 〈I〉버튼을 눌러 조정합니다.

롤(ROLL) 미세조정

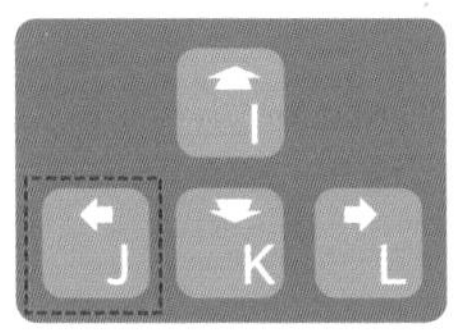

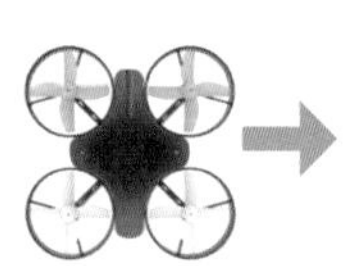

드론이 오른쪽으로 흐른다면 〈J〉버튼을 눌러 조정합니다.

드론이 왼쪽으로 흐른다면 〈L〉버튼을 눌러 조정합니다.

시뮬레이터로 충분히 연습하고 실제 드론으로 호버링합니다. 시뮬레이터로 실제 드론을 조종할 수 있습니다.

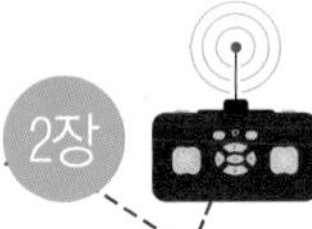

5 컨트롤러로 연습하기

컨트롤러로 드론을 조종하는 방법을 배워보겠습니다.
컨트롤러를 컴퓨터에 연결하고 시뮬레이터에서 〈Connect C〉를 클릭하면 연결된 포트 번호가 나옵니다 이 포트 번호를 선택하면 그림처럼 컨트롤러 아이콘이 나옵니다. 〈Training〉을 선택해서 연습 모드로 들어갑니다.
그러면 컨트롤러로 드론을 비행할 수 있습니다.

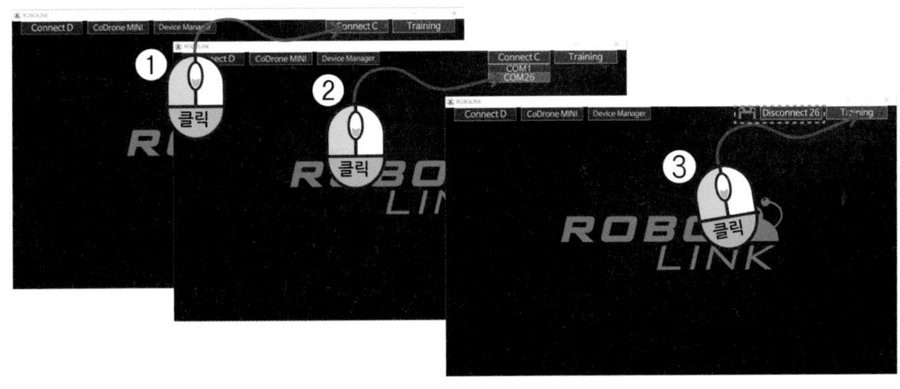

〈L1〉 버튼을 길게 눌러 이륙합니다. 이륙한 상태에서 조이스틱을 움직여서 드론을 움직일 수 있습니다.
이륙한 상태에서 〈L1〉을 한 번 더 길게 누르면 착륙합니다.
그리고 〈L1〉을 누른 채로 쓰로틀 조이스틱을 아래로 내리면 비상착륙합니다.

실제 비행할 때도 마찬가지입니다.
드론을 비행하다 보면 비상착륙을 해야 할 때가 있으니, 비상착륙 방법은 꼭 익히기 바랍니다.

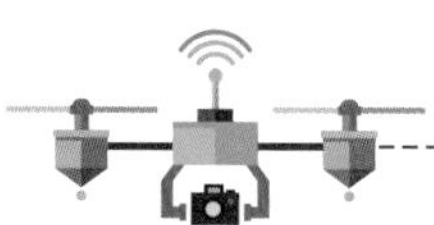

〈View A〉를 클릭해서 드론 시점으로 바꿉니다. 서브 화면을 클릭하면 그림과 같이 글자가 S에서 M(Movement: 움직임)으로 바뀝니다. 그러면 보라색 공이 계속 움직입니다. 이 상태에서 컨트롤러로 드론을 조종해서 공에 찾는 연습을 합니다.

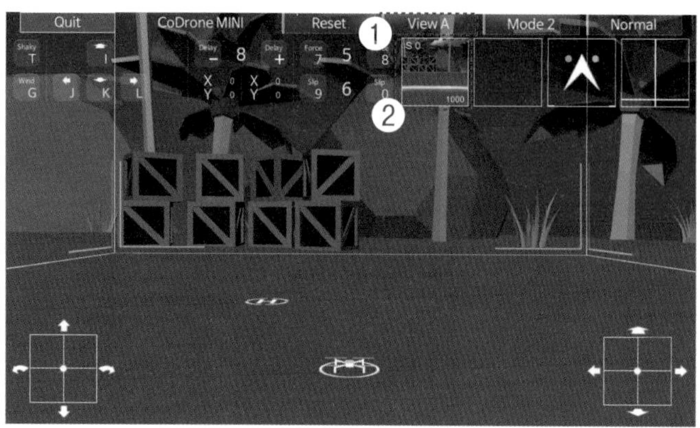

연습 모드에서 바람을 발생시켜 드론이 밀려나게 만드는 기능이 있습니다. 〈G〉 키를 누르거나 화면의 버튼을 클릭하면 됩니다. 버튼을 한 번 누르면 체크 표시가 생기면서 바람이 불기 시작합니다. 다시 한번 누르면 체크 표시가 사라지면서 바람이 멈추게 됩니다. 바람이 불면 드론을 조종하기 어렵겠죠? 이 기능은 좀 더 숙련된 드론 조종법을 익히게 하는 목적이 있습니다. 실제 비행 상황에서는 바람이 많고, 환경에 따라 조종이 쉽지 않습니다. 따라서 많은 훈련과 연습을 통해 조종하는 방법을 잘 익혀야 합니다.

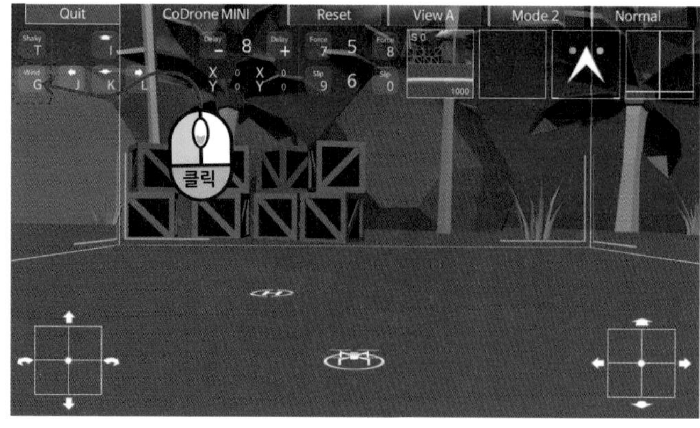

호버링은 드론 조종할 때나 코딩할 때 중요한 드론 세팅 과정입니다. 시뮬레이터에서 컨트롤러로 호버링하는 연습을 충분히 합니다. 컨트롤러 가운에 있는 〈F〉, 〈B〉, 〈L〉, 〈R〉 버튼으로 드론이 제자리에서 떠 있도록 합니다.

6 시뮬레이터 게임하기

시뮬레이터에는 컨트롤러 조종을 할 수 있는 다양한 게임이 있습니다. 게임을 하면서 컨트롤러 조종 방법을 연습할 수 있습니다. 컨트롤러를 연결하고 〈Training〉을 클릭합니다. 실행 화면이 나오면 〈F2〉 키를 누릅니다.

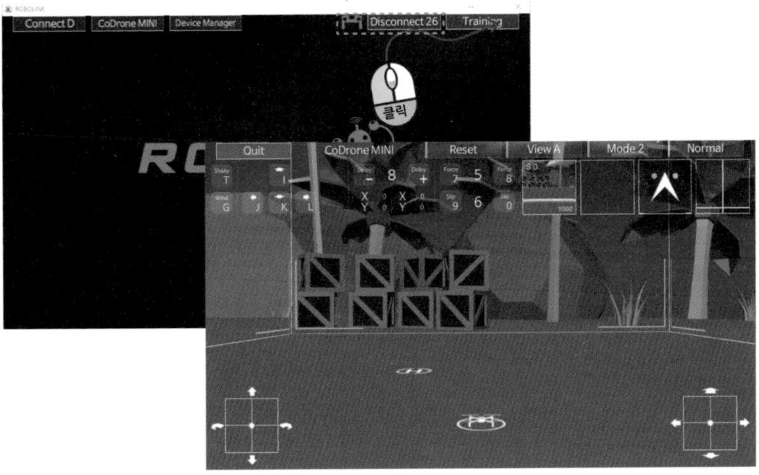

그러면 드론 시뮬레이터 미니게임이 나옵니다. 왼쪽과 오른쪽을 보면 화살표 (◀)표시가 있습니다. 이 화살표를 클릭해서 하고 싶은 게임을 선택합니다.

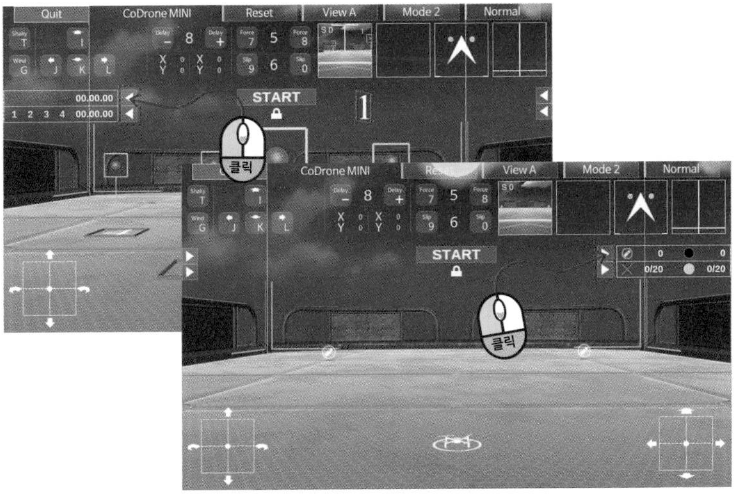

그리고 가운데 있는 〈START〉 버튼을 클릭하면 게임이 시작됩니다. 그리고 코드론 미니게임을 할 때 〈View A〉와 〈View B〉를 클릭해서 시점을 고를 수 있습니다.

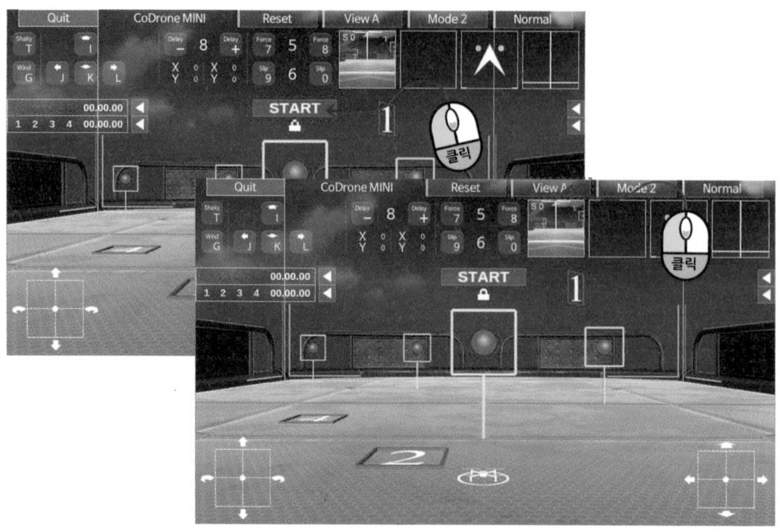

첫번째 미니 게임은 장애물 안의 보라색 공을 제한시간 안에 빨리 모으는 게임입니다.
지정된 공간의 장애물 안의 공을 드론으로 먹게 되면 아래처럼 공이 채워집니다.

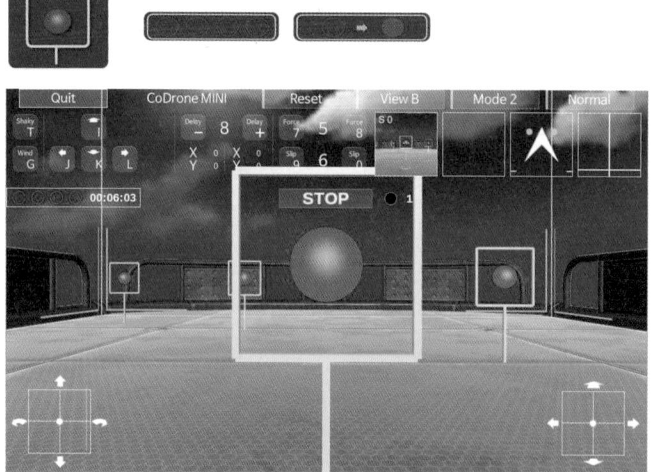

두 번째 게임은 공중 장애물(1,3번)과 바닥 장애물(2,4번)을 순서대로 (1→2→3→4)로 빨리 비행하는 게임입니다. 해당 장애물을 통과하거나 착륙하면 왼쪽 숫자판에 체크 표시가 됩니다. 3번 장애물은 View B로 변경하여야 보입니다

세 번째 게임은 슈팅 게임 입니다. 총알 모양 아이콘을 먹게 되면 총알이 100발 장전 되며 자동으로 0발이 될 때 까지 발사합니다.
이 총알로 화면에 떠다니는 잉크 방울을 맞추면 점수가 오르고 드론이 검은공을 부딪치게 되면 화면이 어두워지고 드론이 멈추면서 게임이 끝납니다.

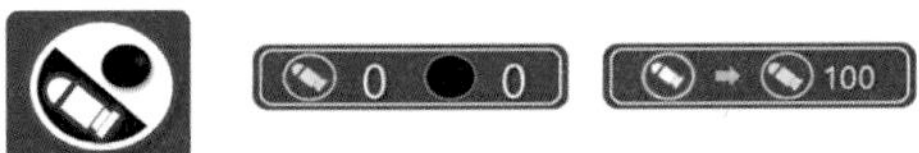

네 번째 게임은 노란 공 모으기 게임입니다. 드론을 조종하여 노란 공을 먹게 되면 점수가 올라갑니다. 짧은 시간 안에 공은 랜덤하게 등장하며 못 먹거나 늦게 먹을 경우 X 포인트가 1씩 커집니다. 총 20개의 공이 나타나며 M을 클릭하여 장애물을 움직이게 할 수도 있습니다.

X 0 ● 0　X 0 / 20 ● 0 / 20

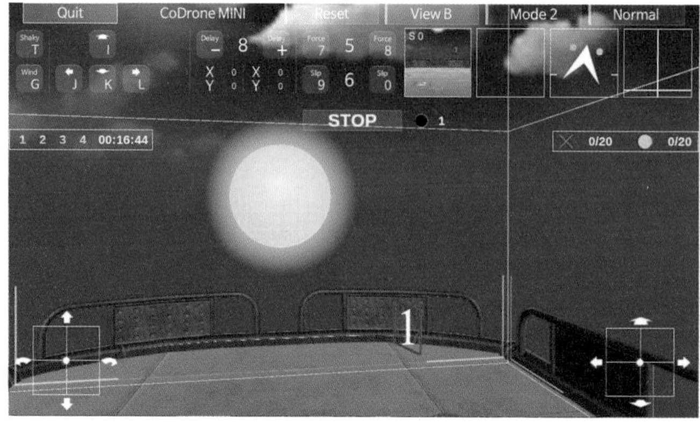

뿐만 아니라 〈링크 플레이〉라는 프로그램으로 컨트롤러 사용법을 연습할 수 있습니다. 로보링크 '교육 기술지원 웹사이트'에 들어가서 〈링크 플레이〉를 다운받습니다.

링크 플레이

Window Download (v1.0.0)	**프로그램** 가이드 >

압축파일을 풀면 오른쪽과 같은 게임 실행파일이 만들어집니다.
이 파일을 더블클릭해서 실행하고 빨간색으로 표시한 〈게임 아이콘〉을 클릭하면 컨트롤러로 탁구, 비행기, 표창 게임 등 자신이 원하는 게임을 선택해서 할 수 있습니다.
〈링크 플레이〉 사용방법은 〈프로그램 가이드〉를 클릭하고 설명서를 다운받아서 확인할 수 있습니다.

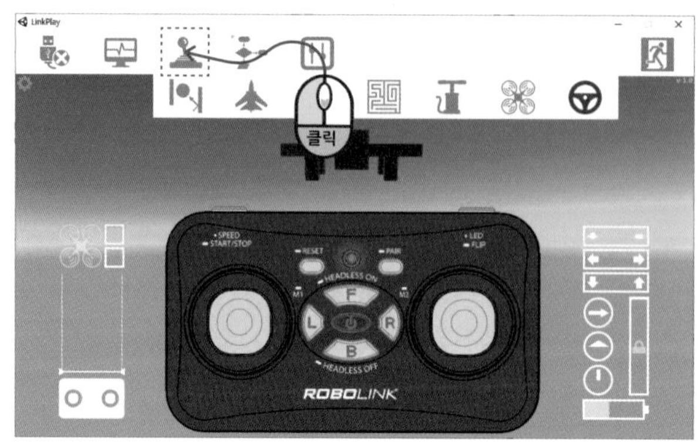

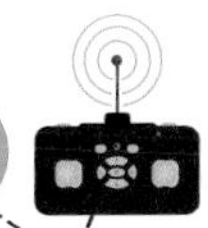

Memo

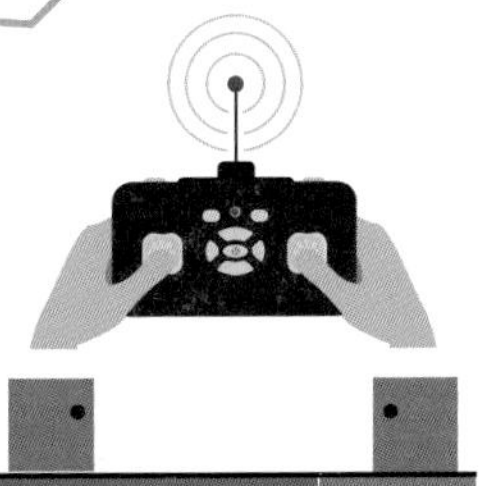

	스스로 평가하기	확인
1	시뮬레이터에서 드론을 움직일 수 있습니다.	
2	쓰로틀, 요우, 피치, 롤의 개념을 이해할 수 있습니다.	
3	모터의 회전 방향에 따라서 드론이 어떻게 움직이는지 이해할 수 있습니다.	
4	시뮬레이터의 여러 가지 설정을 바꿀 수 있습니다.	

한권으로 코딩과 드론 날로먹기

Chapter
3

조종의 첫걸음

1. 드론과 컨트롤러
2. 페어링(Pairing)
3. 캘리브레이션 · 호버링 · 트림
4. 쓰로틀 · 롤 · 피치 · 요우
5. 드론 조종하기

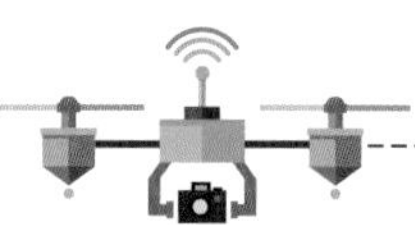

1 드론과 컨트롤러

시뮬레이터로 드론 조종을 충분히 연습했으니, 실제로 드론을 날려서 조종해보겠습니다. 드론은 드론을 조종할 수 있는 컨트롤러와 기체 그리고 배터리로 구성되어 있습니다. 드론을 조종하기 전에 컨트롤러 기능과 드론의 상태를 알아야 합니다.

버튼을 짧게 눌렀을 때, 길게 눌렀을 때 실행하는 기능이 다를 수가 있으니 잘 구분해서 사용해야 합니다.

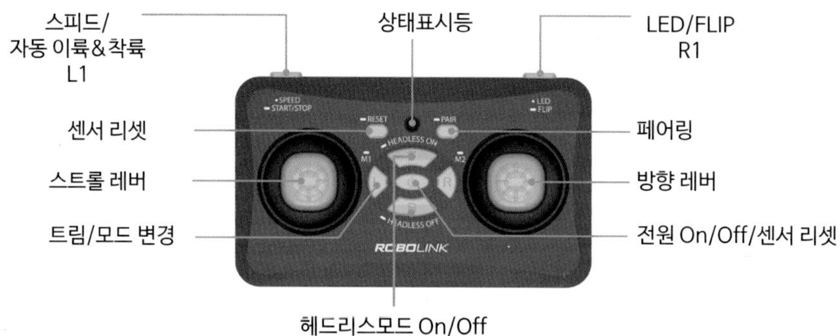

버튼	짧게 눌렀을 때	길게 눌렀을 때
L1	SPEED 속도레벨 바꾸기	START/STOP 이륙/착륙
R1	LED LED 색 바꾸기	FLIP 버튼을 누르고 피치, 롤로 조이스틱을 움직이면 360° 회전
RESET		센서 리셋 자이로 센서, 트림 초기화
PAIRING		페어링
POWER		전원 ON/OFF
▲F	미세조정 피치(+)	헤드리스 모드 사용
▼B	미세조정 피치(-)	헤드리스 모드 사용하지 않음
◀L	미세조정 롤(-)	조종 MODE 1
▶R	미세조정 롤(+)	조종 MODE 2

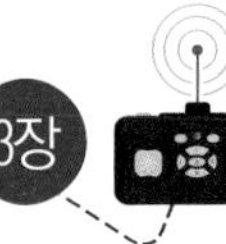

2 페어링(Pairing)

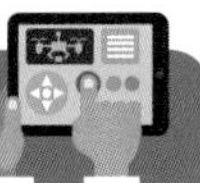

페어링(Pairing)이란 컨트롤러와 드론의 통신 설정을 같게 하여 연결하는 것을 말합니다. 페어링하면 다른 장치의 간섭 없이 두 장치끼리만 통신을 주고받을 수 있고 페어링이 되어야 컨트롤러로 드론을 조종할 수 있습니다.

한번 컨트롤러를 페어링하고 나면 드론의 배터리를 다시 연결하거나 컨트롤러의 전원을 끄고 켜도 계속 페어링 되어 있습니다. 하지만 사용 중에 페어링 상태가 해제되거나 드론이나 컨트롤러를 새로 구매한 경우에는 다시 페어링해야 합니다.

페어링하기 위해서는, 배터리를 드론에 연결하고 드론을 빠르게 10회 이상 흔듭니다.

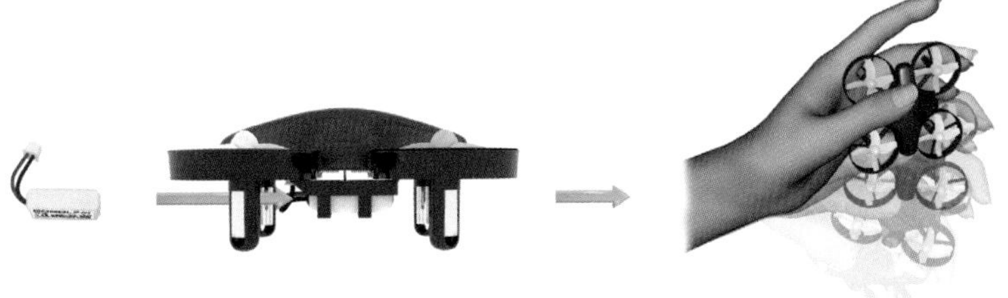

컨트롤러와 드론이 페어링 되어 있지 않았으면 드론 LED가 같은 색깔로 계속 깜빡이고 드론이 페어링할 준비가 되면, 드론의 LED가 빨간색과 파란색이 번갈아 깜빡입니다. 이때 그림처럼 조종기의 페어링 버튼을 3초 이상 누릅니다.

페어링에 성공하면 드론의 LED는 깜빡이지 않고 계속 켜진 상태가 됩니다.

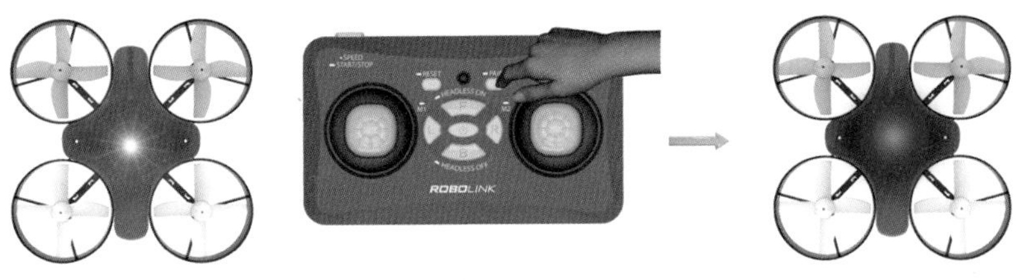

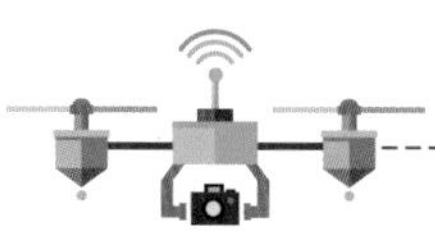

3 캘리브레이션 · 호버링 · 트림

■ 캘리브레이션

드론을 호버링하려면 센서를 초기화해서 보정(Calibration)해야 합니다. 캘리브레이션은 '측정, 눈금'이란 뜻입니다. 드론에서 캘리브레이션은 센서의 0점을 맞추는 것을 의미합니다. IMU 센서를 이용해 바닥이 평평해서 드론이 잘 이륙할 수 있는지 확인합니다. 이런 '수평 보정'이 자동으로 진행되는 것을 '오토 캘리브레이션'이라고 합니다.

켈리브레이션(O)

켈리브레이션(X)

캘리브레이션을 잘못하면 드론은 기울어진 상태를 평평한 상태로 판단합니다. 그리고 이륙했을 때 기울어진 상태를 기준으로 수평 상태를 맞추려고 해서 드론이 기울어져서 제자리 비행을 할 수 없습니다.

코드론 미니는 별도의 켈리브레이션 과정 없이 평평한 바닥에 놓으면 자동으로 보정됩니다.

■ 호버링

드론을 코딩해서 조종할 때 프로펠러나 모터 등 드론의 부품에는 이상이 없는데 드론이 이상하게 나는 경우가 있습니다. 여러 가지 원인이 있지만 호버링 문제일 가능성이 큽니다.

'호버링(Hovering)'이란 드론이 공중에서 일정한 높이를 유지하면서 제자리 비행을 하는 것으로, 모든 드론 동작의 기초가 됩니다. 제자리에서 비행하게 하려면 4개의 모터가 어느 한쪽으로 흐르지 않도록 회전해야 합니다.

자동으로 호버링 해주는 기능을 '오토 호버링(Auto Hovering)'이라고 합니다. 사용자가 컨트롤러에서 손을 떼도 자동으로 공중에 떠 있는 기능입니다.

■ 트림

오토 호버링이 있더라도 드론에 따라 비행환경이 달라서 비행할 때 기준점을 잡아야 합니다. 호버링할 수 있게 드론이 흐르는 방향을 잡아주는 기능을 '트림(Trim: 미세조정)'이라고 합니다. 만약 오른쪽으로 드론이 조금씩 움직이면 왼쪽으로 트림합니다. 반대인 경우는 오른쪽으로 트림합니다.

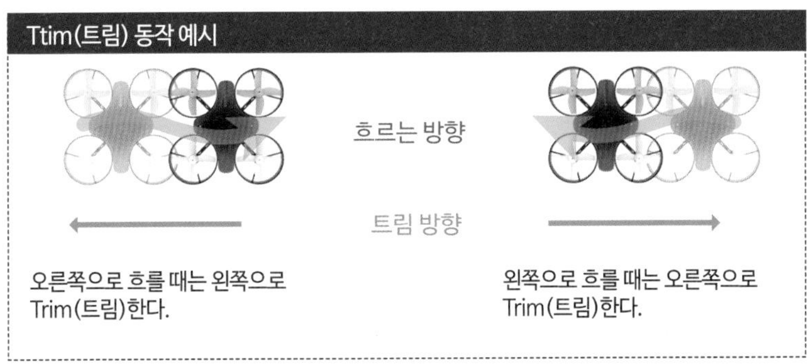

드론을 이륙시켜 흐르는 방향을 관찰합니다.

컨트롤러의 〈F〉, 〈B〉, 〈L〉, 〈R〉 버튼을 눌러서 드론이 한쪽으로 흐르지 않게 합니다.

트림 버튼을 누를 때마다 컨트롤러에서 소리가 납니다. 하지만 최대치까지 바뀌면 소리가 나지 않습니다.

트림 설정으로도 정상적인 비행이 어렵다면 평평한 곳에 놓고 리셋 버튼을 길게 눌러서 드론 센서를 리셋합니다. 센서 리셋 중에는 드론 LED가 깜빡이며, 리셋이 완료되면 다시 LED가 켜진 상태가 됩니다.

4 쓰로틀 · 롤 · 피치 · 요우

드론을 어떻게 움직일까요? 드론에서 사용하는 용어는 비행기 역학에서 많이 따왔습니다. 아래는 비행기와 드론 사진입니다.

비행기가 세 축을 회전해서 움직이는 것처럼 드론도 움직일 때 세 축을 회전합니다. 드론이 정면을 가리키는 축이 롤(Roll) 축, 오른쪽을 가리키는 축은 피치(Pitch) 축, 아래를 가리키는 축은 요우(Yaw) 축입니다.

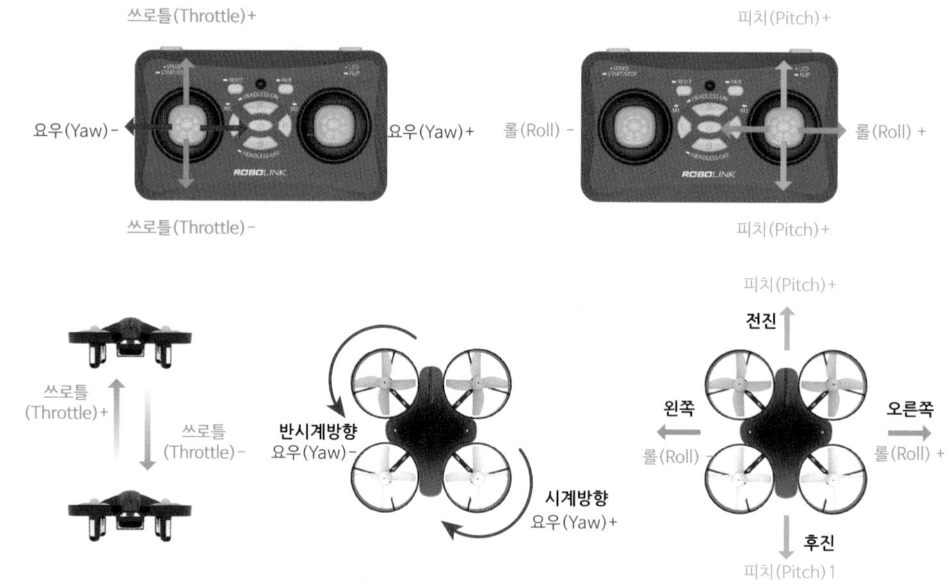

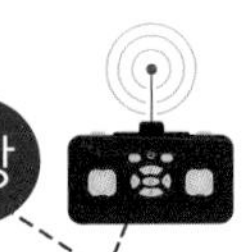

5 드론 조종하기

컨트롤러로 드론을 직접 조종해보겠습니다. 제일 처음 이륙과 착륙 연습을 하겠습니다. 〈L1〉 버튼을 길게 누르면 이륙을 합니다. 그리고 다시 〈L1〉 버튼을 길게 누르면 착륙합니다.

드론을 조종할 때 예상치 못한 일이 생길 수 있습니다. 이럴 때는 비상착륙을 해야 합니다. 〈L1〉 버튼을 누른 채 쓰로틀 조이스틱을 내리면 비상착륙합니다.(비상착륙은 모터가 공중에서 정지되어 드론이 떨어져서 파손될 수도 있으므로 긴급한 상황에서만 사용해야 합니다.)

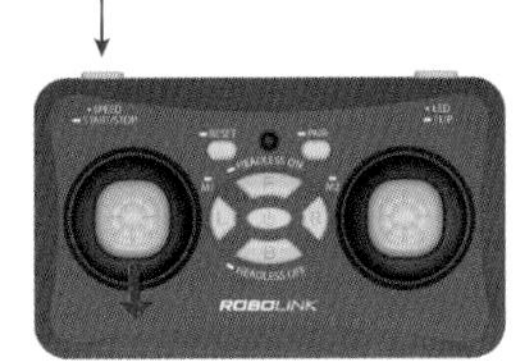

▲ 비상정지

이륙/착륙, 비상착륙을 연습했다면 호버링을 해야 합니다. 호버링을 잘하지 않으면 드론을 원하는 대로 조종할 수 없습니다.

호버링은 드론 조종과 코딩에서 가장 중요한 드론 세팅 과정입니다.

**호버링을 처음 할 때는 익숙하지 않아서 어려울 수 있습니다.
공중에 드론을 띄운 다음 호버링될 때까지 트림 버튼을 누르다 보면, 드론이 이리저리 움직여서 당황할 때가 있습니다. 이럴 땐 드론을 이륙시켜 어디로 흐르는지 보고, 착륙시킨 다음에 트림 버튼을 눌러서 미세조정을 하고 다시 이륙시킨 후 확인하는 과정을 여러 번 해서 호버링하는 방법도 있습니다.**

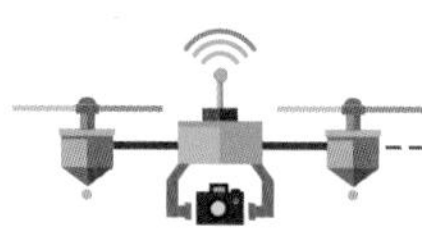

DRONE

■ 롤(ROLL) 미세 조정

드론이 오른쪽으로 흐른다면 왼쪽 버튼을 눌러 조정합니다. 드론이 왼쪽으로 흐른다면 오른쪽 버튼을 눌러 조정합니다.

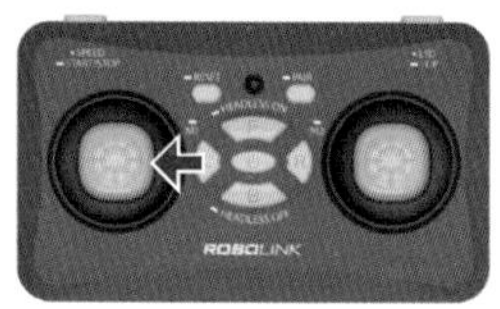

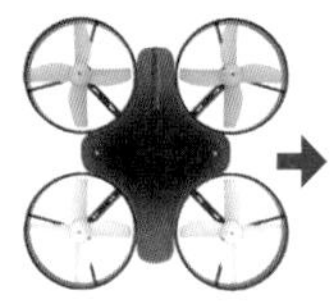
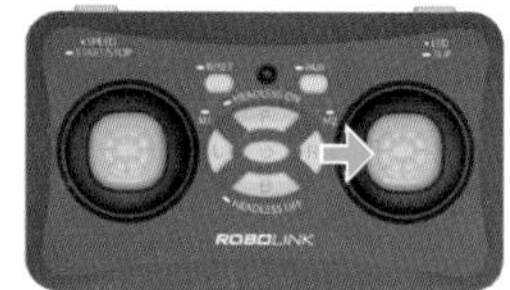

■ 피치(PITCH) 미세 조정

드론이 앞쪽으로 흐른다면 아래 버튼을 눌러 조정합니다. 드론이 뒤쪽으로 흐른다면 위 버튼을 눌러 조정합니다.

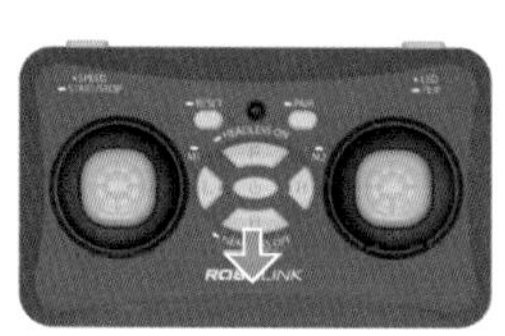

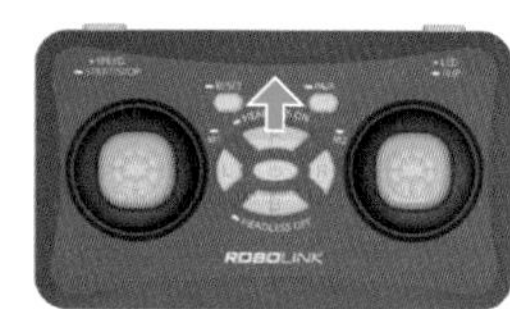

제자리에서 5초 정도 머물면 호버링이 잘 된 것입니다. 주변 환경 탓에 완벽히 정지해 있을 수는 없으며 어느 정도 움직이는 것은 괜찮습니다. 호버링이 잘 되면, 조종하는 대로 드론이 잘 움직입니다.

호버링이 잘 되었다면 간단하게 조종을 해보겠습니다. 앞-오른쪽-뒤-왼쪽으로 움직여서 사각형을 그리도록 조정해봅니다. 조정 MODE 2에서는 오른쪽 레버를 사용해서 조종하면 됩니다.

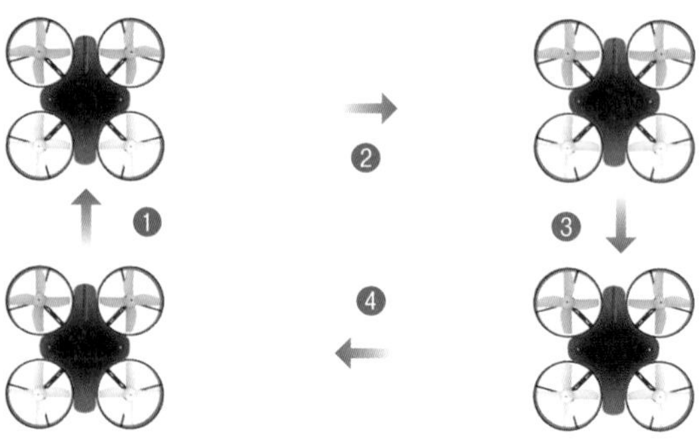

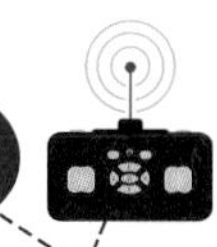

그리고 목표지점에서 착륙하는 연습도 해봅니다. 레버를 움직여서 쓰로틀, 요우, 피치, 롤을 잘 바꿔서 원하는 곳으로 움직입니다. 그리고 〈L1〉 버튼으로 착륙을 합니다.

비행하다가 속도를 바꾸고 싶으면 〈L1〉 버튼을 짧게 누릅니다.1단계에서는 소리가 1번, 2단계는 2번, 3단계는 3번 납니다.

〈R1〉 버튼을 짧게 누르면 드론의 LED 색깔이 바뀝니다. 그리고 〈R1〉 버튼을 누른 상태에서 피치와 롤 조이스틱을 움직이면 조이스틱이 향한 방향으로 360° 회전(플립)합니다. 플립할 때는 충분한 공간이 있는지 확인합니다.

비행할 때 〔요우〕를 사용하게 되면 드론은 중심축을 기준으로 회전합니다.

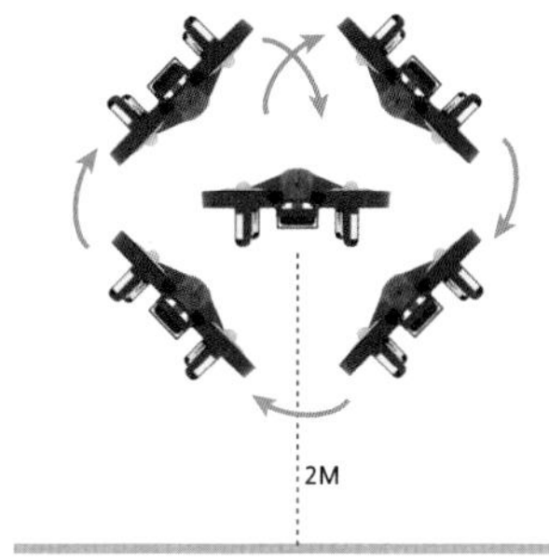

■ 헤드리스(Headless) 모드

드론이 회전하면 사용자가 볼 때 정면이 어디인지 구분이 잘 안 되는 경우가 있어서 조종할 때 실수를 많이 합니다. 아직 연습이 더 필요한 사람이라면 자신의 정면 방향과 드론의 정면 방향을 일치시켜 비행하는 것이 좋습니다. 이때 헤드리스(Headless) 모드를 사용하면 편리합니다. 착륙한 상태에서 HEADLESS ON 모드 버튼을 길게 누르면 헤드리스 모드를 사용할 수 있습니다. HEADLESS OFF버튼을 길게 누르면 노말(Normal) 모드가 됩니다.

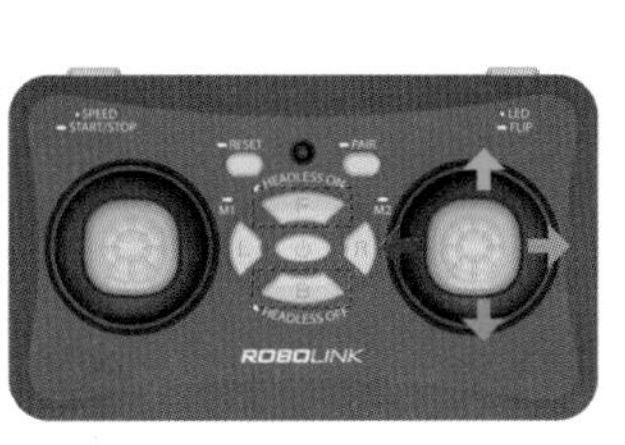

■ 헤드리스 모드 On
■ 헤드리스 모드 Off

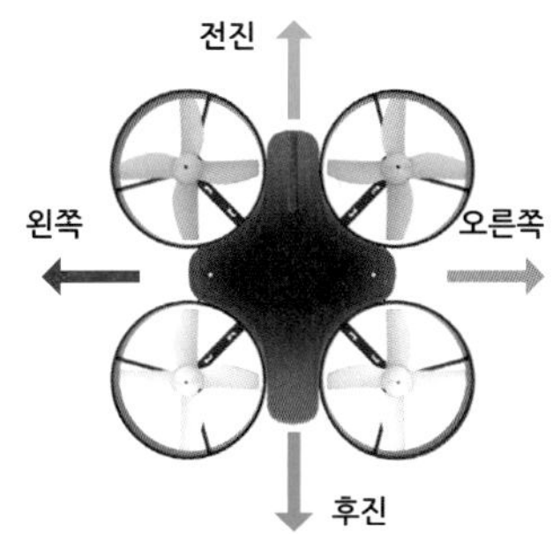

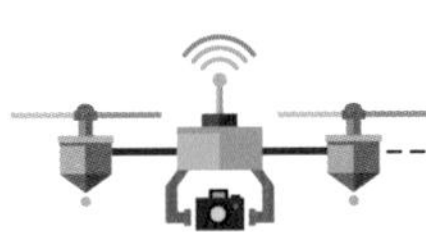

어느 정도 드론 조종이 익숙해졌다면 다양한 미션을 해보는 것도 좋습니다. 아래와 같은 장애물을 통과하는 것을 연습해봅니다. 시뮬레이터 게임에서 연습했는데 실제로 하면 생각보다 어렵습니다.

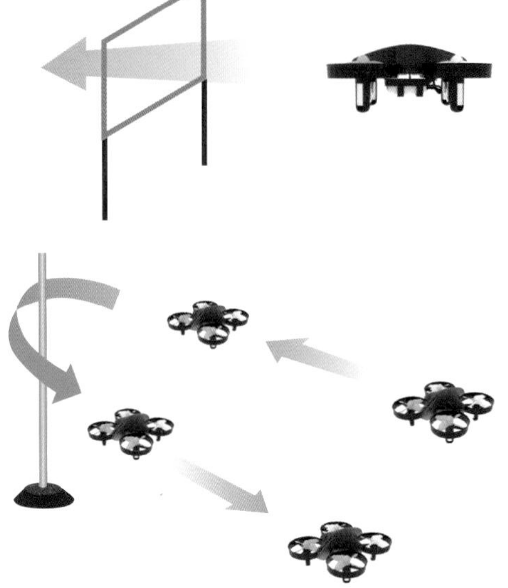

그리고 장애물을 돌아서 제자리로 돌아오는 연습도 해봅니다.

연습을 열심히 했다면 아래와 같이 장애물을 피하고 목표 지점에 정확하게 착륙하는 경기도 할 수 있습니다.

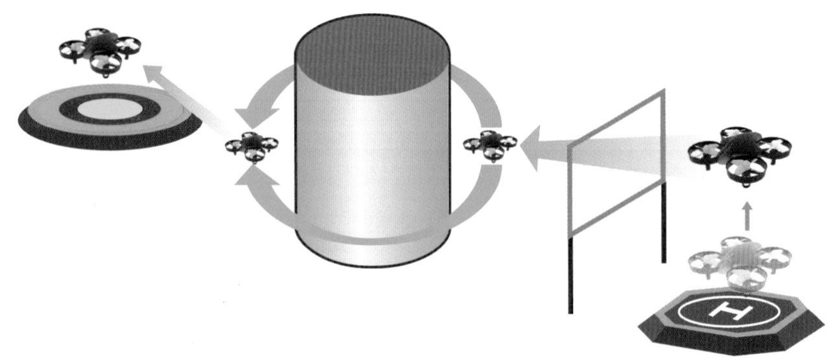

〔요우〕를 바꾸면 드론의 중심으로 시계 또는 시계반대방향으로 회전합니다. 〔요우〕와 〔피치〕 또는 〔롤〕을 동시에 바꾸면 아래와 같이 원 모양으로 움직일 수 있습니다. S자와 8자로 움직이는 연습을 하면서 드론 조종 실력을 더 키워보길 바랍니다.

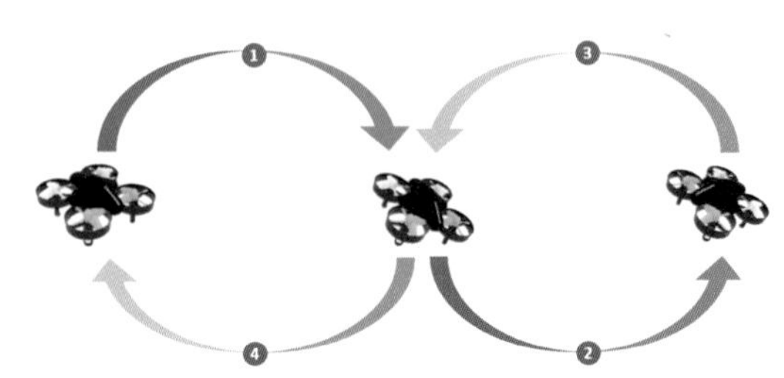

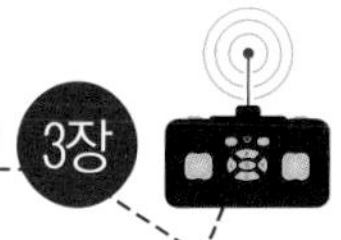

■ 드론 점검

드론을 조종하다 벽에 부딪히거나 천장에 부딪혀서, 프로펠러가 부러지거나 프로펠러 테두리 가드가 망가지는 경우가 많이 생깁니다. 이런 경우에는 프로펠러를 교체해야 합니다. 드론은 기체의 일부(프로펠러, 가드 등)가 망가지면 조종 명령을 내려도 이상하게 비행하게 됩니다. 그래서 드론이 이상하게 비행하면 먼저 드론 상태를 확인해야 합니다.
아래 점검표를 보고 드론의 상태를 확인합니다.

드론의 상태 확인

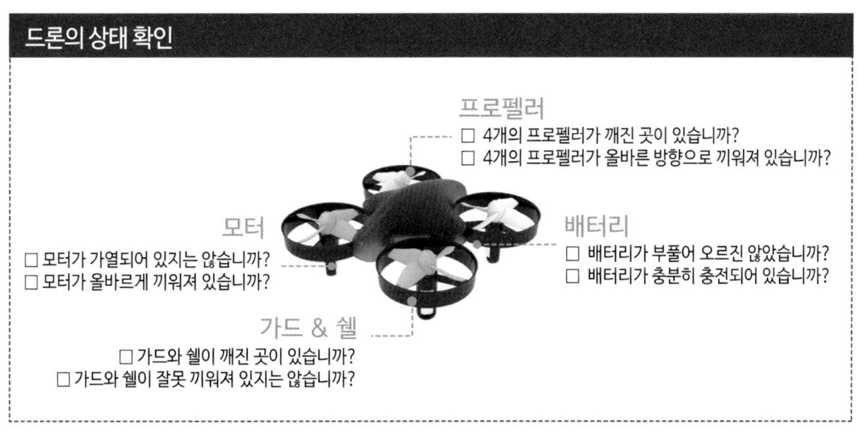

프로펠러
□ 4개의 프로펠러가 깨진 곳이 있습니까?
□ 4개의 프로펠러가 올바른 방향으로 끼워져 있습니까?
모터
□ 모터가 가열되어 있지는 않습니까?
□ 모터가 올바르게 끼워져 있습니까?
배터리
□ 배터리가 부풀어 오르진 않았습니까?
□ 배터리가 충분히 충전되어 있습니까?
가드 & 쉘
□ 가드와 쉘이 깨진 곳이 있습니까?
□ 가드와 쉘이 잘못 끼워져 있지는 않습니까?

■ 드론 상태

드론 LED로 드론의 상태를 알 수 있습니다.

- ▶ LED가 계속 켜져 있으면 normal 모드입니다.
- ▶ LED가 밝기 밝아졌다가 어두워졌다가 하면 headless 모드입니다. 조종자를 기준으로 움직이기 때문에 초보자가 조종하기 쉽습니다. 시뮬레이터에서 Absolute 모드와 같습니다.
- ▶ LED가 빠르게 두 번 깜빡이면 페어링이 끊긴 것입니다.

■ 문제 원인 및 해결방법

드론을 조종하다 보면 여러 가지 문제가 생깁니다. 원인과 해결방법을 표로 정리했습니다.

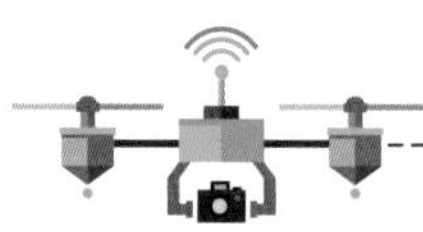

	문제	원인	해결 방법
1	드론의 배터리를 연결했는데 깜빡거리기만 하며 응답이 없습니다.	드론과 컨트롤러의 페어링이 끊어졌습니다.	드론과 컨트롤러의 전원을 모두 껐다 켜고, 페어링을 다시 합니다.
2	드론의 배터리를 연결해도 아무런 응답이 없습니다.	배터리가 부족합니다.	드론의 배터리를 충전해서 사용합니다.
3	착륙하려고 레버를 내려도 모터가 멈추지 않습니다.	드론이 바닥에 도착했는지 인식하지 못했습니다.	위로 다시 올려 착륙을 시도합니다. 드론이 바닥에 닿은 후에도 2초 이상 쓰로틀 조이스틱을 내립니다.
4	프로펠러만 돌아가며 드론이 이륙하지 않습니다.	1. 프로펠러 방향이 잘못 되었습니다. 2. 배터리가 부족합니다.	1. 프로펠러를 올바른 방향으로 연결합니다. 2. 배터리를 충전합니다.
5	트림 설정 후에도 드론이 제자리에서 회전합니다.	1. 프로펠러 방향이 잘못 되었습니다. 2. 프로펠러가 손상됐습니다. 3. 센서값이 이상합니다.	1. 프로펠러를 올바른 방향으로 연결합니다. 2. 프로펠러를 바꿉니다. 3. 센서를 리셋합니다.
6	추락 후 드론이 날지 않습니다.	1. 프로펠러가 분리되었습니다. 2. 프로펠러가 손상되어 있습니다.	1. 프로펠러를 다시 연결합니나. 2. 프로펠러를 바꿉니다.

직접 드론을 컨트롤러를 조종하면서 여러가지 기능을 익혔나요?
컨트롤러로 드론을 잘 조종할 수 있으면 코딩으로도 드론을 멋지게 날릴 수 있습니다. 다음 장부터 드론과 컨트롤러를 자세히 배워서 멋진 프로그램을 만들어 보겠습니다.

	스스로 평가하기	확인
1	호버링 · 트림 · 캘리브레이션의 개념을 알 수 있습니다.	
2	트림을 할 수 있습니다.	
3	페어링을 할 수 있습니다.	
4	드론을 컨트롤러로 움직일 수 있습니다.	

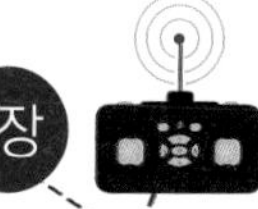

Memo

한권으로 코딩과 드론 날로먹기

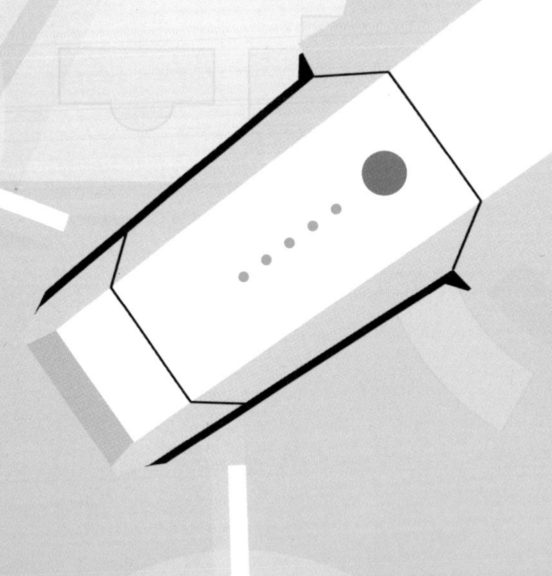

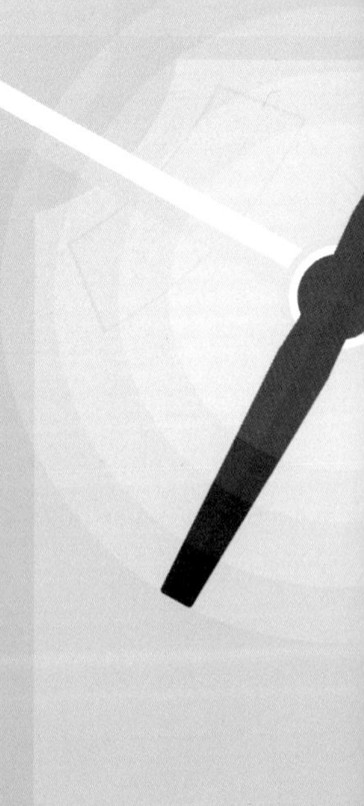

Chapter

4

처음 만나는 스크래치

1. 스크래치와 아두이노
2. 로킷 브릭 설치하기
3. 스크래치 기초
4. 순차와 반복
5. 난수 활용하기

DrONE

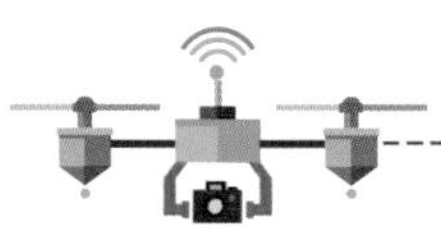

1 스크래치와 아두이노

미국의 MIT 대학에서는 누구나 쉽게 코딩을 배울 수 있는 프로그램이 필요하다고 생각했습니다. 프로그램을 만들기 위해선 어려운 코딩 문법을 배우고, 직접 키보드로 명령어를 써야 했습니다. 대문자를 소문자로 쓰거나, 세미콜론(;)이나 점(.)을 잘못 쓰면 프로그램이 제대로 실행되지도 않았습니다. 그래서 MIT의 미디어 랩 평생유치원 그룹(Lifelong Kindergarten Group)에서는 쉽게 코딩을 배울 수 있게 프로그램을 개발하여 2007년 5월 15일 처음 공개했습니다. 이것이 바로 '스크래치'입니다.

컴퓨터에 시키는 명령을 레고 같은 블록으로 만들어, 어렵게 키보드로 명령어를 쓸 필요가 없어졌습니다. 레고 블록을 쌓듯이 순서대로 블록을 연결하면 누구나 게임이나 애니메이션과 같은 멋진 프로그램을 만들 수 있습니다. 프로그래밍 앞에 놓인 '어려운 문법과 코드'의 장벽을 스크래치는 혁신적인 생각으로 허물었습니다.

미국 버클리 대학의 브라이언 하비(Brian Harvey)와 옌스 뫼니크(JensMönig)는 스크래치에서 영감을 얻어 블록코딩 프로그램을 만들었습니다. 이것이 바로 스냅(Snap)입니다. 블록코딩으로 더 높은 수준의 아이디어를 표현할 수 있으며 스크래치와 달리, 자기가 만든 블록을 다른 사람들이 사용할 수 있도록 쉽게 공유할 수 있습니다. 이것을 '라이브러리(Library)화한다'고 합니다. 도서관을 언제든 이용할 수 있는 것처럼, 여러 사람이 프로그램을 공유해서 사용할 수 있습니다. 또한, 스냅은 객체지향 프로그래밍을 할 수 있게 도와줍니다. 따라서 우리의 사고를 좀 더 유연하게 확장하고, 구조적으로 짜임새 있는 프로그램을 만들 수 있습니다.

스냅 프로그램은 누구나 사용할 수 있는 오픈 소스(Open Source) 프로그램이며 스크래치 프로그램보다 호환성과 확장성이 우수합니다. IoT 장치와 통신하거나 로봇과 드론 같은 기계를 제어할 수 있습니다. 특히 여러 기계와 통신할 때 지연시간 없어서 실시간으로 기계를 제어할 수 있으므로 드론 코딩에 적합합니다.

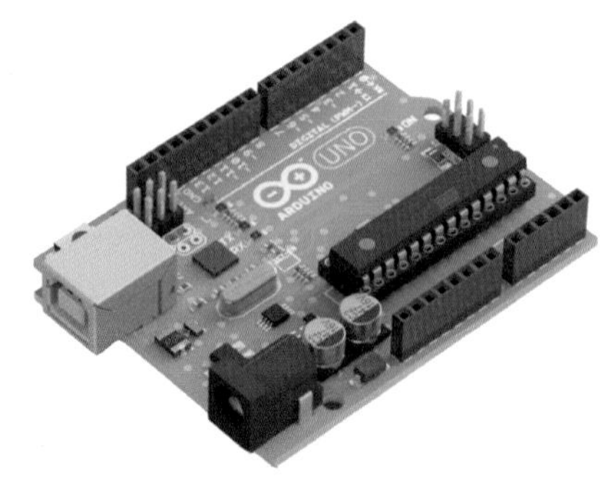

오른쪽 그림은 아두이노(Arduino)입니다. 아두이노는 다양한 부품을 붙여서 멋진 물건을 만들 수 있는 작은 컴퓨터로 마시모 반지(Massimo Banzi) 교수가 발명했습

니다.

하지만 아두이노로 작품을 만들기 위해서는 영어로 된 명령어를 직접 키보드로 써야 하고, 프로그래밍 규칙도 배워야 합니다. 이러한 어려움을 해결하기 위해, 스크래치와 스냅 같은 방식으로 아두이노 코딩할 수 있는 프로그램을 만들었습니다. 스크래치(Scratch)로 아두이노 코딩을 할 수 있는 아두이노를 위한 스크래치(Scratch for Arduino), 아두이노를 위한 스냅(Snap for Arduino) 등이 바로 그것이죠.

우리가 배울 로킷 브릭(Rokit Brick)은 스냅(Snap for Arduino)을 바탕으로 아두이노 코딩을 할 수 있도록 개발된 프로그램입니다. 여기에 로봇이나 드론 등의 다양한 기계를 제어할 수 있는 기능이 더해졌습니다. 로킷 브릭의 사용방법은 스크래치와 같으므로 앞으로는 '스크래치 코딩'이라고 하겠습니다.

2 로킷 브릭 설치하기

로킷 브릭을 설치합니다.

인터넷 주소창에 http://www.robolinksw.com/을 입력해 로보링크 '교육 · 기술지원 웹사이트' 로 갑니다.

페이지에서 〈다운로드〉를 클릭합니다.

〈코드론 미니〉를 클릭합니다.

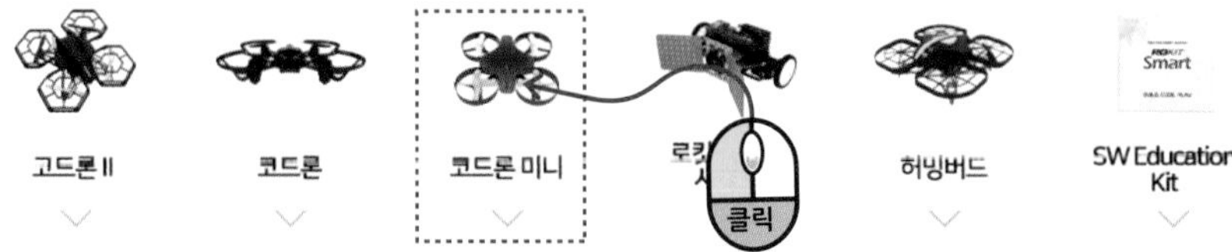

컴퓨터 운영체제에 맞는 프로그램을 다운로드합니다. 다운로드한 로킷 브릭으로 로보링크의 다양한 드론을 코딩할 수 있습니다.

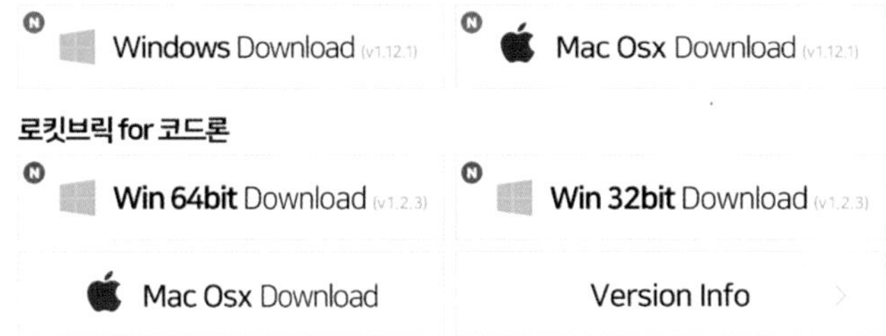

〈내 컴퓨터〉에서 마우스 오른쪽 버튼을 눌러 〈속성〉을 클릭하면 운영체제의 종류를 확인할 수 있습니다.

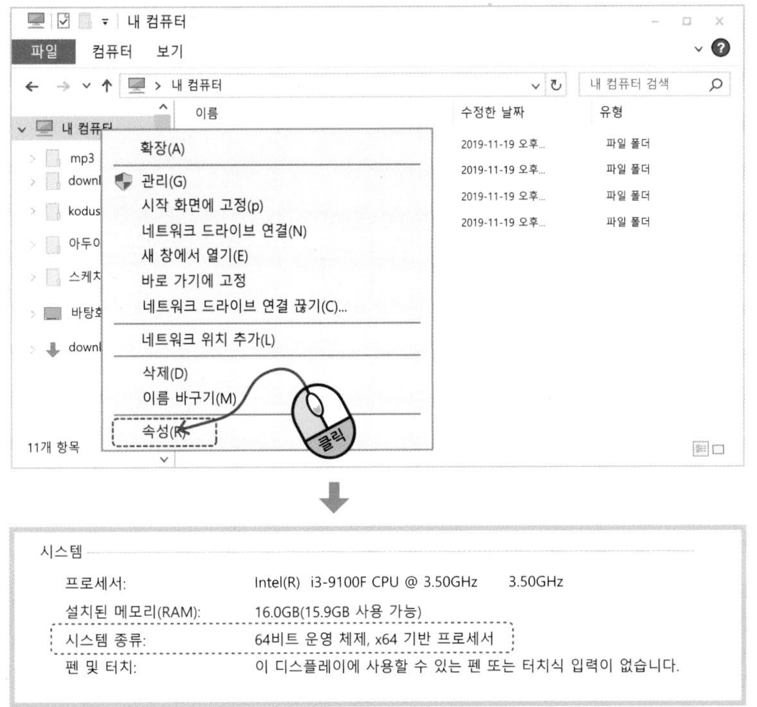

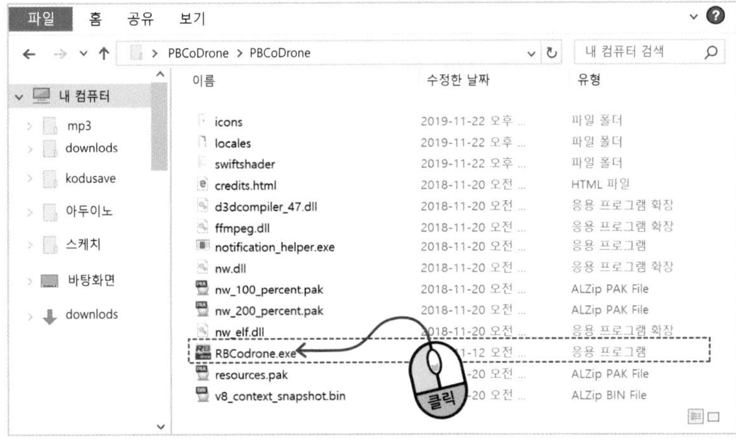

다운로드한 zip 압축 파일을 풀면 폴더가 하나 생깁니다. 폴더를 클릭하면 아래와 같은 파일들이 보입니다.

RBCodrone.exe 파일을 더블클릭해서 시작합니다.

프로그램이 시작되면 다양한 드론을 선택할 수 있습니다. 왼쪽(〈) 버튼과 오른쪽(〉) 버튼으로 codrone MINI를 찾아 〈SELECT〉를 선택합니다. 그러면 로킷 브릭 프로그램이 시작됩니다.

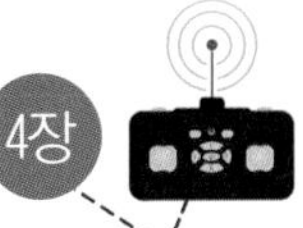

3 스크래치 기초

프로그램을 실행하면 다음과 같은 화면이 나옵니다. 로킷 브릭은 다양한 창과 메뉴로 구성되어 있습니다.

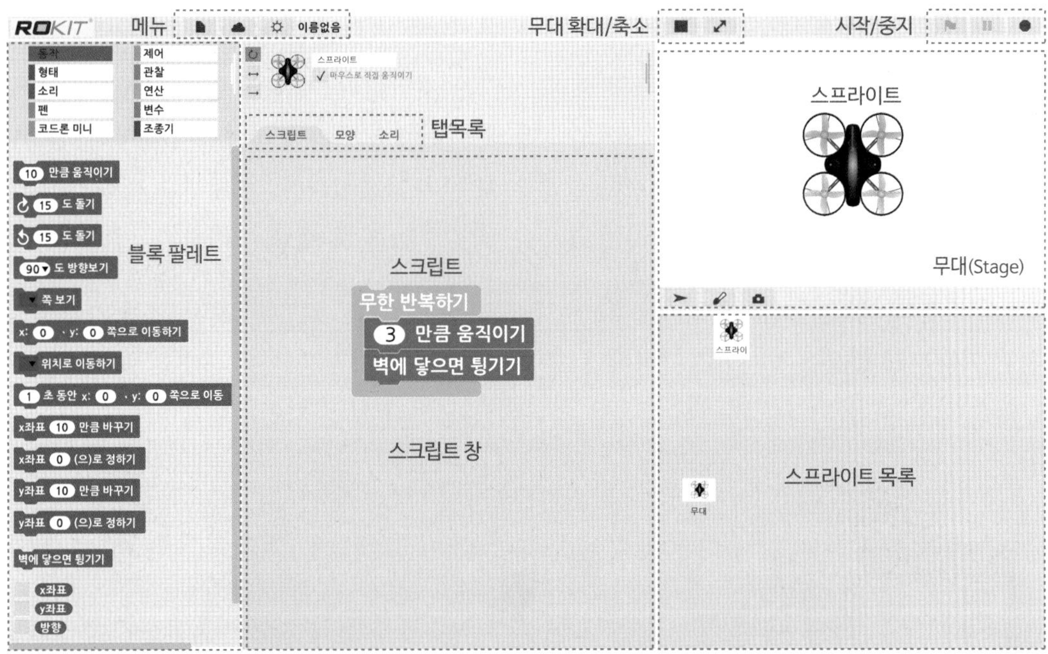

블록 팔레트	여러 블록 중 필요한 블록을 사용자가 쉽게 선택할 수 있게 카테고리에 따라 정리하여 보여줍니다.
메뉴	프로젝트 열기 및 저장을 비롯하여 로킷 브릭의 여러 옵션을 설정 할 수 있습니다.
스크립트 창	블록을 결합하여 스크립트를 작성하는 장소입니다.
탭 목록	각각의 탭을 클릭하면 스프라이트에 연결된 스크립트/그림 파일(모양)/음향 파일(소리)을 스크립트 창에서 보여줍니다.
무대(Stage)	스크립트를 작성한 후 실행하면 무대에 실행 결과가 나타납니다.
스프라이트 목록	현재 프로젝트에서 사용하고 있는 스프라이트의 목록을 보여줍니다.

특히, 스프라이트, 무대, 스크립트의 뜻을 잘 이해해야 합니다.
스프라이트는 '요정, 도깨비'라는 뜻으로 드라마의 배우와 비슷합니다. 이 배우에게 블록코딩으로 명령합니다. 감독이 배우에게 일을 시키듯이 스프라이트에 명령하는 거죠.

무대는 스프라이트가 움직이는 연극의 무대와 같은 장소입니다. 작품을 만들 때는 무대에서 스프라이트가 잘 움직이게 코딩해야 합니다. 무대 위의 스프라이트 위치를 좌표라고 합니다.

스크립트는 스프라이트나 무대에 어떤 일을 시키는 것입니다. 명령어 블록을 모아서 만든 것을 스크립트라고 합니다. 여러 명령어가 있는데 비슷한 것끼리 모아서 색깔로 구분했습니다. 예를 들어, 소리와 관계있는 명령어 블록은 모두 보라색입니다. 그래서 코딩할 때 원하는 블록이 어떤 색깔일 것으로 생각하며 블록을 찾으면 조금 더 쉽게 코딩할 수 있습니다.

블록의 종류는 동작, 형태, 소리, 펜, 제어, 관찰, 연산, 변수, 코드론 미니, 조종기가 있습니다. 처음부터 블록을 다 알고 있어야만 코딩을 할 수 있는 것은 아니니까 너무 걱정할 필요 없습니다. 직접 코딩을 하면서 블록을 하나씩 사용하다 보면 자연스럽게 이해가 될 것입니다.

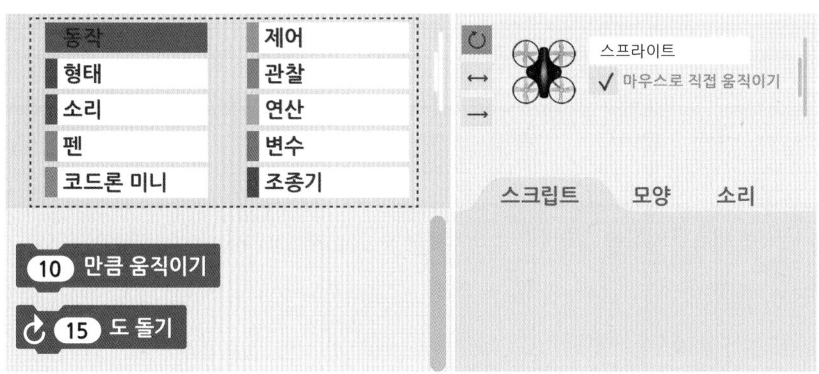

코딩할 때는 순차, 반복, 선택, 함수 그리고 변수를 잘 알아야 합니다. 이제부터 하나씩 차근차근 공부해 볼까요?
스크래치 코딩할 때 6가지 규칙을 잘 기억해 두세요. 이 규칙에 따르면 더 쉽게 코딩할 수 있습니다.

- ⊙ 명령어 블록은 외우지 말고 색깔로 찾는다.
- ⊙ 무엇인가 하고 싶을 때 마우스 오른쪽 버튼을 누른다.
- ⊙ 내가 코딩하고 싶은 스프라이트를 클릭하고 코딩한다.
- ⊙ 하얀색 칸에는 무엇인가 쓰거나 넣을 수 있다.
- ⊙ 세모 표시(▼)는 고를 수 있는 것이 여러 개 있다는 뜻이다.
- ⊙ 문제는 나눠서 생각한다.

이 규칙을 잘 생각하면서 코딩합니다. 이 책을 보다 보면 위의 규칙이 머릿속에 생생하게 기억날 것입니다.

그럼 스크래치 코딩을 해볼까요? 우선 어떻게 코딩을 하는지 천천히 살펴봅시다.
가장 먼저 무엇을 만들지 생각해야 합니다. 공책에 자신의 아이디어를 적는 것이 큰 도움이 됩니다. 그리고 만들고 싶은 것을 구체적으로 정리합니다.
그리고 알고리즘을 정리해야 합니다. 알고리즘이란, 소프트웨어를 만들기 위한 설계도입니다. 머릿속에만 있는 생각을 알고리즘으로 구체적으로 표현하는 겁니다. 그러면 미처 생각하지 못했던 부분이나 잘못 생각한 것을 발견할 수 있습니다.
이제 스크래치 코딩을 해보겠습니다. 한 번에 모든 것을 만들려고 하면 안 됩니다. 한 번에 한 가지 문제를 해결합니다. 그리고 중간중간에 잘 되는지 확인해야 합니다.

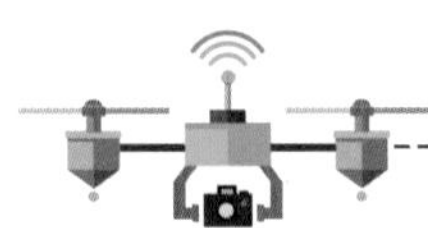

4 순차와 반복

무대 위에서 드론이 멋지게 움직이는 프로그램을 만들어 보겠습니다. 여기서 순차에 관해서 알아보겠습니다. 순차는 컴퓨터에 일을 차례대로 시키는 것을 말합니다.

예를 들어 라면을 끓이는 경우를 생각해봅시다.

먼저 물을 냄비에 넣고 불을 켜고, 물이 끓으면 라면을 넣죠? 만약 라면을 냄비에 넣고 끓이다가 물을 넣으면 어떻게 될까요?

이상한 라면이 되겠죠?

이렇게 일을 차례대로 하는 것을 순차라고 합니다.

마찬가지로 드론을 움직일 때 어떻게 움직일지, 차례대로 생각해봅니다. 가장 먼저 해야 할 일을 생각하고, 그 다음에 해야 할 일을 순서대로 정리합니다.

로킷 브릭 프로그램을 시작했을 때 영어로 나타나는 경우가 있습니다. 한글로 바꿔봅시다.

〈톱니바퀴〉 아이콘-〈Language〉-〈한국어〉를 순서대로 클릭해서 한국어로 바꿉니다.

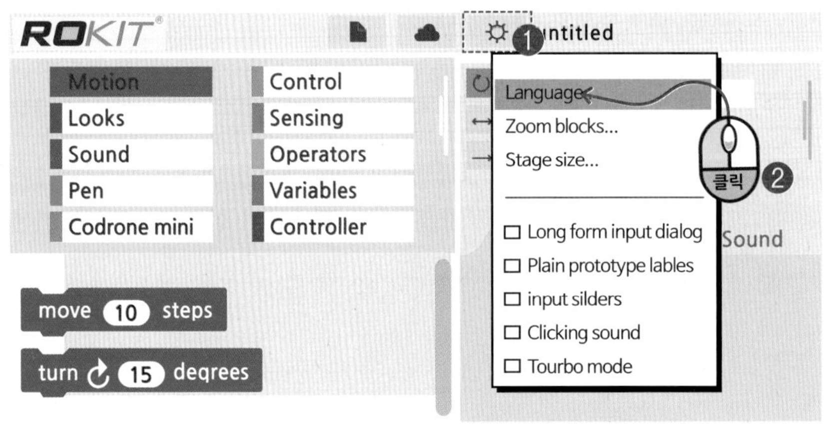

코딩할 때 블록 팔레트를 크게 하면 편할 때가 있습니다.

빨간색으로 표시한 곳으로 클릭한 채로 움직이면 블록 팔레트 창이 커집니다.

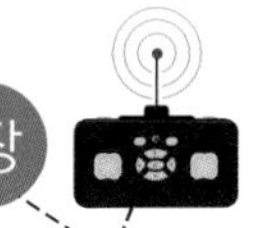

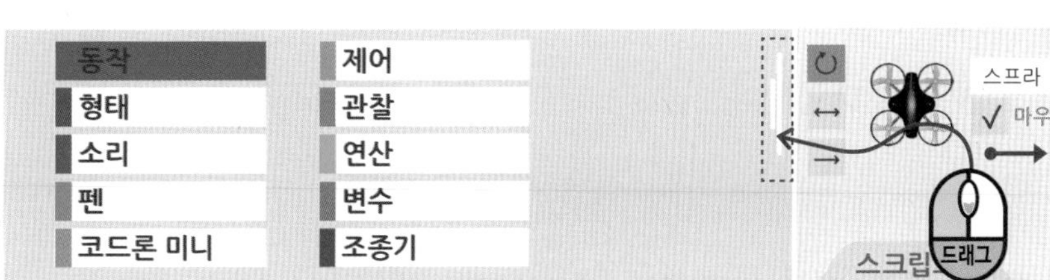

먼저 '드론'스프라이트를 가져오겠습니다. 아래 그림의 빨간색으로 표시한 곳을 클릭하고, 〈모양〉을 선택합니다. 그러면 로킷 블록에 저장된 스프라이트를 선택할 수 있습니다.
선택한 스프라이트에 코딩을 하면 됩니다.

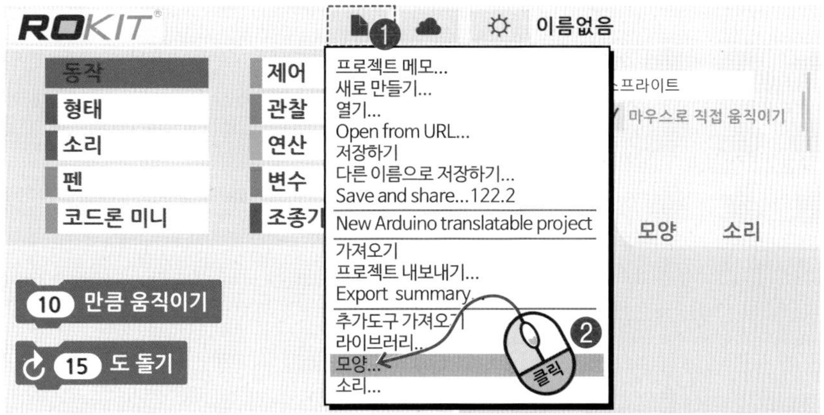

빨간색으로 표시한 곳을 드래그하면 〈모양〉 창의 크기를 바꿀 수 있습니다.

〈Robolink〉를 클릭하고 마음에 드는 드론을 선택하고, 더블클릭 또는 〈Import〉를 클릭합니다. 〈취소〉를 클릭하면 '모양' 창이 닫힙니다.

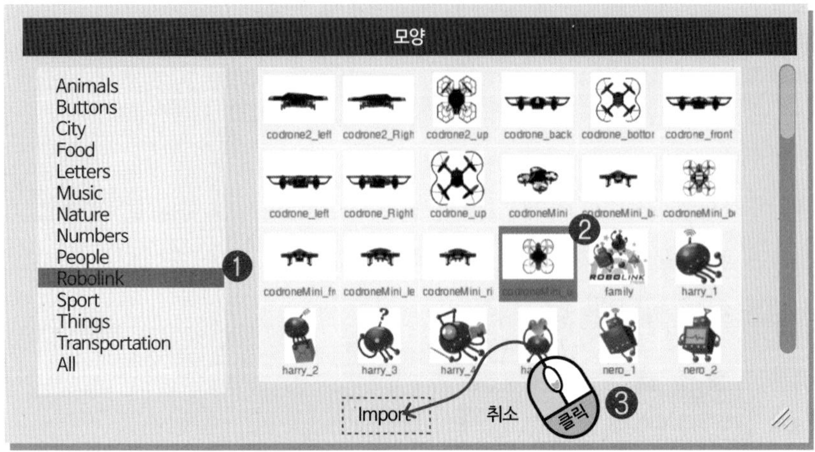

선택한 드론 스프라이트가 무대에 나타납니다.
'무대' 창도 빨간색으로 표시한 곳을 클릭해서 크기를 바꿀 수 있습니다.

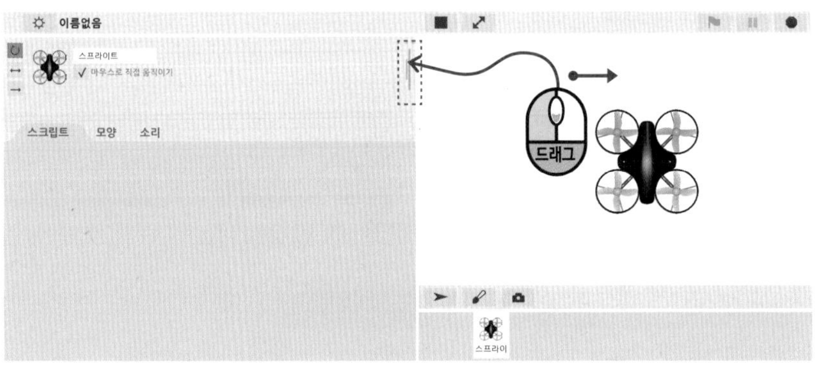

〈스크립트〉 메뉴를 선택합니다.
〈블록〉 팔레트에서 마우스 왼쪽 버튼을 클릭한 채로 블록을 스크립트 창으로 가지고 옵니다.
이렇게 마우스 왼쪽 버튼을 클릭한 채로 움직이는 것을 '드래그'라고 합니다. 스크립트 창으로 드래그해서 스크립트를 만듭니다.

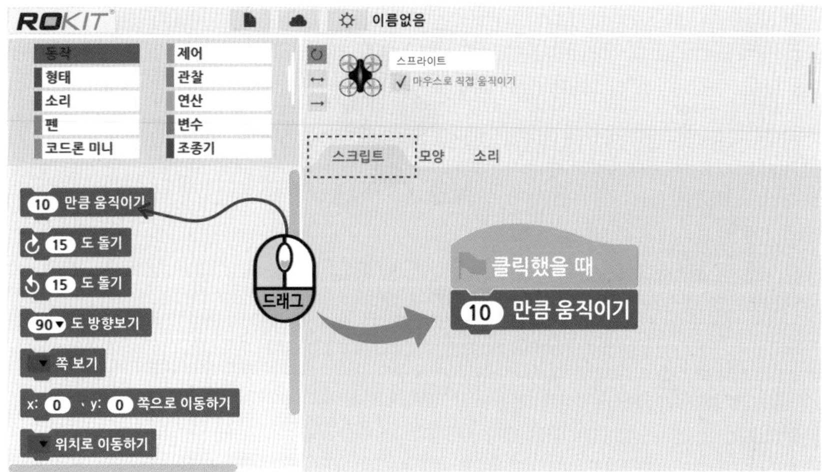

위의 그림과 같이 코딩하면, 초록색 깃발을 클릭했을 때 스프라이트가 10만큼 움직입니다. 잘 되는지 확인해 볼까요? 초록색 깃발을 클릭할 때마다 드론이 오른쪽으로 조금씩 움직입니다.

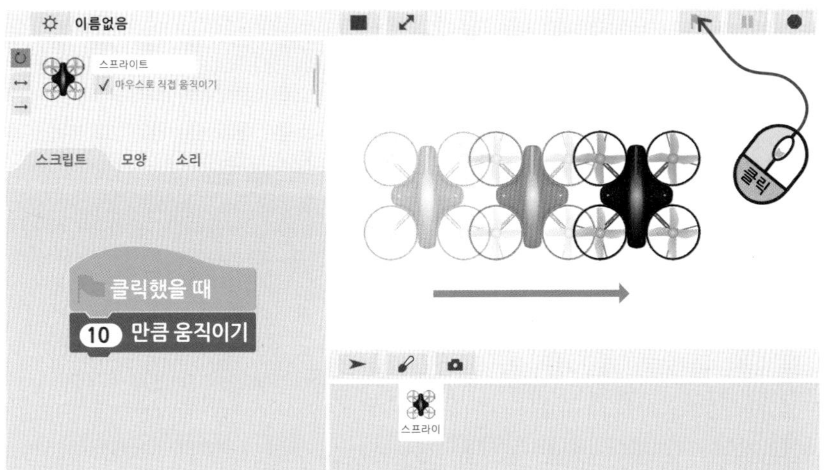

여러분은 이제 방금 스프라이트를 움직이는 프로그램을 하나 만든 겁니다.
그런데 스프라이트가 너무 큽니다. 어떻게 하면 될까요?
〈형태〉를 클릭하면 그림과 같은 블록이 보입니다.
100%는 현재 크기를 말합니다. 이것을 20으로 바꾸면 크기가 1/5로 작아집니다.

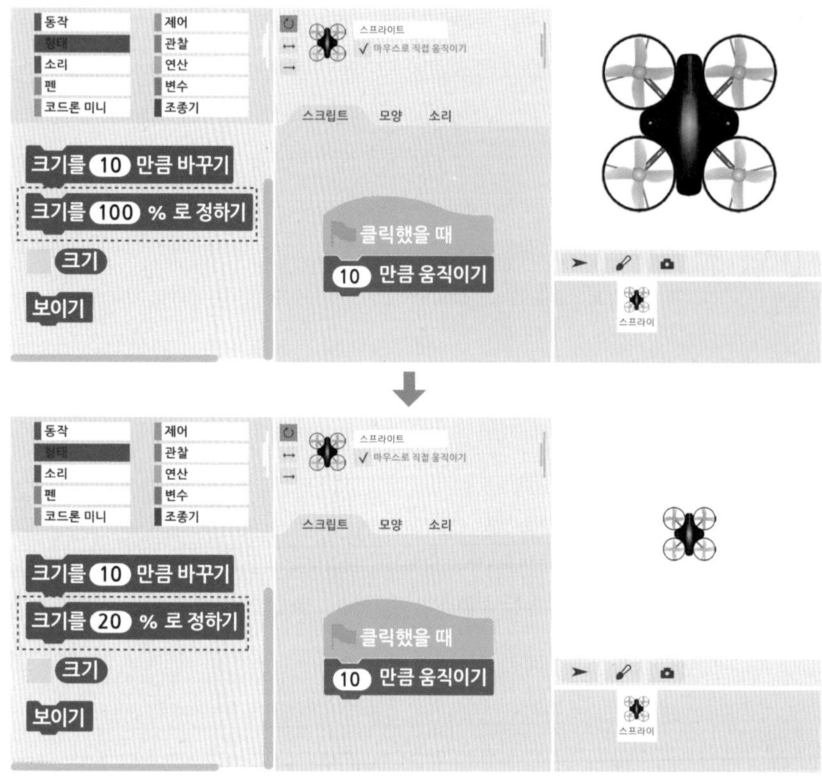

블록을 지우고 싶을 때는 〈블록〉 팔레트 창으로 드래그하면 됩니다.

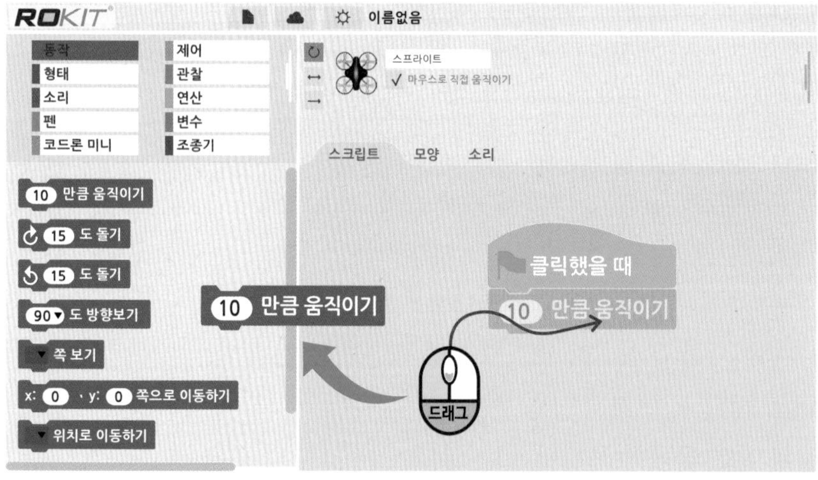

다른 방법으로 마우스 오른쪽 버튼을 눌러 〈삭제하기〉를 선택해도 됩니다.

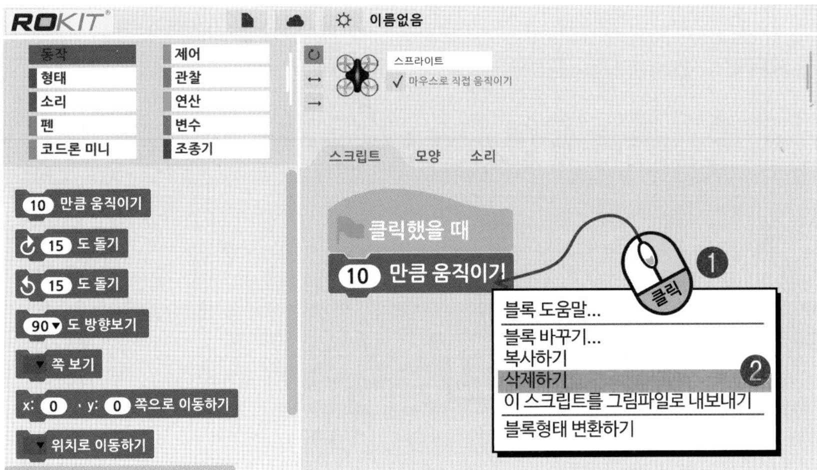

〈형태〉 블록에서 크기를 10만큼 바꾸기 블록을 가져옵니다.

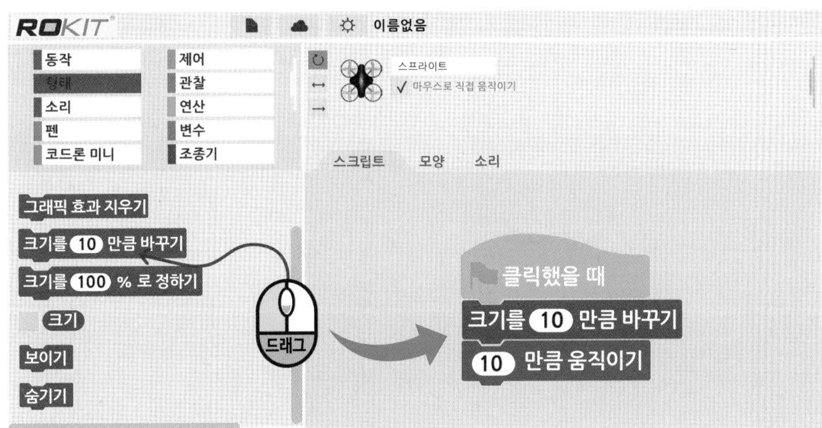

이 블록을 비슷한 일을 하는 다른 블록으로 바꿀 수 있습니다. 바꾸고 싶은 블록 위에서 마우스 오른쪽 버튼을 눌러 〈블록 바꾸기〉를 선택합니다.

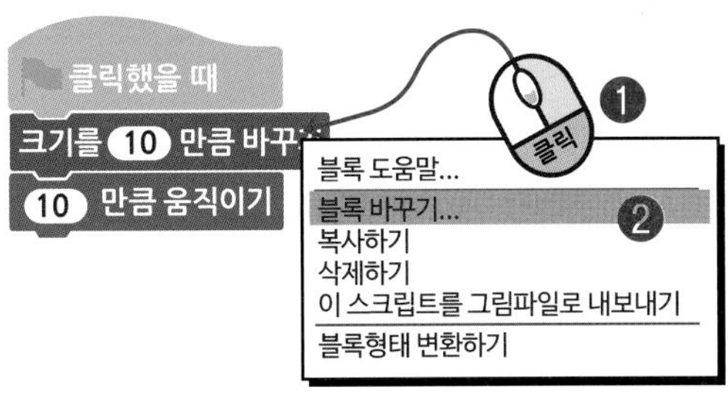

그러면 바꿀 수 있는 블록이 나타납니다.

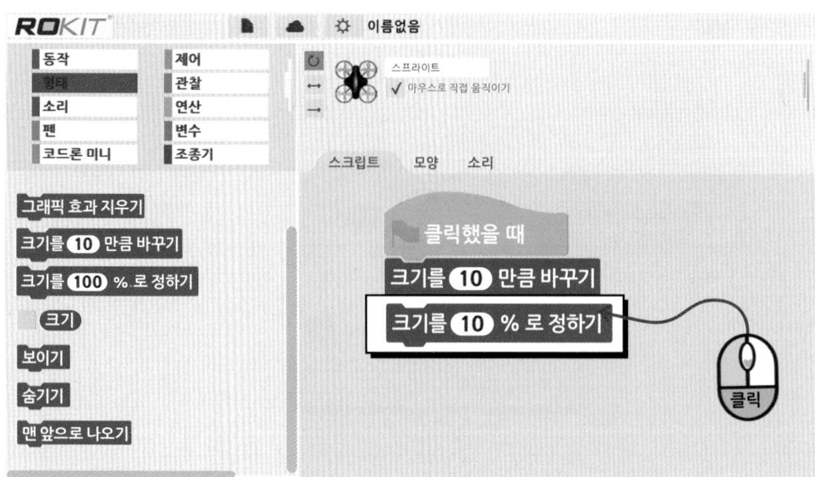

아래 그림처럼 코딩합니다.

스크래치로 코딩할 때 블록이 어디 있는지 외울 필요가 없습니다. 색깔로 구분했으니, 여러분이 색깔을 보고 직접 찾으면 됩니다. 그러면 드론이 크기가 작아져서 움직입니다.

규칙
명령어 블록은 외우지 말고 색깔로 찾는다.

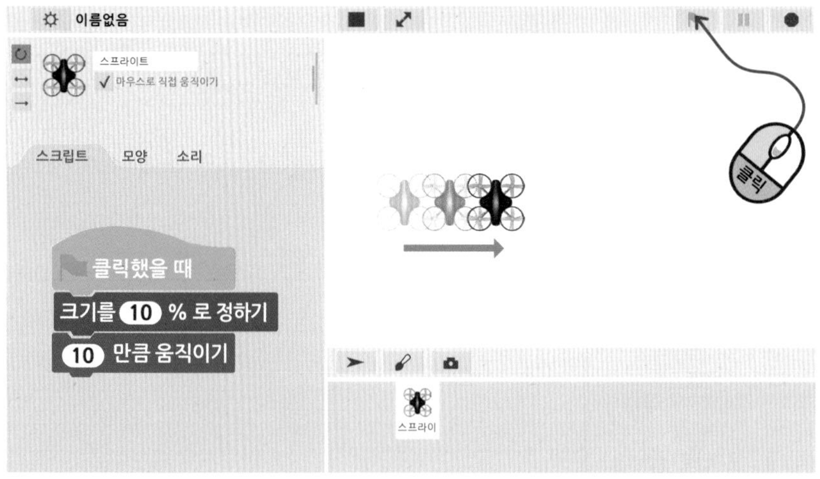

스크래치로 코딩을 할 때에는 블록을 잘 연결하고 프로그램을 실행해야 합니다. 스크래치는

가장 위의 블록에서부터 연결된 명령어 블록을 차례대로 실행합니다. 중간에 연결이 끊기면 더는 명령어 블록을 실행하지 않습니다.

드론을 원하는 곳으로 움직이기 위해선 좌표를 확인해야 합니다.

〈동작〉 블록 모음에서 x좌표, y좌표 앞의 네모 칸을 클릭합니다.

그러면 무대에 좌표가 나타납니다. 마우스로 드론을 옮기고 좌표를 확인합니다.

x좌표를 0, y좌표를 0으로 이동하면 무대 한가운데로 움직입니다.

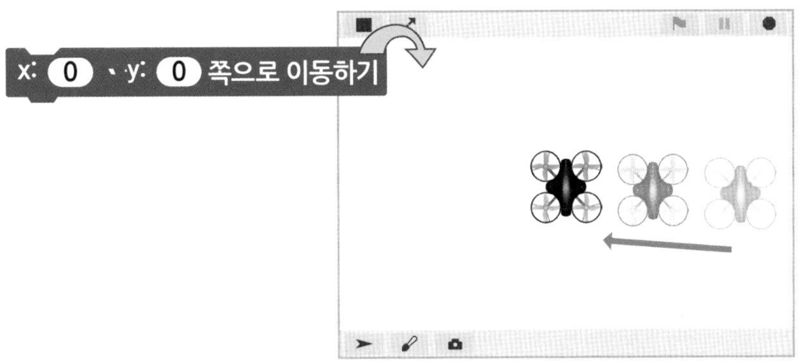

〈~초 동안 이동하기〉 블록을 사용하면 지정한 시간 동안 움직입니다. 숫자가 클수록 천천히 움직입니다.

1 초 동안 x: 0 · y: 0 쪽으로 이동하기

아래 그림과 같이 코딩합니다. 크기를 20%로 정하면 드론의 크기가 1/5로 작아지고 무대 왼쪽 아래에서 무대 가운데 위쪽으로 움직입니다.

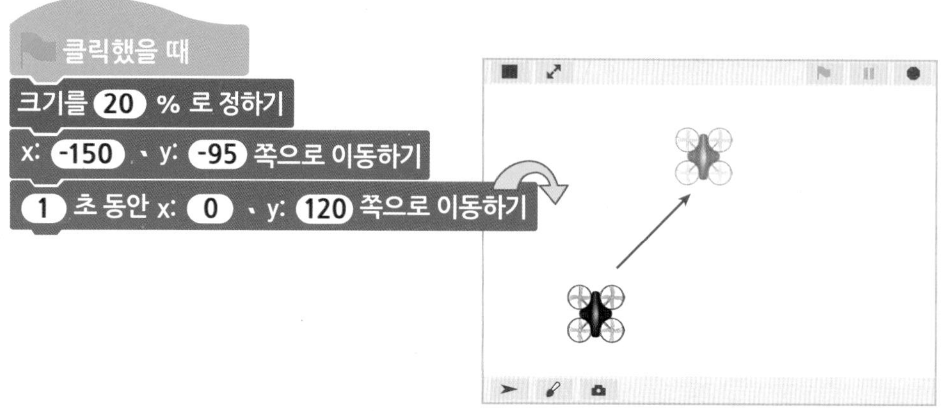

〈이동하기〉 블록을 여러 개 사용하면 무대 이곳저곳으로 움직일 수 있습니다. 이럴 때 〈복사하기〉 기능을 사용하면 편합니다. 복사하고 싶은 블록 위에서 마우스 오른쪽 버튼을 클릭하면 여러 가지 메뉴가 나옵니다. 〈복사하기〉를 클릭합니다.

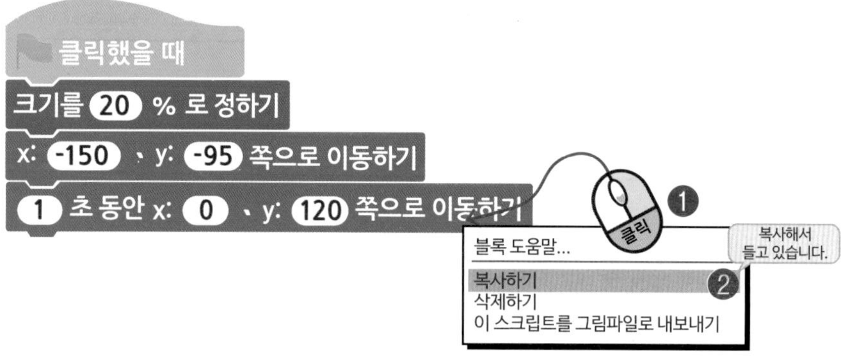

무엇인가 하고 싶을 때 마우스 오른쪽 버튼을 클릭하면 여러 가지 메뉴가 나옵니다. 〈복사하기〉를 선택하면 블록이 복사됩니다.

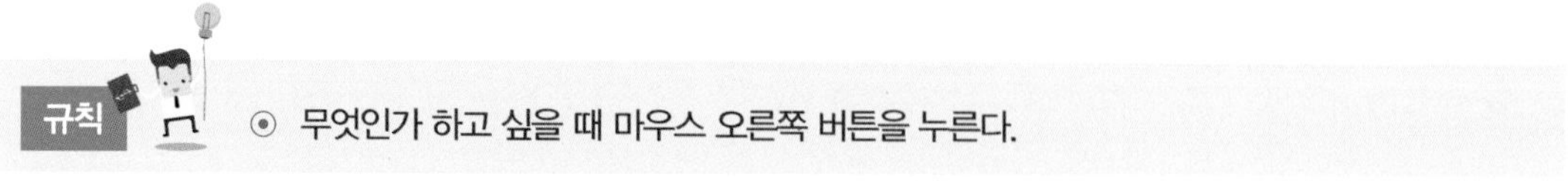

블록 코딩할 때 〈복사하기〉 기능은 많이 사용하니까 꼭 기억하세요.

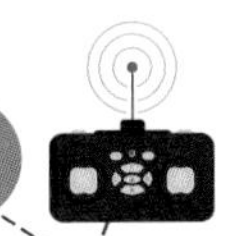

아래 그림과 같이 코딩을 하고 녹색 깃발을 눌러 블록을 실행시킵니다.

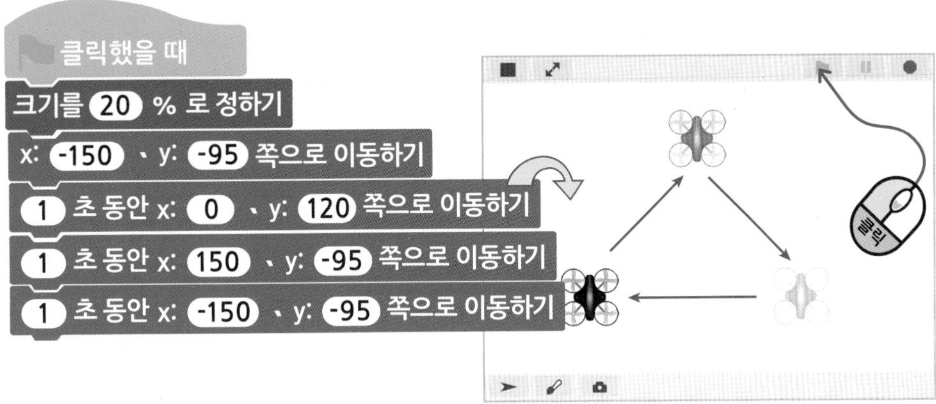

블록이 실행되는 중 〈일시 정지〉 버튼을 누르면 어떤 블록을 실행하다 멈췄는지 스크립트 창에서 보여줍니다. 아래 그림은 x좌표 150, y좌표 −95로 이동하는 도중에 멈췄다는 것을 나타냅니다.

〈일시 정지〉 버튼을 다시 누르면 이 블록부터 프로그램이 다시 시작됩니다.

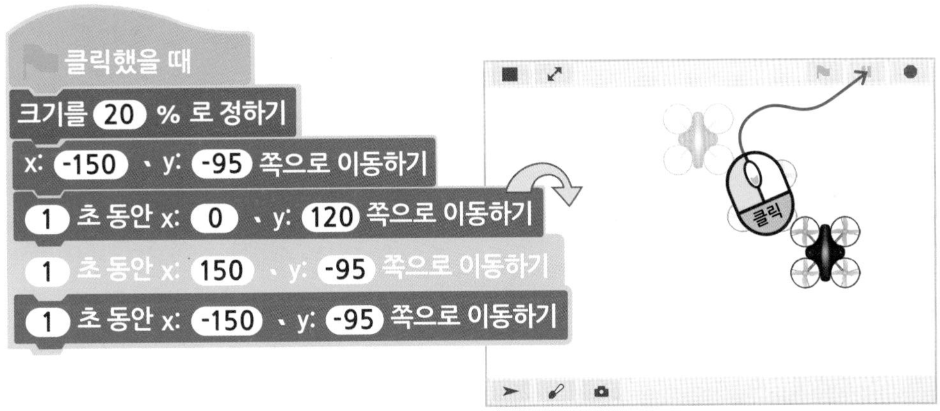

빨간색 〈정지〉 버튼을 누르면 프로그램이 끝납니다.

다시 〈초록색 깃발〉을 누르면 처음부터 다시 프로그램이 실행됩니다.

〈복사하기〉 기능을 사용할 때 선택한 블록부터 연결된 블록을 모두 복사할 수도 있습니다.

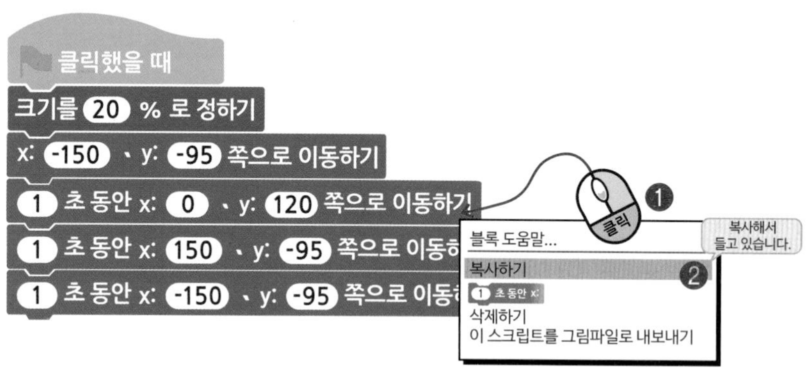

원하는 블록 하나만 복사할 수도 있습니다.

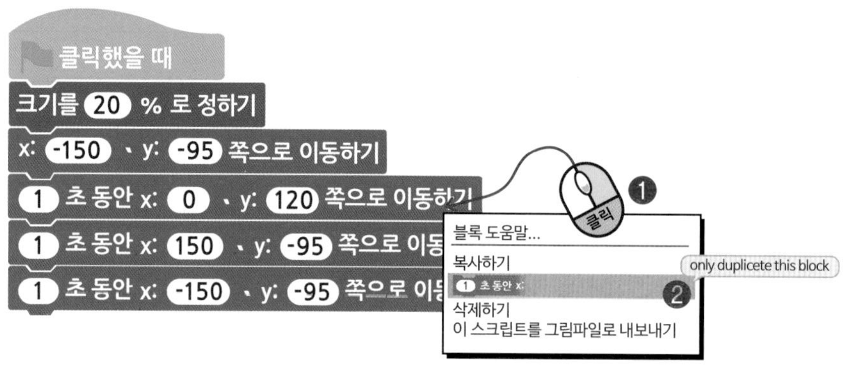

프로그램을 더 만들어 볼까요? 드론이 무대의 주변을 날 수 있도록 코딩하겠습니다.

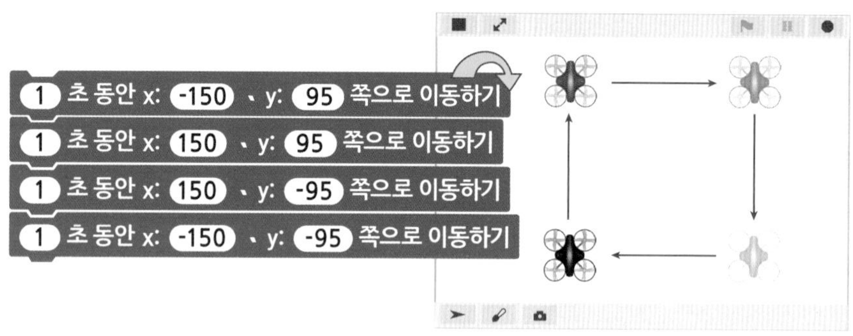

다음 그림처럼 순서대로 블록을 연결하면 드론이 삼각형과 사각형을 그리는 것처럼 무대 위에서 움직입니다.

```
클릭했을 때
크기를 20 % 로 정하기
x: -150 , y: -95 쪽으로 이동하기
1 초 동안 x: 0 , y: 120 쪽으로 이동하기
1 초 동안 x: 150 , y: -95 쪽으로 이동하기
1 초 동안 x: -150 , y: -95 쪽으로 이동하기
1 초 동안 x: -150 , y: 95 쪽으로 이동하기
1 초 동안 x: 150 , y: 95 쪽으로 이동하기
1 초 동안 x: 150 , y: -95 쪽으로 이동하기
1 초 동안 x: -150 , y: -95 쪽으로 이동하기
```

삼각형을 두 번 그리며 날게 하려면 아래 그림처럼 코딩합니다.

그런데 자세히 보면 같은 블록이 반복되는 것을 알 수 있습니다. 조금 더 편하게 코딩하는 방법은 없을까요?

여기서 필요한 것이 바로 반복입니다. '순차'는 차례대로 일한다는 뜻이고, '반복'은 어떤 일을 계속 반복한다는 뜻입니다.

```
1 초 동안 x: 0 , y: 120 쪽으로 이동하기 ------------ ❶
1 초 동안 x: 150 , y: -95 쪽으로 이동하기 ----------- ❷
1 초 동안 x: -150 , y: -95 쪽으로 이동하기 ---------- ❸
1 초 동안 x: 0 , y: 120 쪽으로 이동하기 ------------ ❶
1 초 동안 x: 150 , y: -95 쪽으로 이동하기 ----------- ❷
1 초 동안 x: -150 , y: -95 쪽으로 이동하기 ---------- ❸
```

반복되는 블록이 있을 때 〈~번 반복하기〉 블록을 사용하면 편리합니다. 이 블록 안에 들어간 코드를 정해진 횟수만큼 반복할 수 있습니다.

그러면 더 짧고 간단하게 코딩할 수 있습니다. 위의 스크립트를 아래 그림처럼 간단하게 만들 수 있습니다.

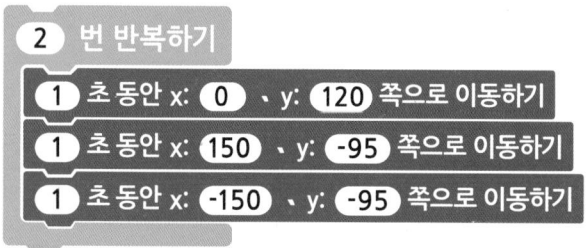

```
2 번 반복하기
    1 초 동안 x: 0 , y: 120 쪽으로 이동하기
    1 초 동안 x: 150 , y: -95 쪽으로 이동하기
    1 초 동안 x: -150 , y: -95 쪽으로 이동하기
```

코딩할 때 〈~번 반복하기〉 블록 안에 반복하고 싶은 블록을 연결해야 합니다. 옆 그림처럼 〈~번 반복하기〉 블록 아래에 연결하면 안 됩니다.

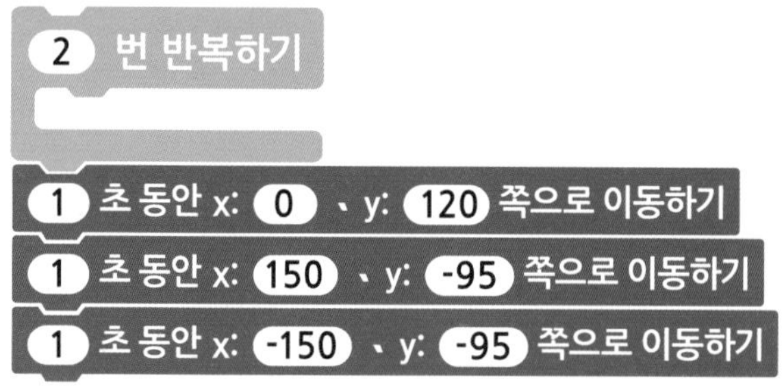

계속 반복하고 싶으면 〈무한 반복하기〉 블록을 사용하면 됩니다.

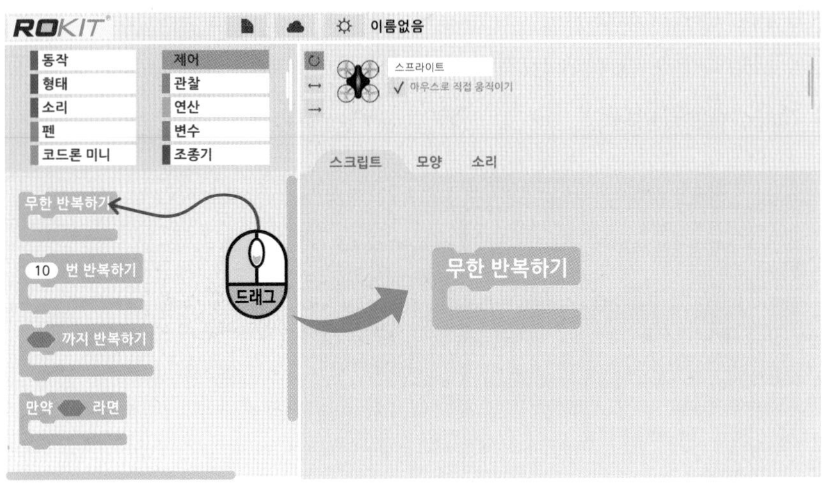

아래 그림처럼 코딩해볼까요?

그러면 드론은 삼각형과 사각형을 그리면서 계속 움직입니다.

프로그램을 저장하는 방법을 배워보겠습니다. 저장하지 않아서 열심히 코딩한 프로그램이 다 날아가면 안 되겠죠? 코딩하면서 중간중간 저장하는 습관을 가져야 합니다. 〈저장하기〉를 클릭하면 '이름없음'으로 저장됩니다.

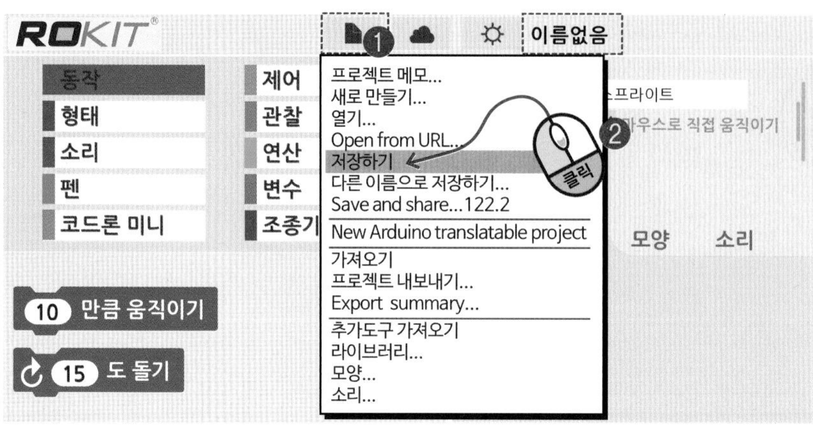

그러면 '저장했습니다!'라는 메시지가 나옵니다.

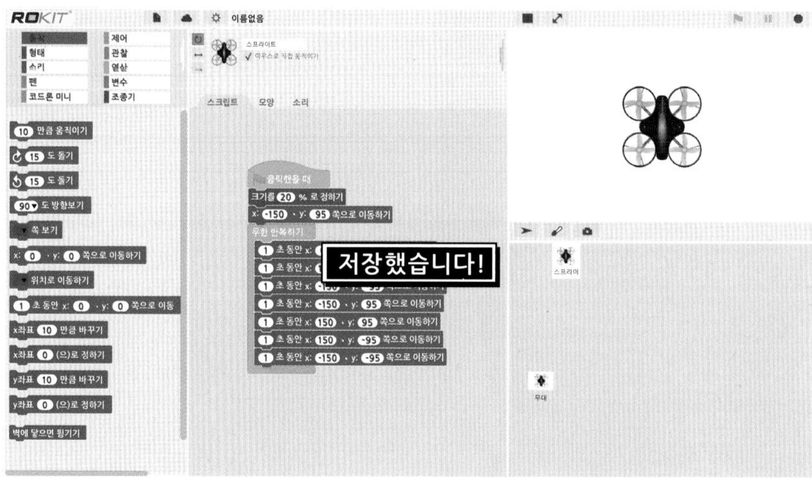

Ctrl 키와 S 키를 동시에 눌러서 프로그램을 저장하는 방법도 있습니다. 이런 것을 '단축키'라고 합니다.

다른 프로그램에서도 〈저장하기〉 단축키는 똑같습니다. 저장할 때는 'Ctrl+S'다. 이것을 잘 기억해주기 바랍니다.

다른 이름으로 저장하면 싶으면 〈다음 이름으로 저장하기〉를 클릭합니다.

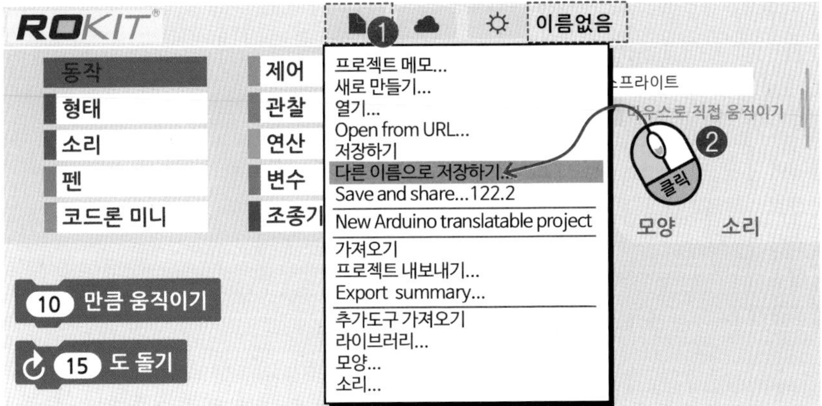

기억하기 쉬운 이름을 쓰고 <저장하기>를 클릭합니다.

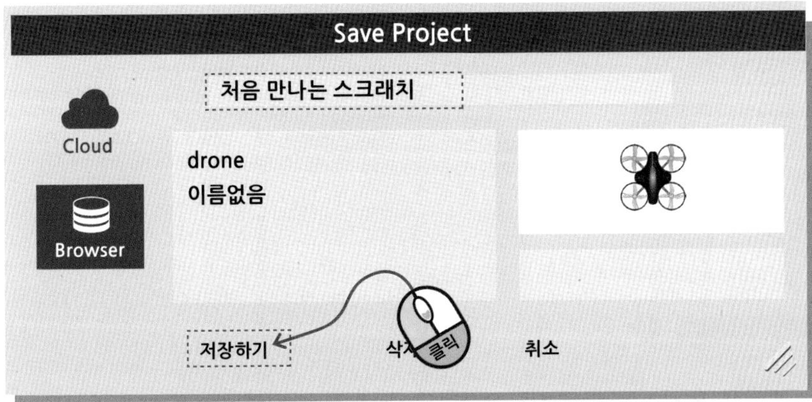

새로운 프로그램을 만들려면 <새로 만들기>를 클릭합니다.

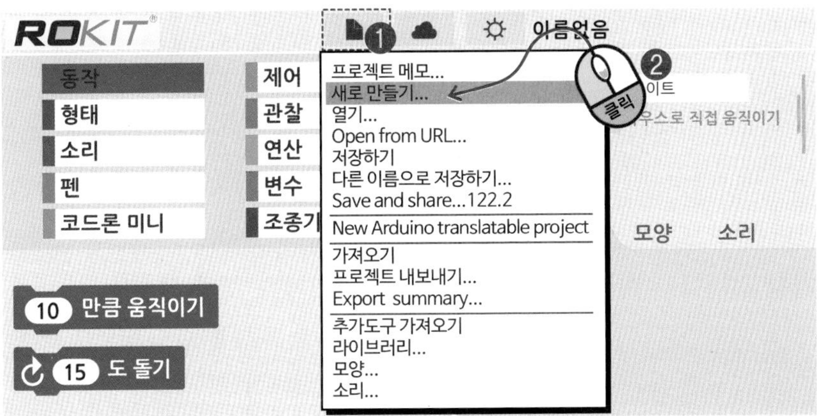

저장한 프로그램은 다시 열어서 사용할 수 있습니다.
〈열기〉를 클릭합니다.

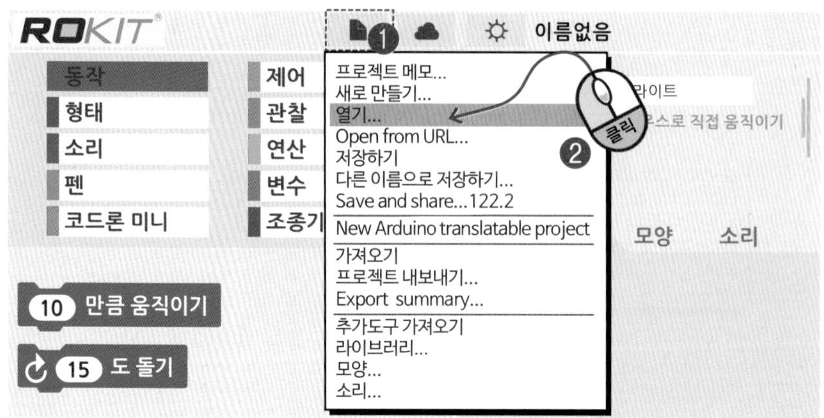

열려고 하는 프로그램을 선택하고 〈열기〉를 클릭합니다.

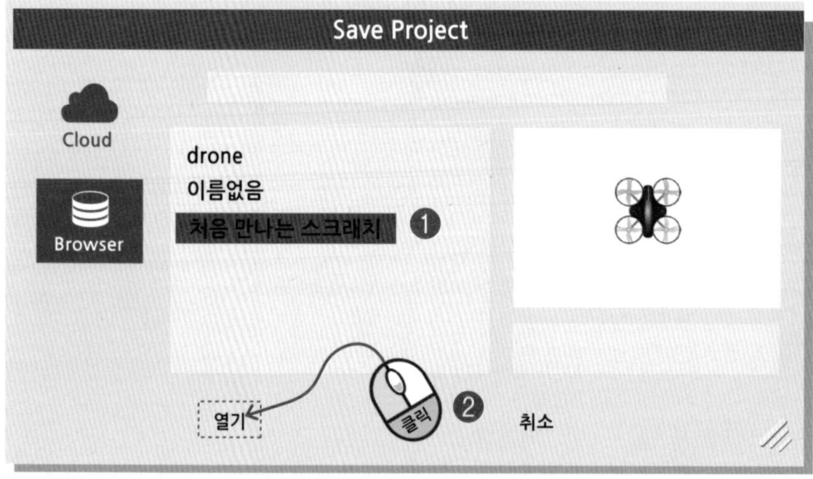

코딩할 때 가장 중요한 것이 순차입니다. 명령어를 순서대로 연결할 수 있어야 코딩을 제대로 할 수 있습니다.
로킷 브릭으로 아주 간단한 프로그램을 하나 만들어봤습니다. 이제 우리는 코딩의 세계로 한 걸음 더 가까이 다가간 겁니다. 이번 시간에 배운 내용으로 자기를 소개하는 프로그램을 만들어 보면 어떨까요?

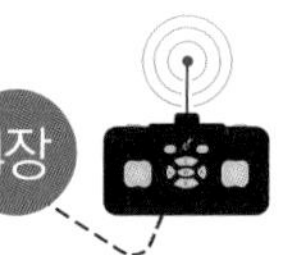

5 난수 활용하기

난수를 사용하면 더 간단히 코딩할 수 있습니다. 여러 수에서 아무렇게 뽑은 수를 난수라고 합니다. 여러 수에서 하나를 고를 것입니다. 난수는 〈연산〉 블록 모음에서 찾을 수 있습니다.

오른쪽 그림처럼 블록을 작성하면 1부터 10 사이의 수를 하나 고릅니다.

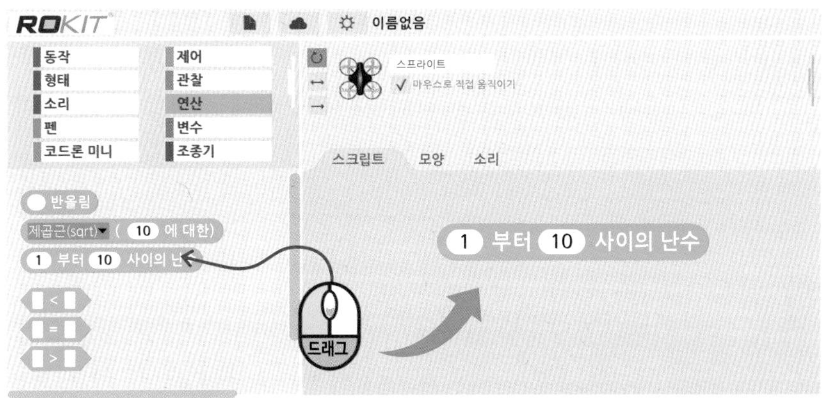

아래 그림처럼 코딩하면 1초에서 2초 사이 동안 원하는 곳으로 움직입니다.

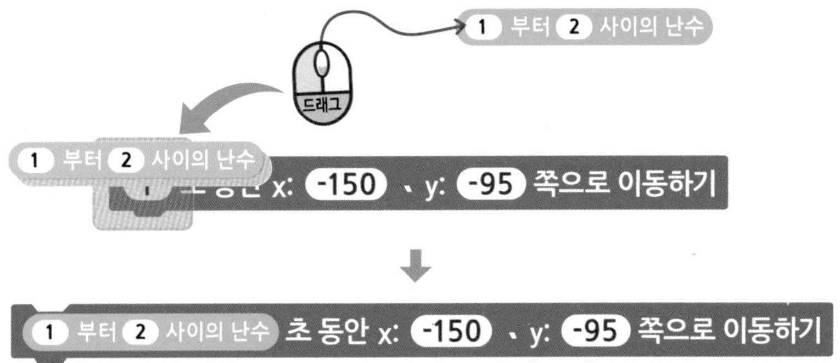

좌표에 난수를 넣으면 정한 범위만큼 움직일 수 있습니다.

1 부터 2 사이의 난수 초 동안 x: -150 부터 150 사이의 난수 , y: -95 부터 95 사이의 난수 쪽으로 이동하기

아래 그림처럼 코딩합니다. 그러면 무대 이곳저곳을 계속 움직입니다.

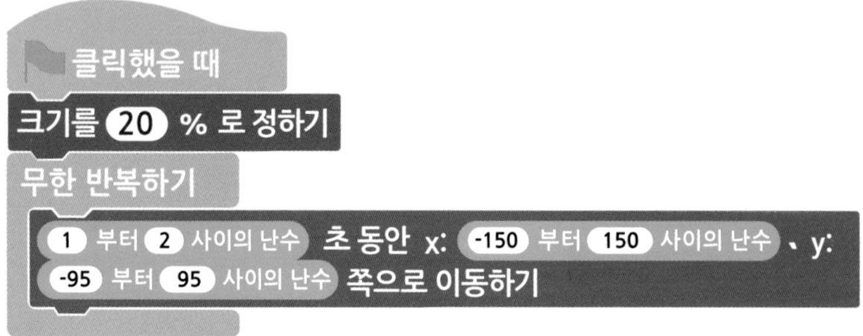

더 빠르게 움직이려면 그림과 같이 숫자를 작게 바꿉니다.

잘 되는지 확인해 볼까요? 드론이 무대 이곳저곳을 움직입니다. 어떨 때는 빠르게, 어떨 때는 천천히 움직입니다.

〈~도 돌기〉 블록을 사용하면 드론이 회전할 수 있습니다.

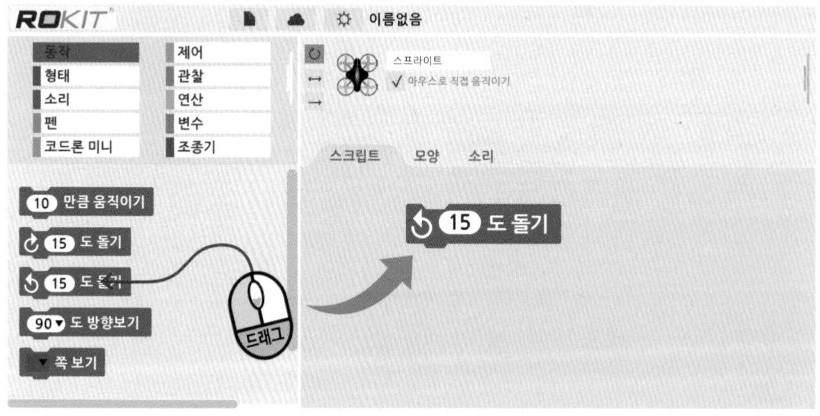

원하는 값만큼 돌면서 움직일 수 있습니다.

```
클릭했을 때
크기를 (20) % 로 정하기
무한 반복하기
  (15) 도 돌기
  (0.5) 부터 (1) 사이의 난수 초 동안 x: (-150) 부터 (150) 사이의 난수 , y:
  (-95) 부터 (95) 사이의 난수 쪽으로 이동하기
```

난수를 사용할 수도 있습니다.

```
클릭했을 때
크기를 (20) % 로 정하기
무한 반복하기
  (1) 부터 (359) 사이의 난수 도 돌기
  (0.5) 부터 (1) 사이의 난수 초 동안 x: (-150) 부터 (150) 사이의 난수 , y:
  (-95) 부터 (95) 사이의 난수 쪽으로 이동하기
```

난수를 사용하면 편리할 때가 많습니다. 난수를 사용해서 멋진 프로그램을 만들어보면 어떨까요?

	스스로 평가하기	확인
1	순차를 이해할 수 있습니다.	
2	스프라이트, 무대, 스크립트가 무엇인지 알 수 있습니다.	
3	반복을 사용해서 코딩할 수 있습니다.	
4	난수를 사용해서 스프라이트를 움직일 수 있습니다.	

한권으로 코딩과 드론으로 날로먹기

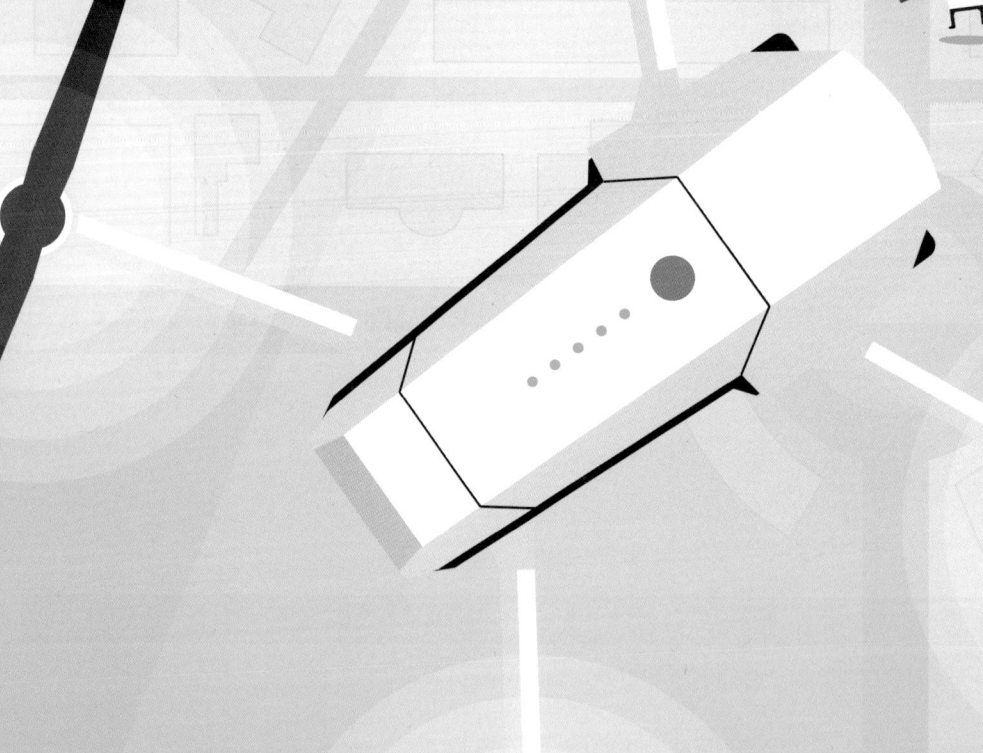

Chapter
5

코딩과 함께하는 미술 여행

1. 다각형 그리기
2. 변수를 사용해서 그림 그리기
3. 선택 구조 이해하기
4. 함수 이해하기
5. 재귀함수로 작품 만들기

DRONE

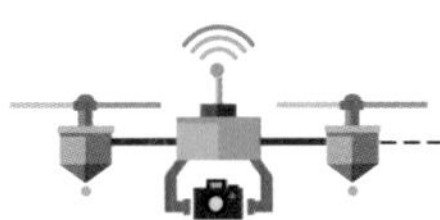

1 다각형 그리기

이번 시간에는 스크래치로 그림을 그리는 방법을 배워보겠습니다. 프로젝트를 새로 만들고 〈다른 이름으로 저장하기〉를 클릭해서 원하는 이름으로 프로젝트를 저장합니다.

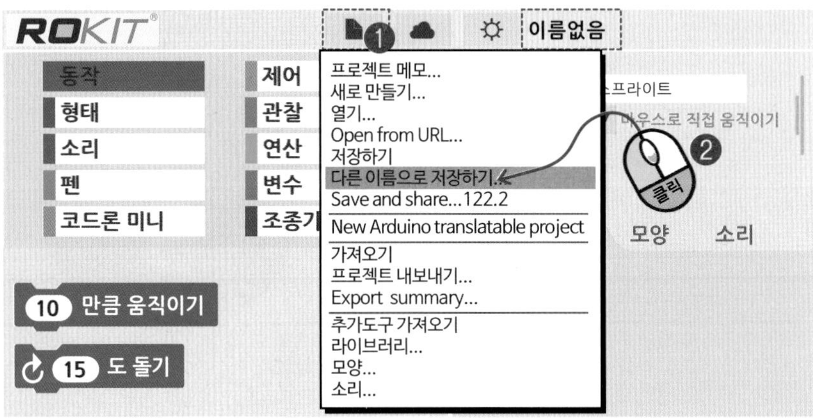

드론 스프라이트를 가져옵니다.

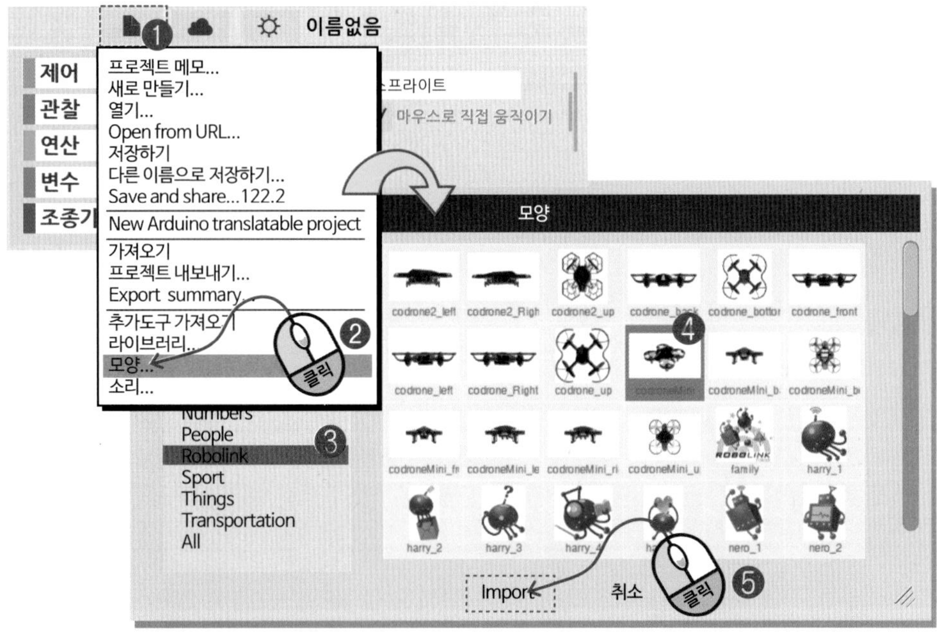

로킷 브릭으로 그림을 그리려면 〈펜〉 블록을 사용해야 합니다.

〈펜 내리기〉 블록을 사용해 움직이면, 스프라이트가 움직이는 대로 그림이 그려집니다.
그림을 그만 그리려면 〈펜 올리기〉 블록을 사용합니다. 연필을 움직이다가 올리면 더는 그림이 그려지지 않는 것과 같습니다.
그림을 그리고 나면 선이 남습니다. 〈펜 자국 지우기〉 블록은 그려진 선을 지울 때 사용합니다.
연필로 종이에 정사각형을 어떻게 그리는지 자세히 살펴봅시다. 어떤 규칙을 찾을 수 있을까요?
크기가 100인 정사각형을 그려보겠습니다. 네 변의 길이가 모두 같고 네 각이 모두 직각인 것을 정사각형이라고 합니다. 정사각형을 그리기 위해서는 같은 길이 만큼 움직이고 90도 회전해야 합니다. 회전은 어느 블록 모음에서 찾으면 될까요? 바로 〈동작〉 블록 모음입니다.

아래 그림처럼 코딩하면 그려진 선을 다 지우고 새로운 선으로 사각형을 하나 그립니다. 이번에는 크기를 30%로 정했습니다.

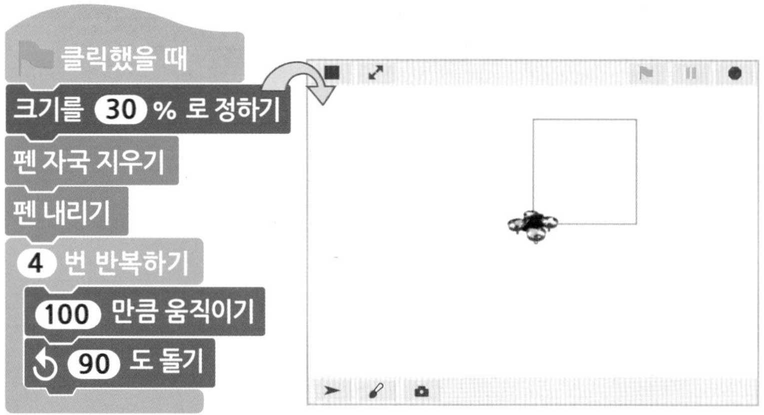

그림을 그릴 때 선 색깔도 바꿀 수 있습니다. 〈펜 색깔 정하기〉 블록을 사용하면 됩니다. 빨간색으로 표시한 곳을 클릭하면 원하는 색깔을 고를 수 있습니다.

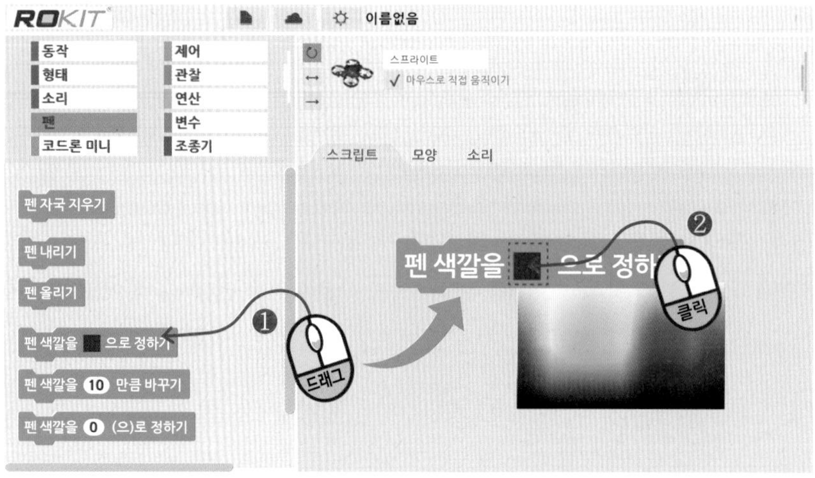

다른 방법으로는 〈펜 색깔 ~로 정하기〉 블록을 사용해서 숫자로 펜 색깔을 정할 수 있습니다.

펜 색깔을 0 (으)로 정하기

아래와 같이 펜 색깔을 바꾸는 블록을 넣습니다.

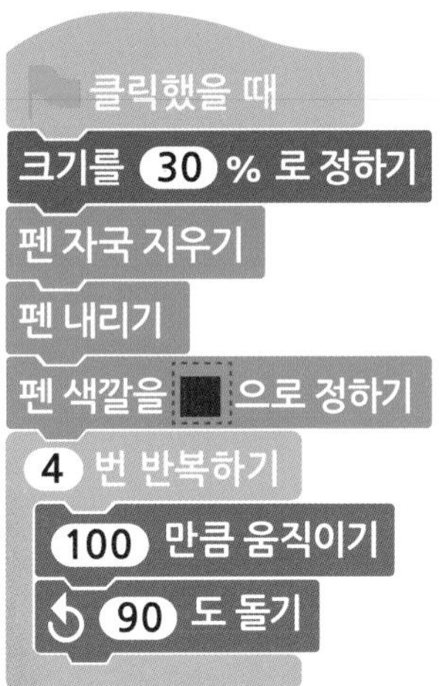

프로그램을 실행하면 아래 그림처럼 정사각형 색깔이 바뀝니다.

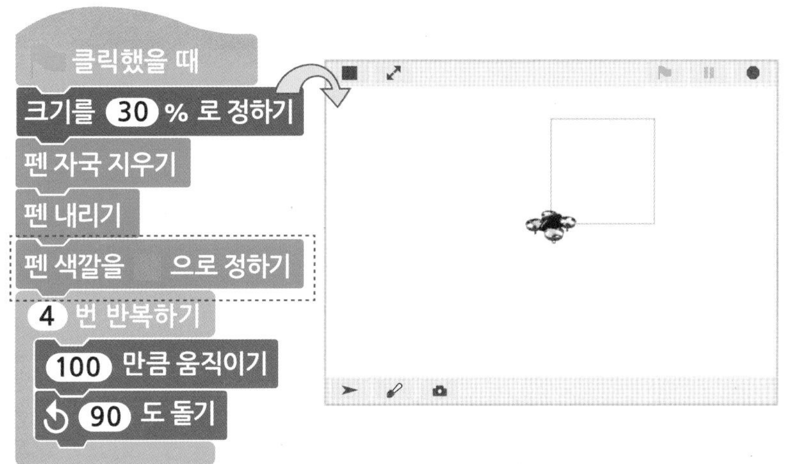

그림을 그리다 보면 스프라이트가 무대 밖으로 사라져 보이지 않게 되는 경우가 있습니다. 이럴 때는 좌표를 사용하면 편합니다. x좌표는 무대 가운데에서 오른쪽-왼쪽으로 얼마나 떨어졌는지 나타냅니다. y좌표는 무대 가운데에서 위-아래로 얼마나 떨어졌는지 나타냅니다. x좌푯값 0, y좌푯값 0은 무대 가운데를 나타냅니다.

블록 팔레트에서 빨간색으로 표시한 블록을 찾아 원하는 좌푯값을 넣고 클릭하면 움직입니다.

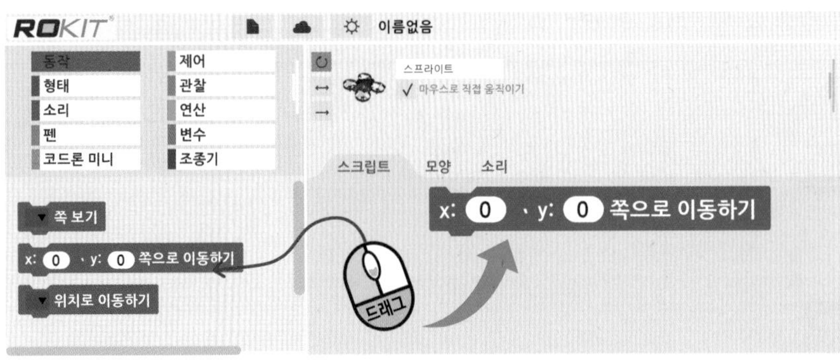

그런데 스프라이트가 회전하면 계속 그 상태로 있습니다. 〈~도 방향 보기〉 블록을 사용하면 스프라이트가 보는 방향을 정할 수 있습니다. 세모 표시(▼)가 있으니까 고를 수 있는 것이 여러 개 있겠죠? 드론이 오른쪽을 보도록 방향을 정합니다.

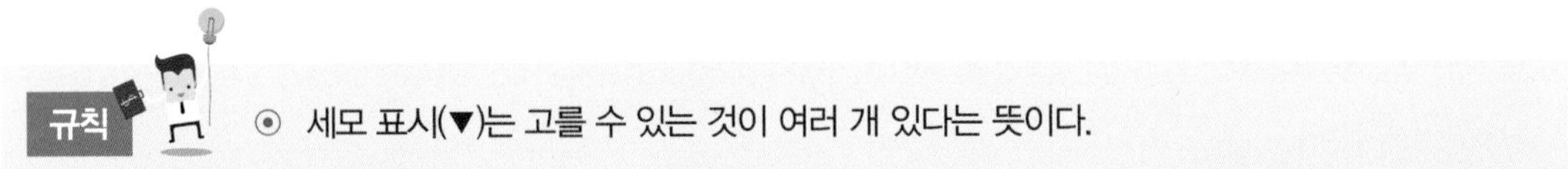

규칙
⊙ 세모 표시(▼)는 고를 수 있는 것이 여러 개 있다는 뜻이다.

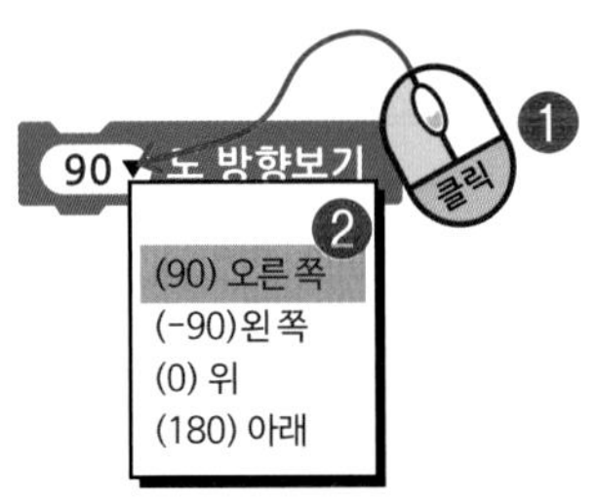

정삼각형을 그릴 때 아래와 같이 코딩하는 경우가 많습니다.
정삼각형이니 3번 반복하고 정사각형의 한 각인, 60도 돌면 될까요? 아래와 같이 코딩하고 프로그램을 실행해보겠습니다.

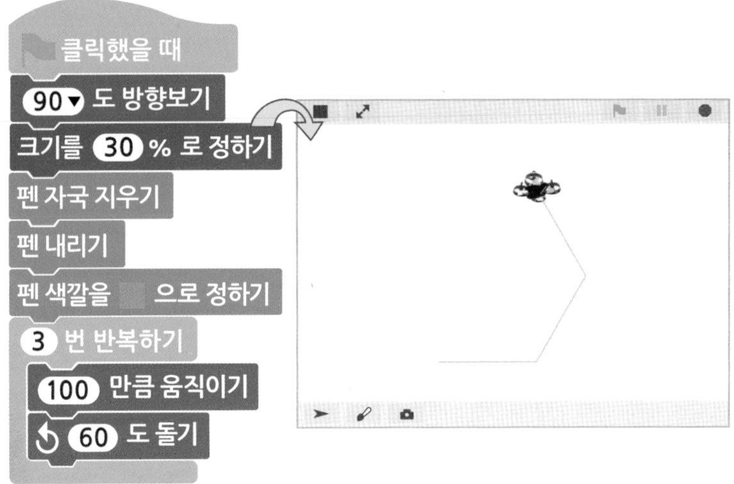

하지만 원하는 대로 되지 않았습니다. 정삼각형을 그리려면 내각인 60도를 돌면 안 되고, 외각인 120도를 돌아야 합니다.

각도를 120도로 바꾸고 프로그램을 실행합니다.

우리가 원하는 대로 잘 그려졌습니다.
〈반복하기〉와 〈펜〉 블록을 사용해서 쉽게 그렸습니다.

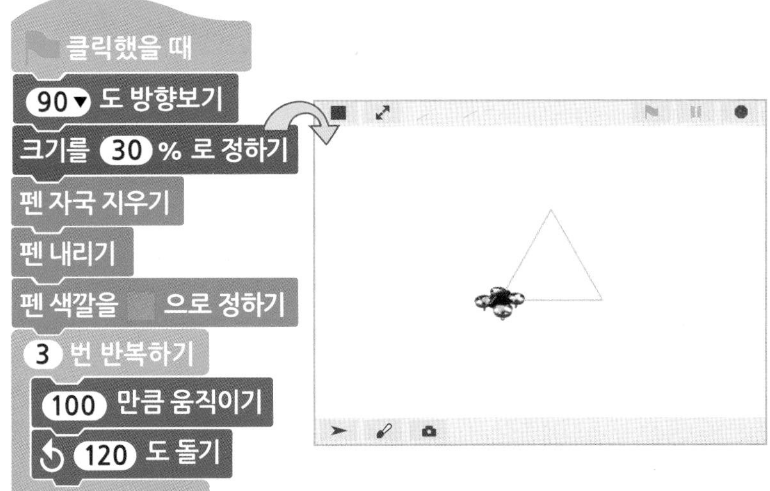

삼각형, 사각형, 오각형도 순서대로 그려볼까요? 삼각형을 그렸던 코드를 복사해서 코딩하면 되겠죠?

반복 횟수와 각도를 바꿔서 그림과 같이 코딩합니다.

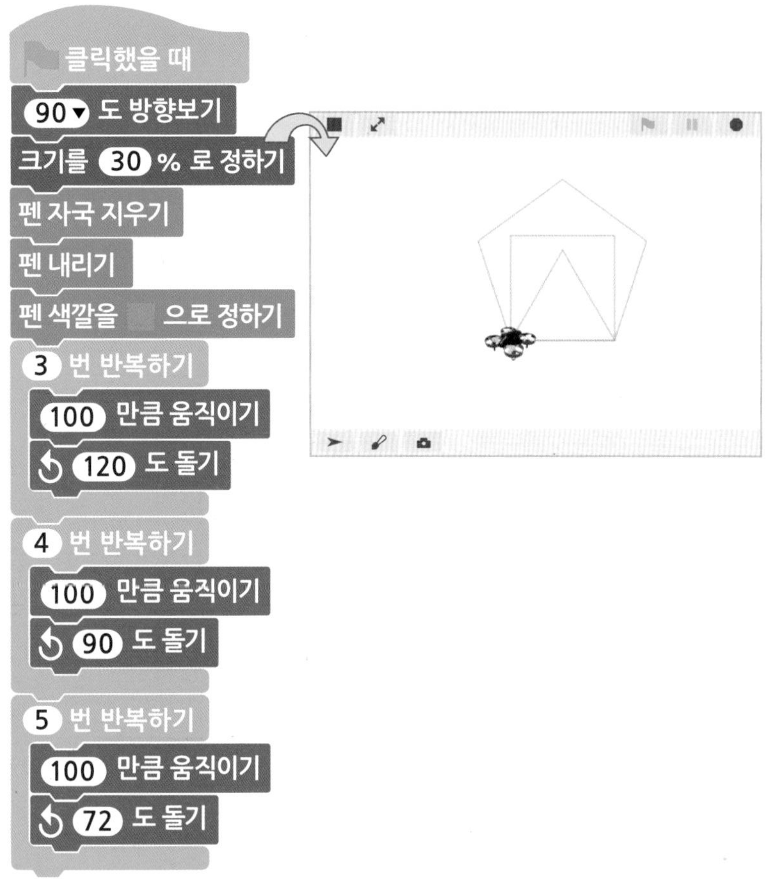

삼각형부터 십각형까지 그리려면 코드를 더 많이 복사해서 사용해야 합니다. 조금 귀찮고, 힘들다는 생각이 듭니다. 쉬운 방법이 없을까요?

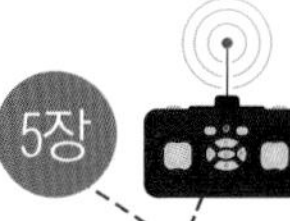

2 변수를 사용해서 그림 그리기

코딩을 공부할 때는 순차, 반복, 선택, 함수 그리고 변수가 정말 중요합니다. 변수를 사용하면 원하는 그림을 더 쉽게 그릴 수 있습니다.

변수에 관하여 자세히 알아보겠습니다. 변수는 처음에는 어려울 수 있습니다. 하지만 열심히 반복해서 읽으면 이해할 수 있습니다. 그리고 변수를 이용해서 코딩하면 코딩이 더 재미있어집니다.

변수는 쉽게 설명하면 사물함 같은 것입니다. 어떤 것을 저장하는 것이죠. 사물함에 책이나 크레파스 같은 것들을 저장할 수 있는 것처럼 변수에 숫자, 글자 등을 저장할 수 있습니다.

'어떤 값을 변수에 저장한다.'

이렇게 표현하면 되겠죠. 그러나 변수와 사물함이 다른 점은 변수에는 값 하나만 저장할 수 있다는 겁니다. 어떤 변수에 1이라는 값이 저장되어 있는데 만약 2 값을 또 저장하면 원래 1 값은 없어지고 2 값이 새로 저장됩니다. 이렇게 변하는 값을 가질 수 있어서 변수라고 하는 겁니다.

사물함에는 누구 사물함인지 알 수 있게 번호나 이름을 표시해둡니다. 마찬가지로 저장된 것을 쉽게 찾기 위해서(컴퓨터에 값을 저장하기 위해서) 변수에도 이름을 지어줍니다.

〈변수〉를 클릭하면 〈변수 만들기〉 메뉴가 나옵니다. 이것을 클릭합니다.

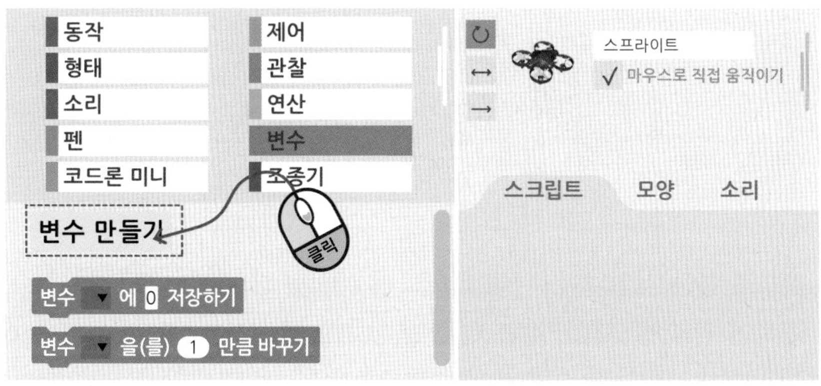

변수 이름은 알기 쉽게 지어야 나중에 코딩할 때 편합니다. '각'이라고 변수 이름을 정했습니다. '각'이라고 쓰고 〈확인〉을 클릭합니다.

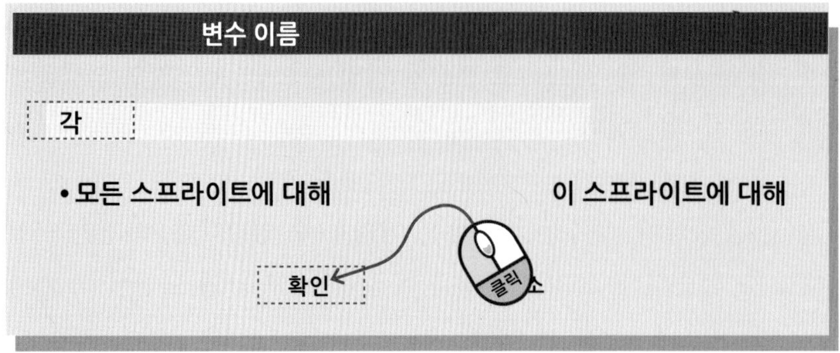

그러면 그림과 같이 무대에 〔각〕 변수와 저장된 값이 보입니다. 변수를 처음 만들면 0이 저장됩니다.

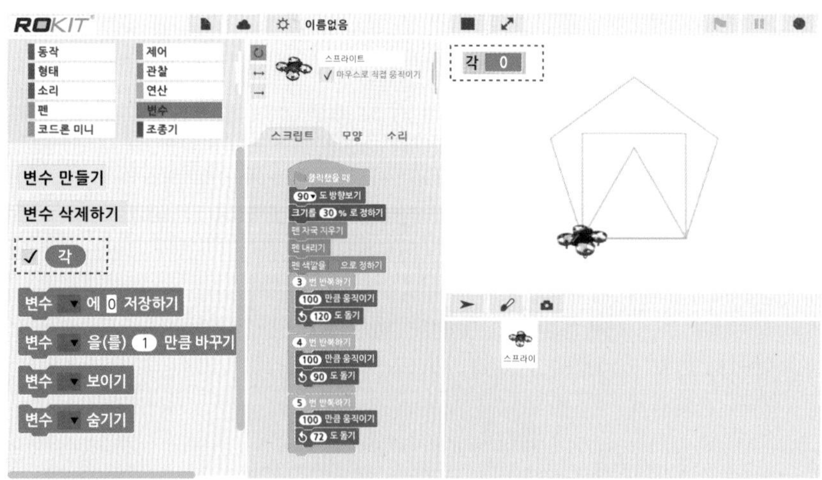

변수를 사용하여 코딩할 때 〈저장하기〉와 〈바꾸기〉를 헷갈리지 말아야 합니다.

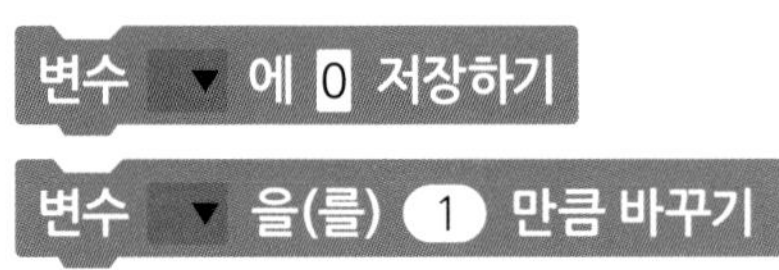

〈저장하기〉는 그냥 그 값으로 하는 것입니다. 원래 변숫값이 10이든, 100000이든 상관없습니다. 변수를 100으로 정하면 원래 변숫값이 무슨 값을 갖든지 그 변숫값은 100이 됩니다. 〈바꾸기〉는 원래 값에서 어떤 값을 더하거나 뺄 때 사용합니다.

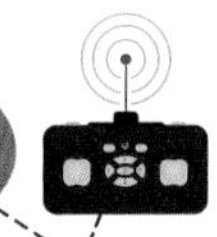

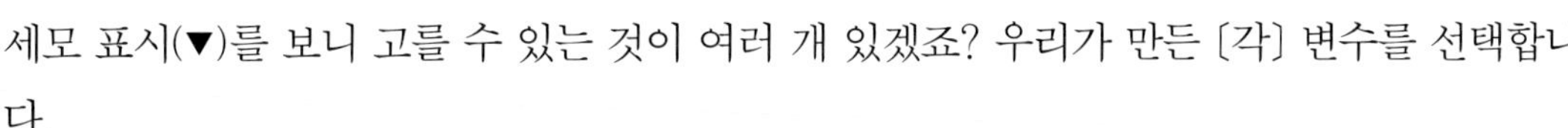

세모 표시(▼)를 보니 고를 수 있는 것이 여러 개 있겠죠? 우리가 만든 [각] 변수를 선택합니다.

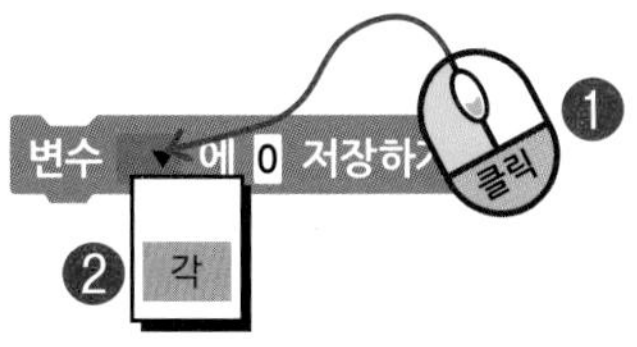

이 변수에 3을 저장합니다.

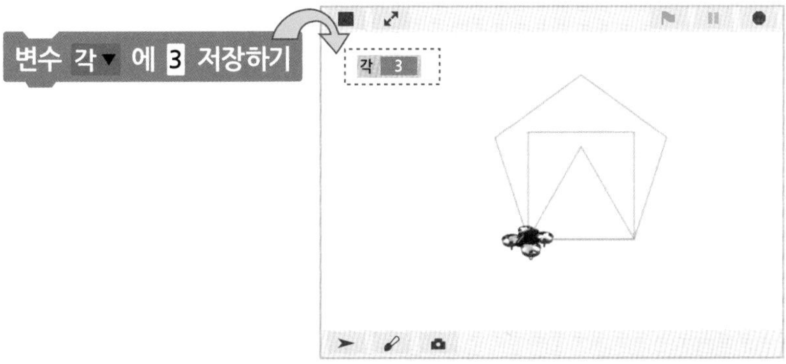

이 변숫값을 1만큼 바꾸면 숫자가 1씩 커집니다. 아래 블록을 여러 번 클릭하면 변숫값이 1씩 계속 커집니다.

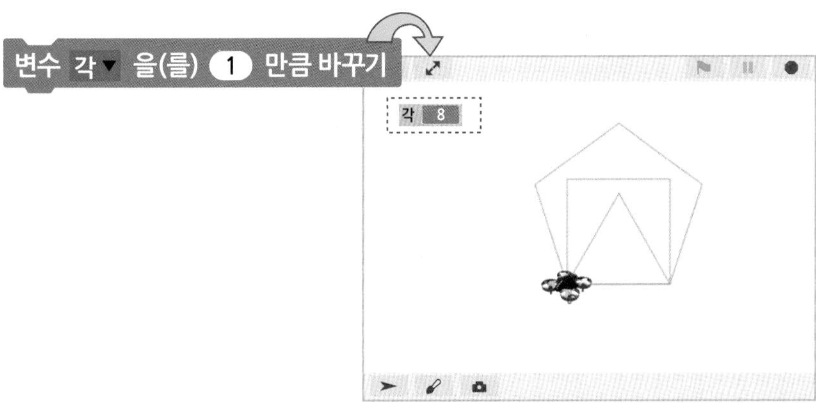

[각] 변수에 3을 저장합니다. 그리고 [각] 변숫값만큼 반복하면 3회 반복하게 됩니다. 아래 그림의 [각] 변수를 〈~번 반복하기〉 블록에 넣습니다.

프로그램을 실행하면 정삼각형이 그려집니다.

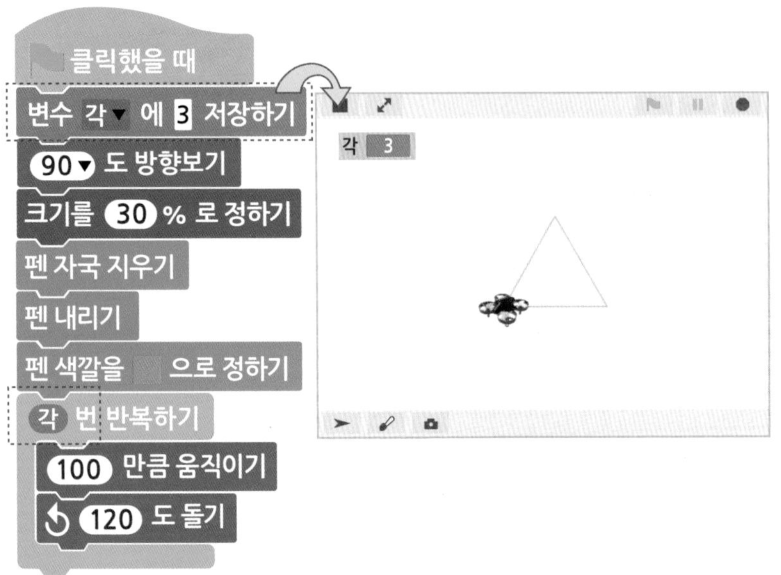

무대에서 변수가 보이지 않게 하려면 아래 그림과 같이 네모 안에 체크(V) 표시를 클릭합니다. 그러면 체크 표시가 사라지고 무대에서 변수가 보이지 않습니다.

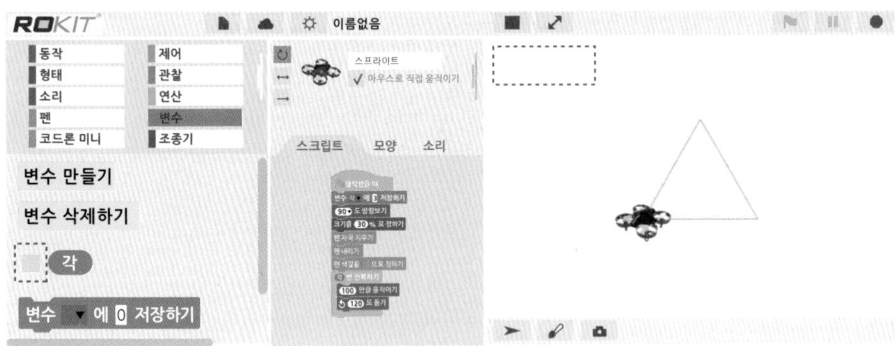

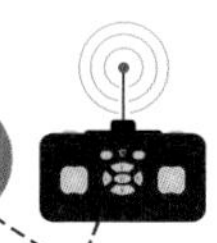

정다각형의 외각은 360에서 한 각의 크기를 나누면 됩니다. 어떤 값을 나눌 때는 다음과 같은 블록을 사용합니다.

'360/각'은 360에서 [각] 변숫값을 나눈다는 뜻입니다.

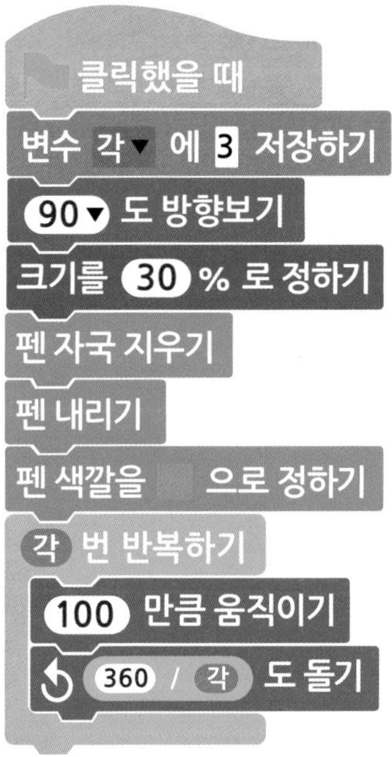

그리고 〔각〕 변수를 1만큼 바꿉니다. 삼각형을 그렸으니, 이제 사각형을 그려야 하겠죠? 빨간색으로 표시한 코드를 복사하면 됩니다. 〈반복하기〉 블록을 사용하면 더 편하겠죠?

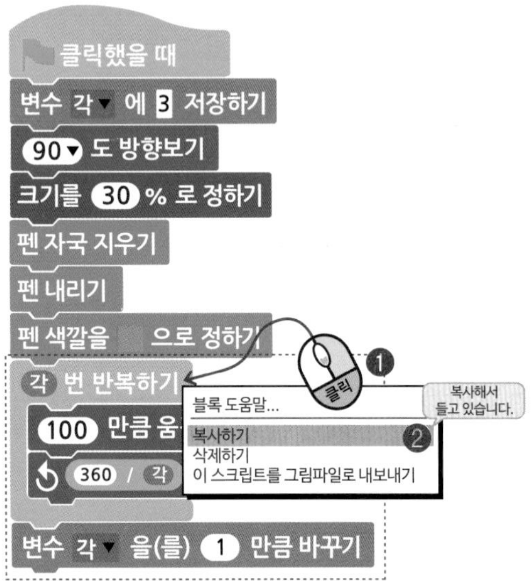

아래 그림처럼 코딩하면 삼각형부터 오각형까지 그림을 그릴 수 있습니다. 〈반복하기〉 블록 안에 〈반복하기〉 블록을 넣어서 코딩합니다. 〈반복하기〉 블록을 여러 개 사용했기 때문에 '다중 반복문'이라고 합니다.

반복하는 횟수를 늘리면 더 많은 다각형을 그릴 수 있습니다.

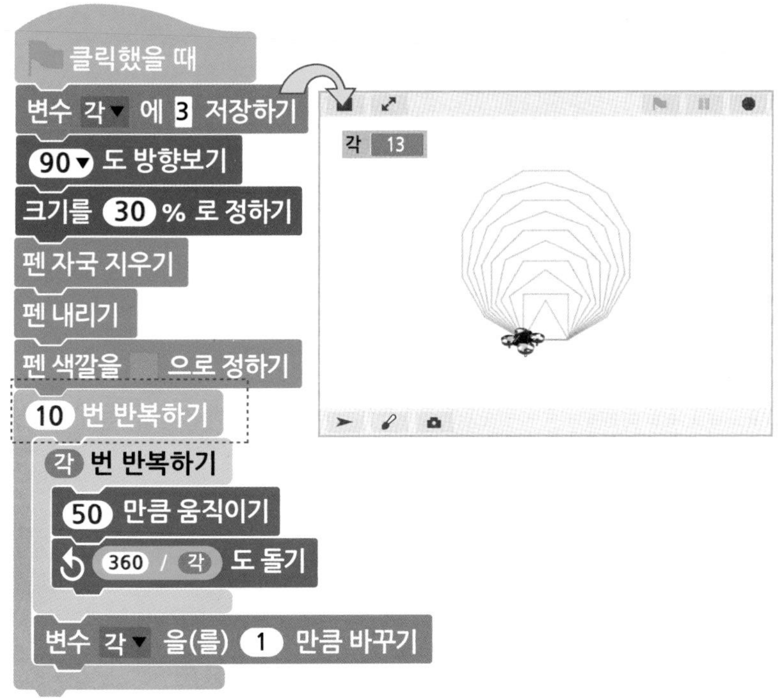

이렇게 규칙을 발견하고 변수를 사용하면 더 편하게 코딩할 수 있습니다. 다양한 그림을 그리면서 변수를 사용하는 방법을 익히기 바랍니다.

변수와 반복문을 잘 사용하면 다양한 그림을 그릴 수 있습니다. 같은 각도만큼 회전하면서 길이가 점점 길어지면 멋진 그림이 됩니다. 그리고 〈펜 색깔을 ~만큼 바꾸기〉 블록을 사용하면 펜 색깔도 현재 색깔에서 정한 숫자만큼 색깔을 바꿀 수 있습니다.

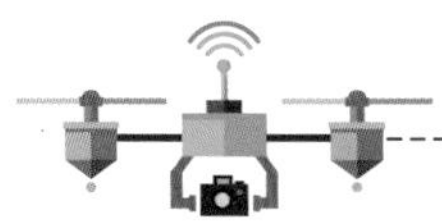

〔길이〕 변수를 만들고 150도씩 돌면서 2만큼 변숫값을 바꾸면 어떻게 될까요?
다음과 같은 신기한 모양이 그려집니다. 회전하는 각도를 다르게 하면 멋진 그림이 그려집니다. 각도를 다르게 해서 멋진 그림을 그려봅시다.

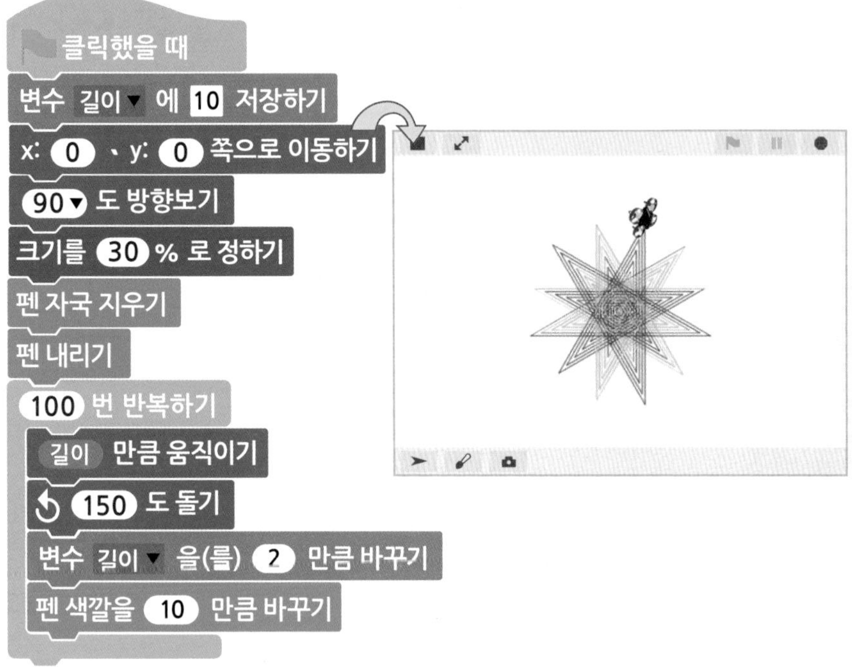

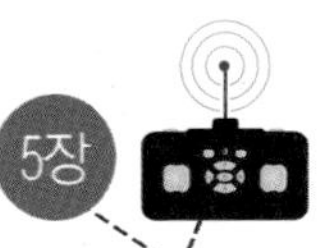

3 선택 구조 이해하기

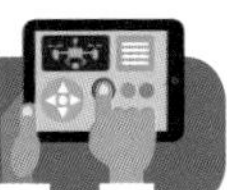

앞에서 변수를 사용해서 그림을 그리는 방법을 배웠습니다. 이제 선택을 사용해서 코딩하는 방법을 배워보겠습니다.

'지각했다면, 배가 고프면, 심심하면' 이런 것을 모두 조건이라고 합니다. 이런 명령어를 만들어 봅시다.
'배고프면 밥을 먹어라.'
여기서 '배고프면'은 조건입니다. '밥을 먹어라'는 배고프면(조건이 참이 되면) 실행하는 명령어입니다. '참'은 쉬운 말로 '그렇다, 맞다'라는 뜻입니다.
예를 들어, '졸린 것이 참이다.'라는 것은 '졸리다'는 것입니다. '학교 간 것이 참이 아니다.'라는 것은 '학교에 가지 않았다.'는 뜻입니다. '드론은 참 재미있다는 것이 참이다.'는 것은 '드론이 재미있다.'는 뜻입니다.

선택 구조(select structure)는 조건을 정하고 그 조건이 참이냐 거짓이냐에 따라서 다른 작동을 하는 것을 말합니다. 선택 구조를 사용해서 그림을 그려보겠습니다.

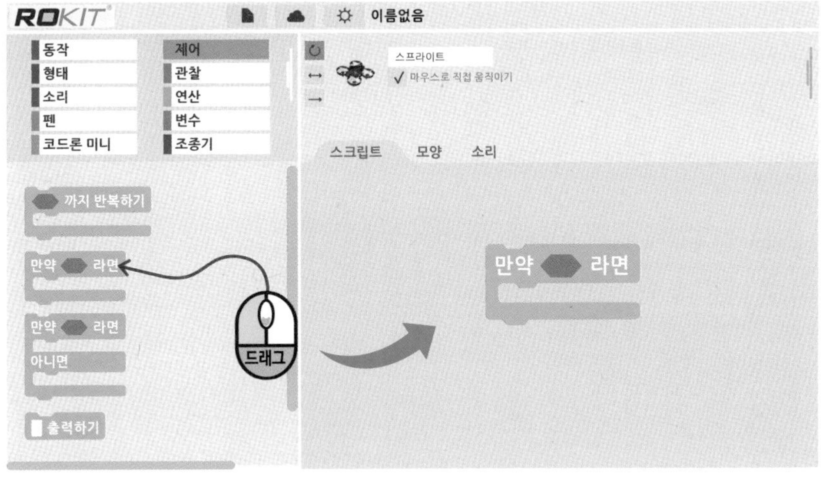

아래 블록을 사용하면 선택 구조로 코딩할 수 있습니다.

아래 그림처럼 코딩하고 프로그램을 실행해 볼까요? 그러면 삼각형이 점점 커지면서 회전하는 것처럼 보입니다.

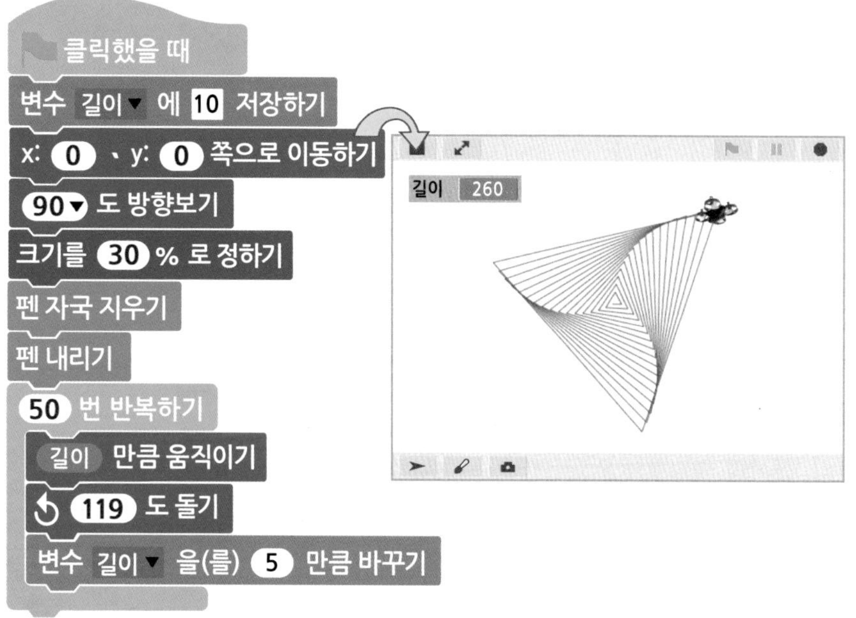

아래처럼 같은 변에, 같은 색으로 그리고 싶습니다. 어떻게 하면 될까요?
〈변수〉와 〈나머지〉를 사용하면 됩니다.

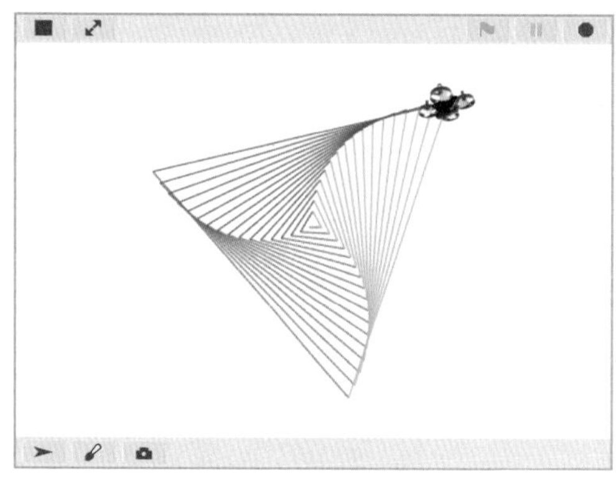

아래 블록을 사용하면 나머지를 구할 수 있습니다.

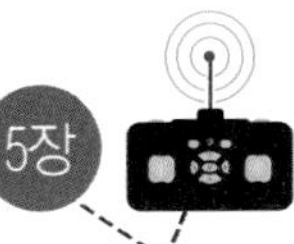

나머지는 계속 반복됩니다. 예를 들어 1부터 10까지의 수를 3으로 나눴을 때 나머지가 무엇인지 알아볼까요? 1, 2, 0, 1, 2, 0··· 이렇게 1, 2, 0이 계속 반복합니다. 나머지를 이용하면 원하는 변에, 원하는 색깔을 그릴 수 있습니다.

아래는 왼쪽과 오른쪽 값을 비교하는 블록입니다. 두 값이 같으면 참이고, 그렇지 않으면 거짓입니다.

〔횟수〕 변수를 만듭니다. 〔횟수〕 변숫값에 따라서 색깔을 정합니다.

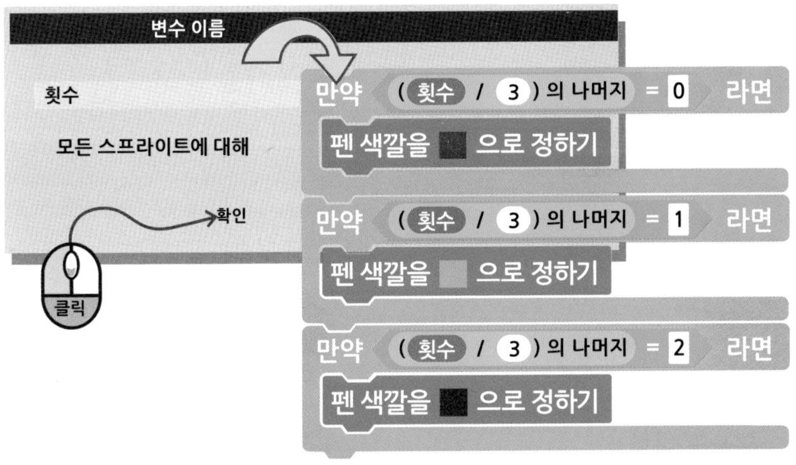

[횟수] 변수의 나머지	색깔
0	빨강
1	초록
2	파랑

반복할 때마다 [횟수] 변숫값을 1만큼 바꿉니다. 그러면 [횟수] 변수를 3으로 나누면 나머지 값이 바뀝니다. 이 나머지 값으로 색깔을 정합니다.

```
클릭했을 때
변수 길이▼ 에 10 저장하기
변수 횟수▼ 에 1 저장하기
x: 0 , y: 0 쪽으로 이동하기
90▼ 도 방향보기
크기를 30 % 로 정하기
펜 자국 지우기
펜 내리기
50 번 반복하기
    만약 ((횟수) / 3) 의 나머지 = 0 라면
        펜 색깔을 ■ 으로 정하기
    만약 ((횟수) / 3) 의 나머지 = 1 라면
        펜 색깔을 ■ 으로 정하기
    만약 ((횟수) / 3) 의 나머지 = 2 라면
        펜 색깔을 ■ 으로 정하기
    길이 만큼 움직이기
    ↻ 119 도 돌기
    변수 길이▼ 을(를) 5 만큼 바꾸기
    변수 횟수▼ 을(를) 1 만큼 바꾸기
```

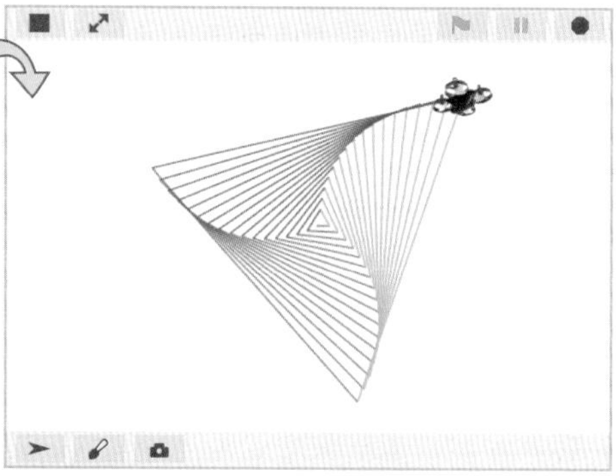

4 함수 이해하기

이번 시간에는 함수를 사용하는 방법을 배워보겠습니다. 코딩을 공부할 때 순차, 반복, 선택, 함수 그리고 변수가 중요하다고 했죠?

함수는 쉽게 말하면 블록을 여러 개 모아서 이름을 붙인 것으로 생각하면 됩니다. 함수를 사용하면 깔끔하고 보기 좋게 코딩을 할 수 있습니다. 함수 이름을 잘 만들어두면 함수 이름만으로도 코드가 어떤 일을 하는지 이해할 수 있습니다. 코드를 수정할 때도 함수에서 고치고 싶은 부분만 바꿔주면 되므로 편리합니다.

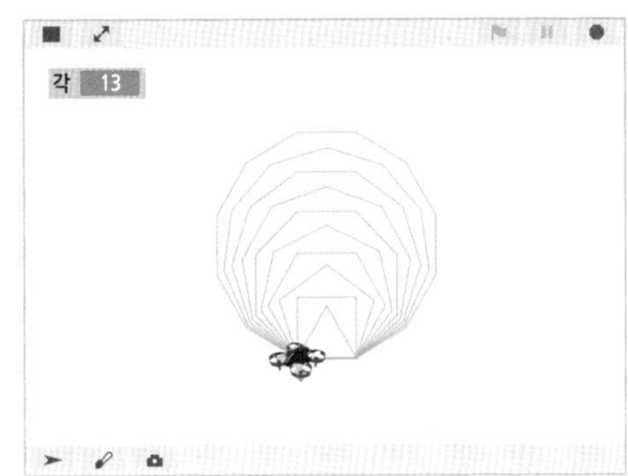

함수를 사용해서 아래 그림을 그려보겠습니다.

〈변수〉-〈블록 만들기〉를 순서대로 클릭하면 함수를 만들 수 있습니다. 우리가 앞에서 배운 블록도 모두 함수라고 할 수 있습니다.

함수 이름을 씁니다. 그리고 〈커맨드〉를 클릭하고 〈확인〉을 선택합니다.

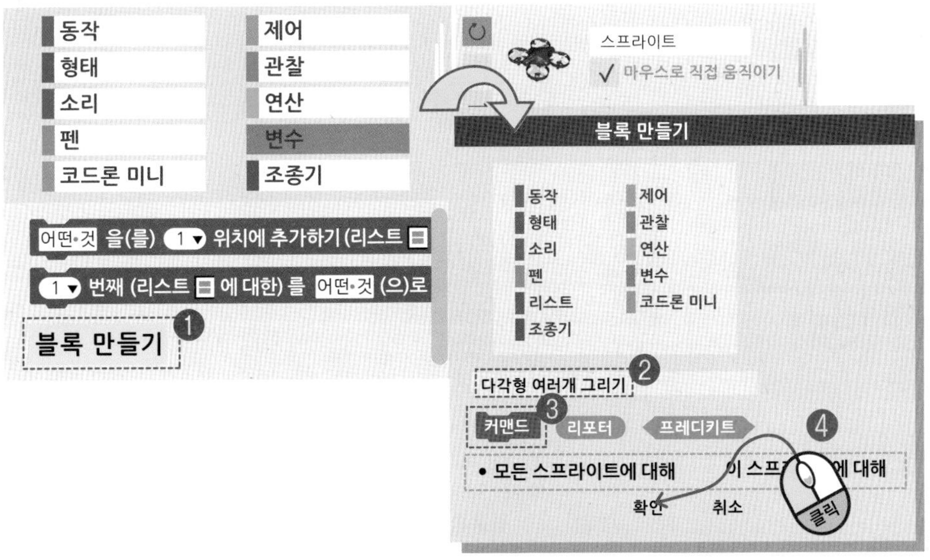

주황색으로 표시한 부분은 MIT에서 만든 스크래치에는 없습니다. MIT 스크래치에서는 한 스프라이트에서 만든 함수를 다른 스프라이트가 사용할 수 없습니다. 다른 스프라이트에서 같은 함수를 사용하려면 다시 코딩해야 합니다. 힘들겠죠? 이 기능은 게임과 같이 복잡한 프로그램 만들 때 매우 편리합니다.

〈확인〉을 선택하면 그림과 같은 화면이 나타납니다. 여기에 원하는 블록을 연결하면 됩니다.

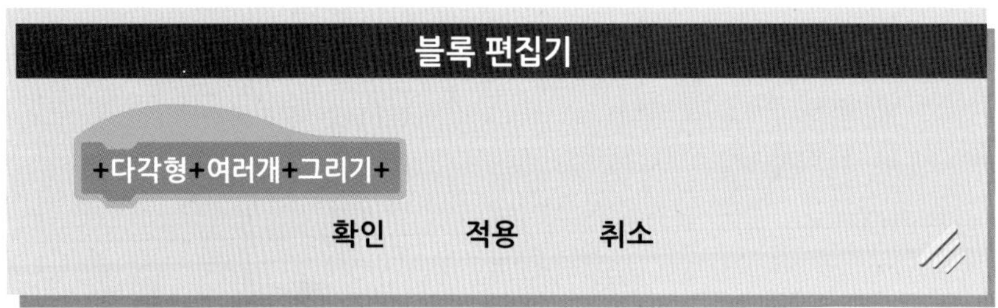

아래 코드가 다각형을 여러 개 그리는 코드입니다.

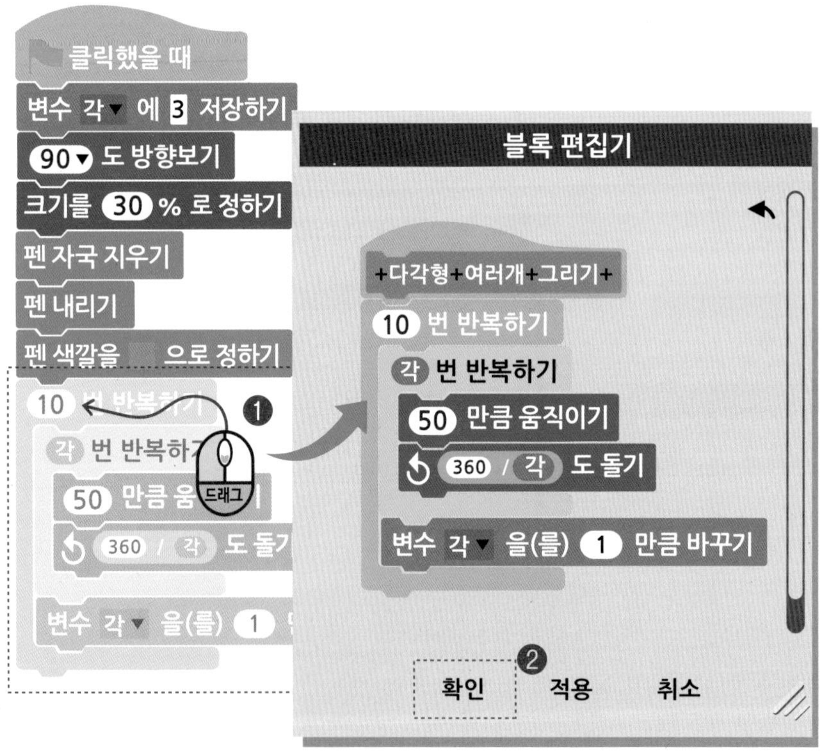

아랫부분을 떼서 〈다각형 여러개 그리기〉 함수에 붙입니다.
그러면 〈다각형 여러개 그리기〉 함수(블록)가 생깁니다.

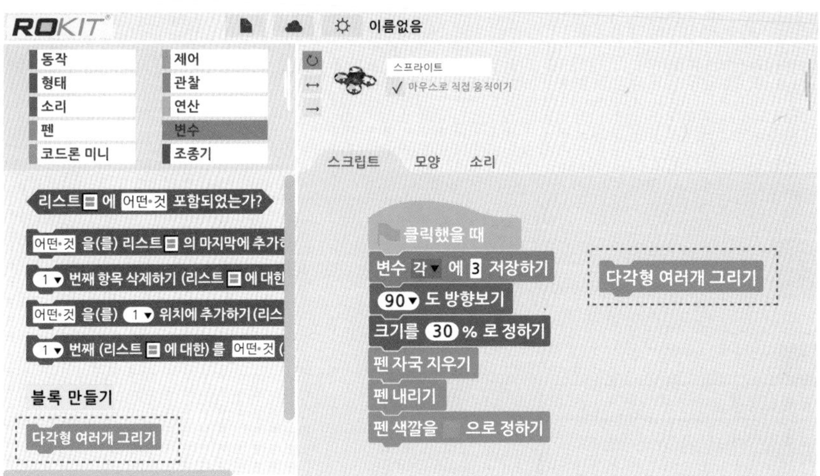

아래와 같이 코딩하면 앞에서 봤던 그림과 같은 그림이 그려집니다.

함수 이름을 보면 어떤 일을 하는지 알 수 있어서 코드를 더 잘 이해할 수 있습니다.

함수를 흔히 '마술상자'에 비유합니다. 마치 재료를 넣어서 물건을 만드는 것과 같이 어떤 값이 들어오면 새로운 값을 만드는 것입니다.
함수에 들어가는 값을 '인자' 또는 '매개변수'라고 합니다. 말이 어렵죠? 우리는 그냥 '들어가는 값'으로 부르겠습니다.

어떤 다각형부터 그릴지, 길이를 얼마로 할지, 어디까지 그릴지 정할 수 있게 함수(블록)를 바꿀 수 있습니다. 〈다각형 여러개 그리기〉 함수가 매개변수를 받을 수 있게 하면 됩니다.

함수에 마우스 오른쪽 버튼을 누르면 그림과 같이 메뉴가 나옵니다. 여기에서 〈편집〉을 선택합니다.

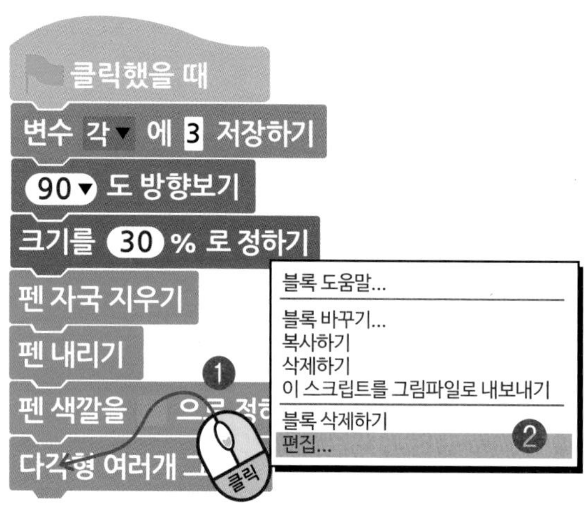

다른 방법으로는 블록 팔레트에서 〈편집〉을 선택해서 함수를 바꿀 수 있습니다.

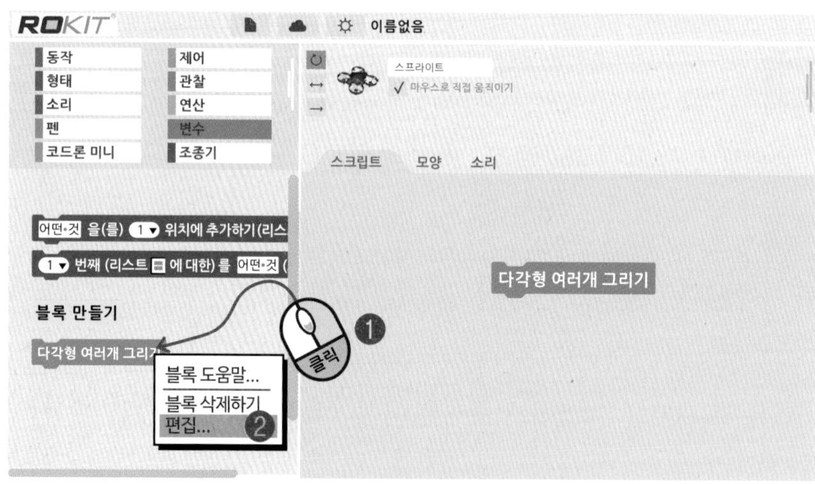

빨간색 표시한 부분을 클릭합니다.

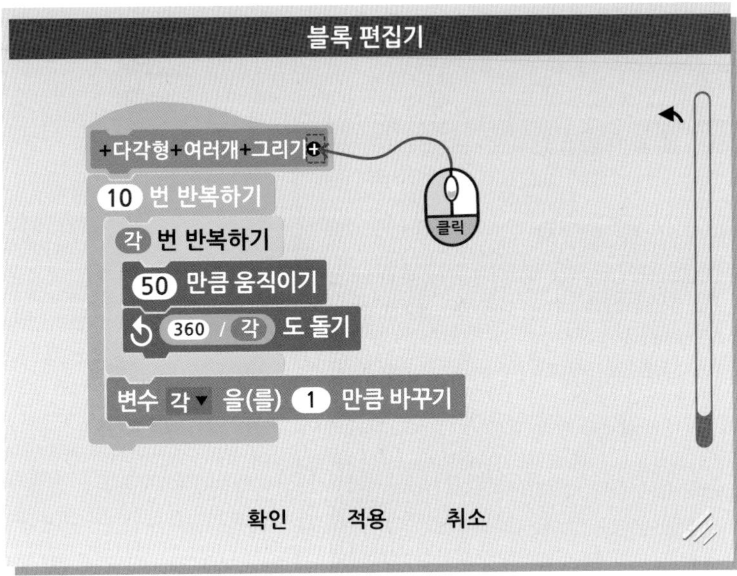

〔다각형 개수〕 매개변수를 만듭니다. 〔다각형 개수〕 매개변수 값만큼 반복합니다. 빨간색으로 표시한 곳을 클릭해서 어떤 값을 받을지 정할 수 있습니다.

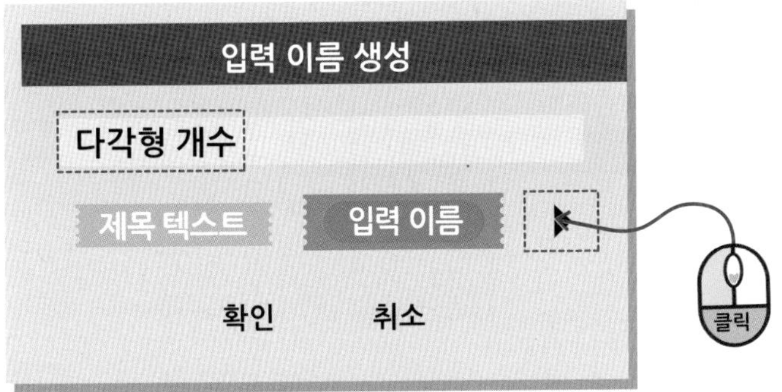

〈아무타입〉이 기본값입니다.

〈아무타입〉은 숫자나 문자 등을 매개변수로 받을 수 있습니다. 만약 숫자만 받고 싶으면 〈숫자〉를 선택합니다. 매개변수의 기본값도 정할 수 있습니다.

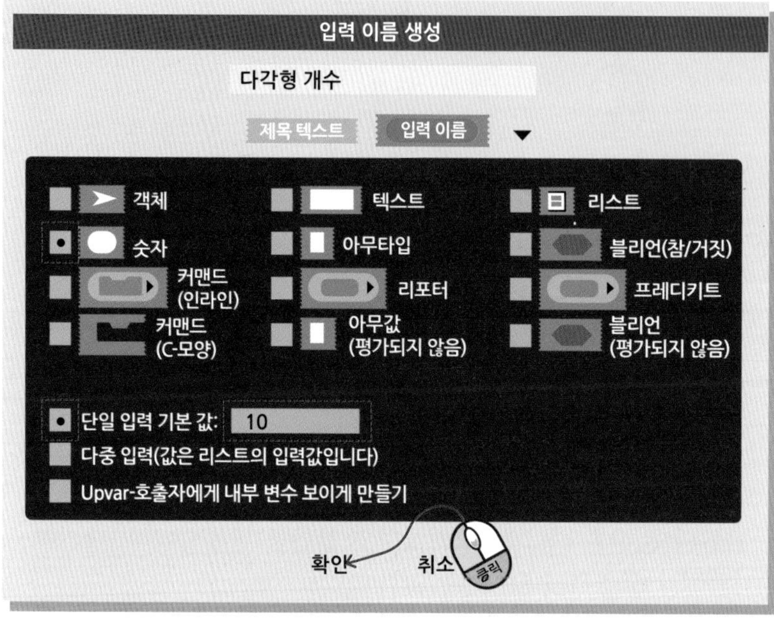

〔다각형 개수〕 매개변수가 생겼습니다. 매개변수를 숫자로 정하면 뒤에 # 기호가 붙습니다.

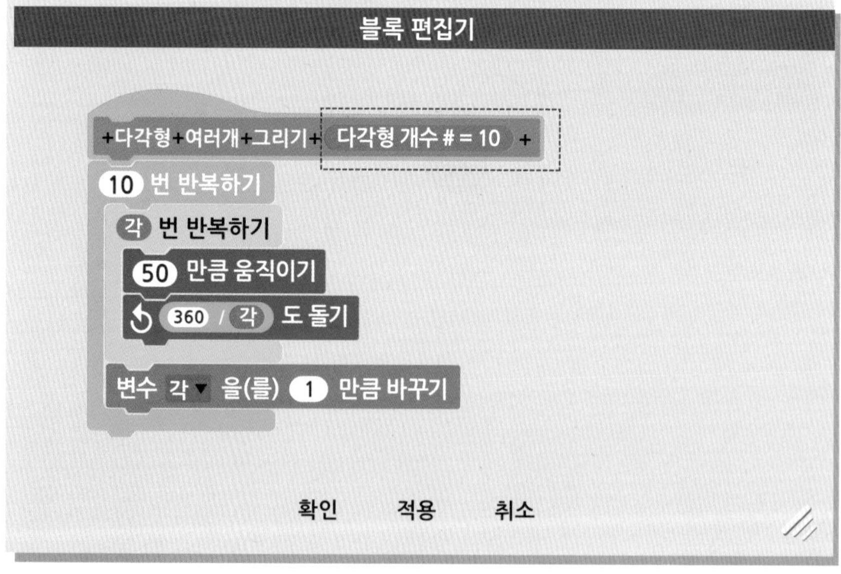

이 매개변수를 〈~번 반복하기〉 블록에 넣습니다. 함수를 다 수정했으면 확인을 클릭합니다.

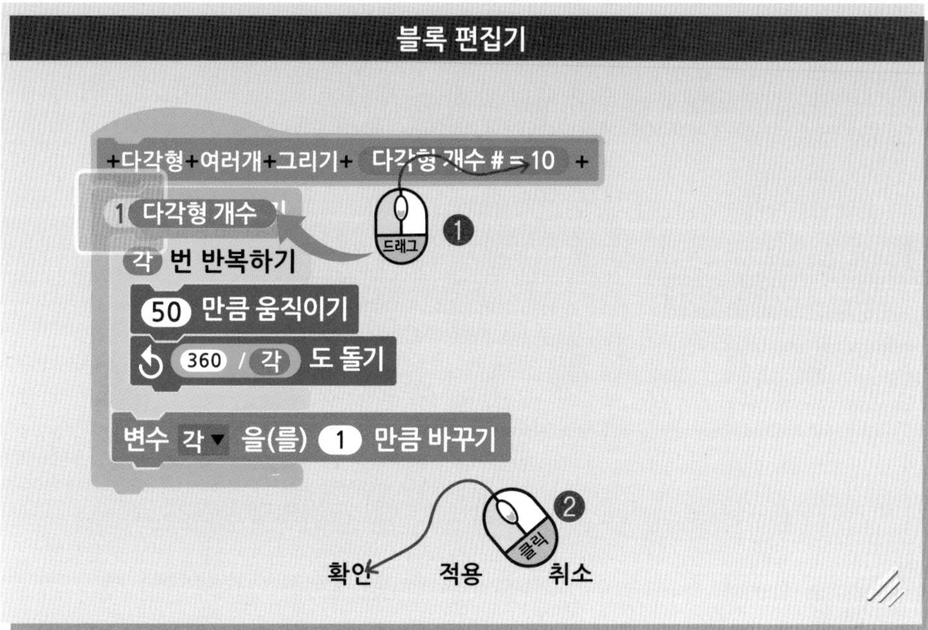

그러면 함수를 바꾸지 않아도 원하는 값만 넣으면 그림을 그릴 수 있습니다.

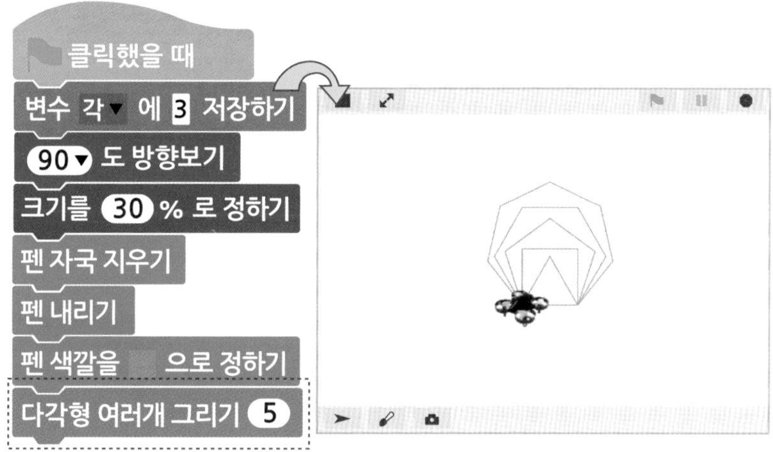

다각형의 종류와 길이를 정할 수 있게 그림과 같이 함수를 바꿀 수 있습니다.

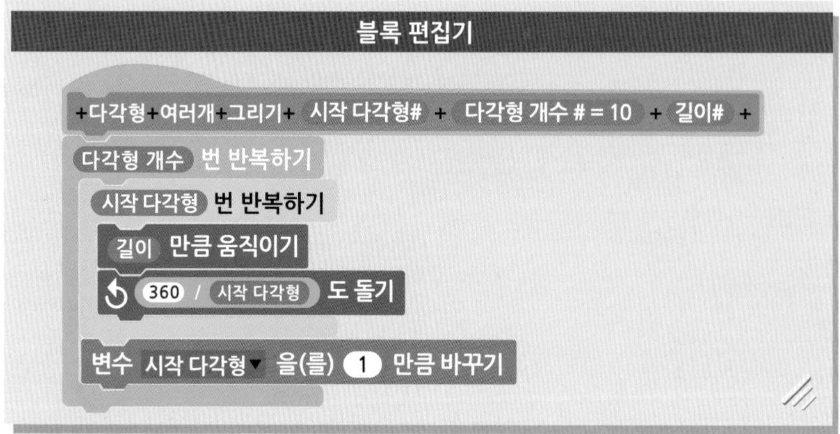

〔시작 다각형〕 매개변수를 만들었기 때문에 〔각〕 변수는 지워도 됩니다.

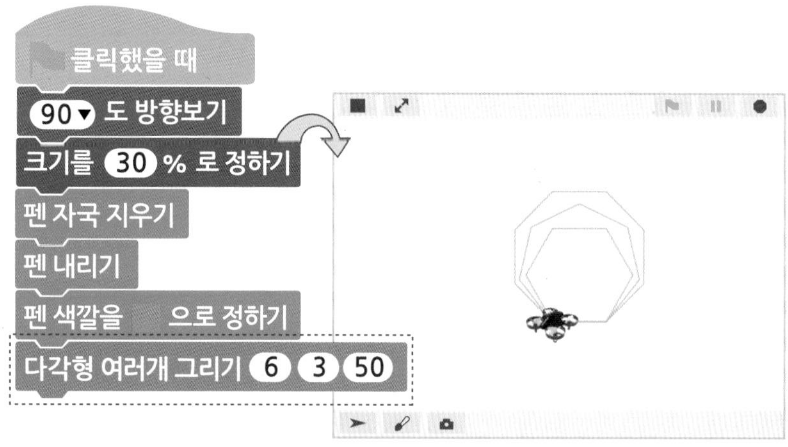

함수를 사용하면 아래와 같은 그림도 쉽게 그릴 수 있습니다.

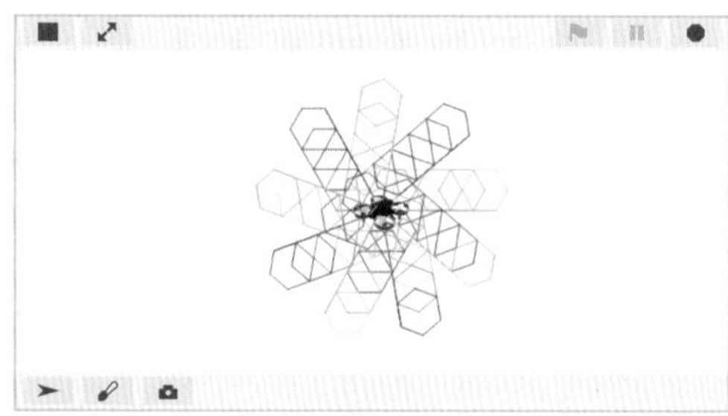

1. 육각형으로 한 줄을 그립니다.
2. 육각형을 그릴 때 색깔이 바뀝니다.
3. 한 줄을 다 그리면 원래 자리로 돌아옵니다.
4. 원하는 각도 만큼 회전해서 그림을 그립니다.

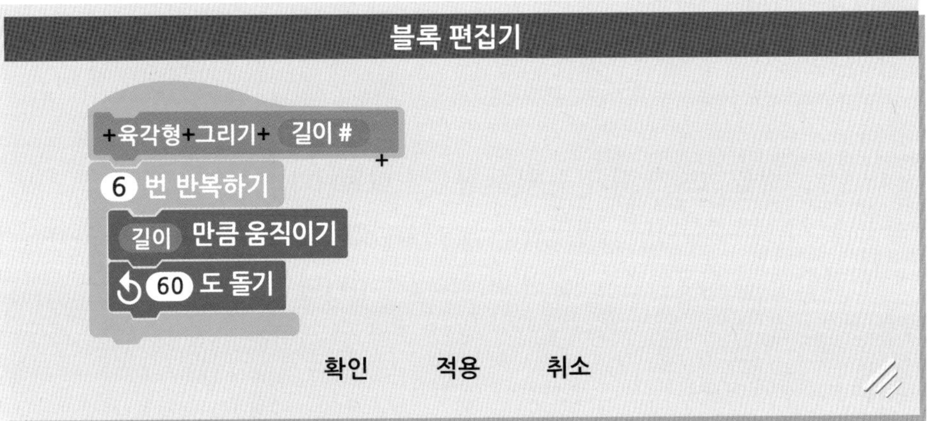

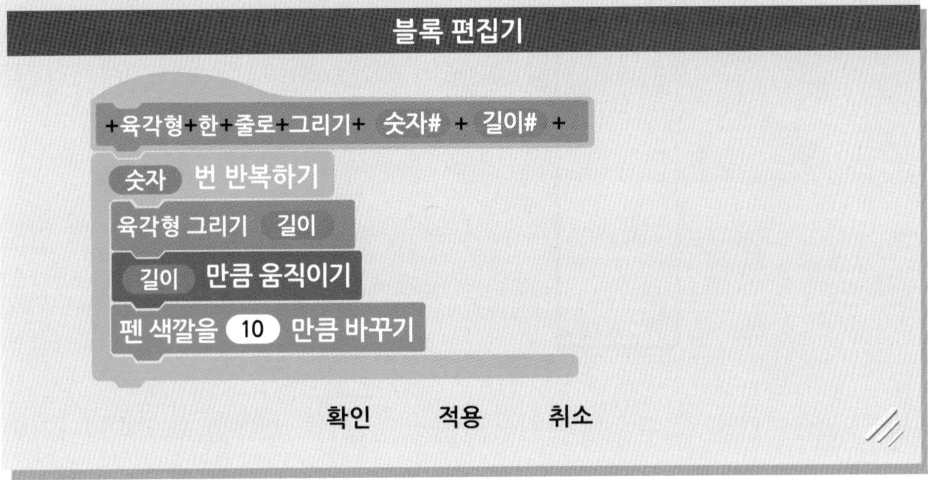

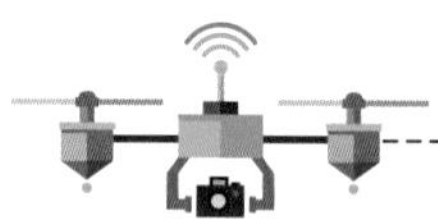

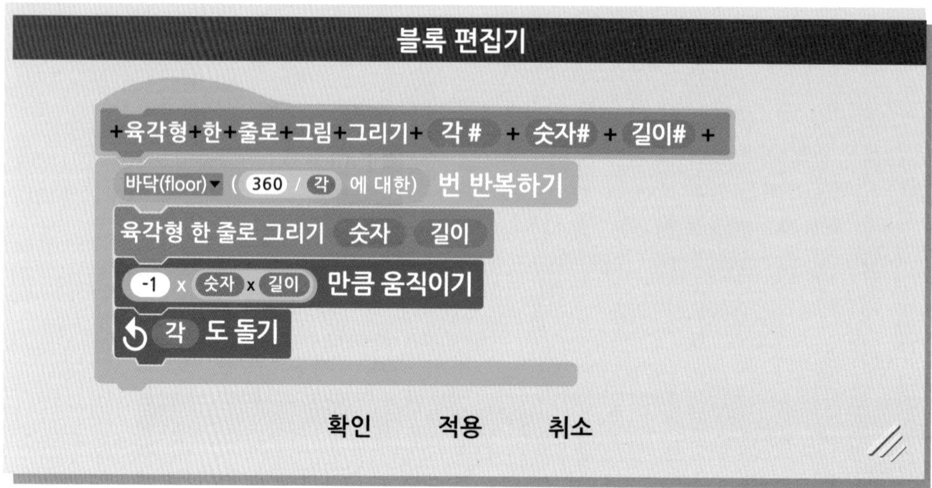

얼마만큼 회전하면서 그림을 그릴지 정할 수 있게 함수를 만듭니다.

여기서 〈바닥함수〉를 사용하겠습니다. 〈바닥함수〉를 사용하면 1보다 작은 값은 버립니다. 5 ÷2는 2.5인데 〈바닥함수〉를 사용하면 0.5를 버리므로 2가 됩니다.

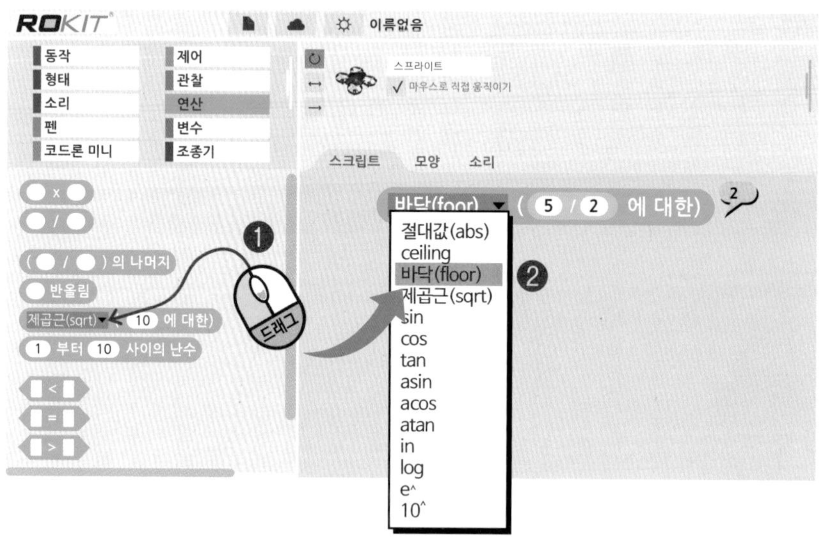

2.5번 반복할 수는 없습니다. 1, 2, 3… 이런 식으로 자연수 값만큼 반복할 수 있습니다. 〈바닥함수〉를 사용하면 자연수가 아닌 값을 자연수로 만들 수 있습니다. 30도 회전하면 360 ÷ 30의 값인 12번 반복하게 됩니다.

마이너스 값은 반대 방향으로 움직입니다. 원래 자리로 돌아오기 위해서 움직인 거리만큼 마이너스 값으로 움직여야 합니다.

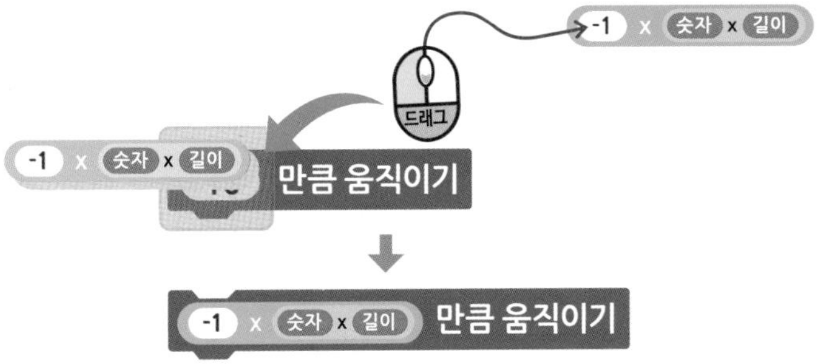

완성한 코드입니다. 이렇게 함수를 사용하면 멋진 그림을 더 쉽게 그릴 수 있습니다.

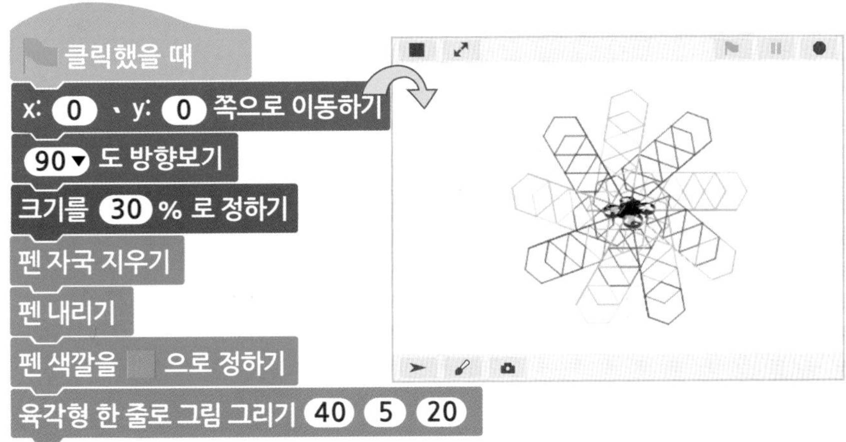

5 재귀함수로 작품 만들기

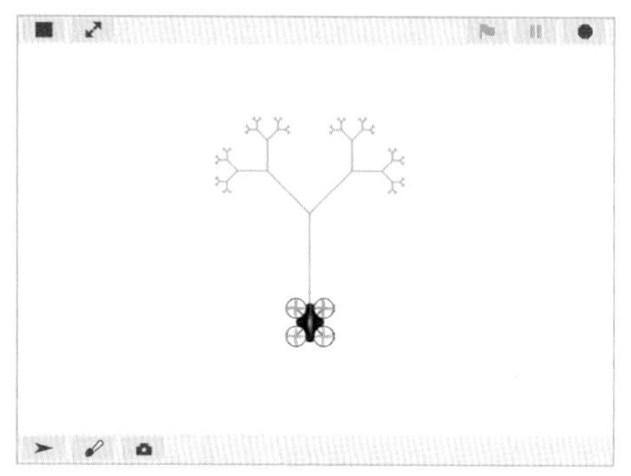

이번 시간에는 재귀함수를 이용해서 멋진 그림을 그리는 방법을 배워보겠습니다. 재귀함수를 잘 배우면 그림처럼 멋진 그림을 그릴 수 있습니다.

재귀함수는 함수 안에서 함수 자신을 또 사용하는 것입니다. '재귀'는 '다시 부른다'는 뜻입니다.

그림처럼 코딩합니다.

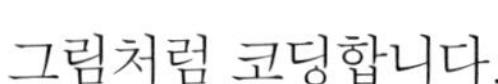

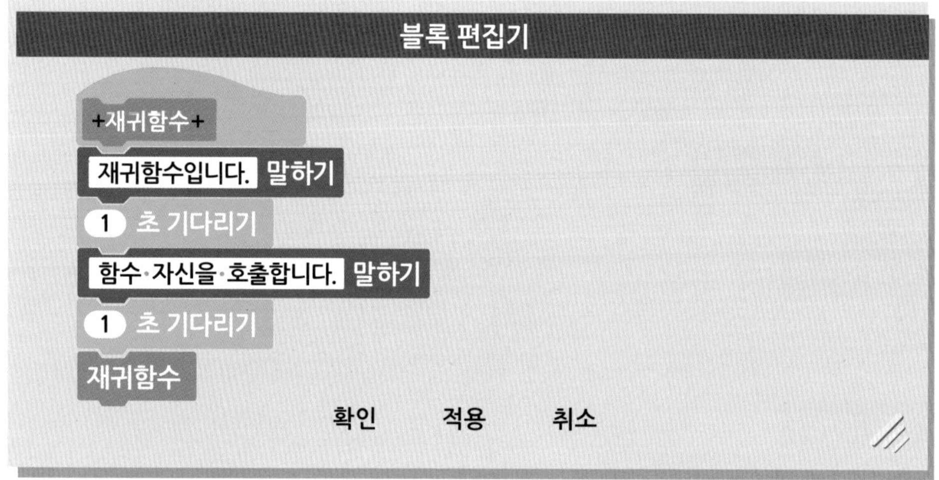

〈재귀함수〉를 사용하면 '재귀함수입니다.'라고 말하고 '함수 자신을 호출합니다.'라고 말합니다. 그리고 〈재귀함수〉를 다시 사용합니다. 그러면 계속 '재귀함수입니다.'라고 말하고 '함수 자신을 호출합니다.'라고 말합니다. 재귀함수에서 끝나는 조건이 없으면 계속 실행됩니다.

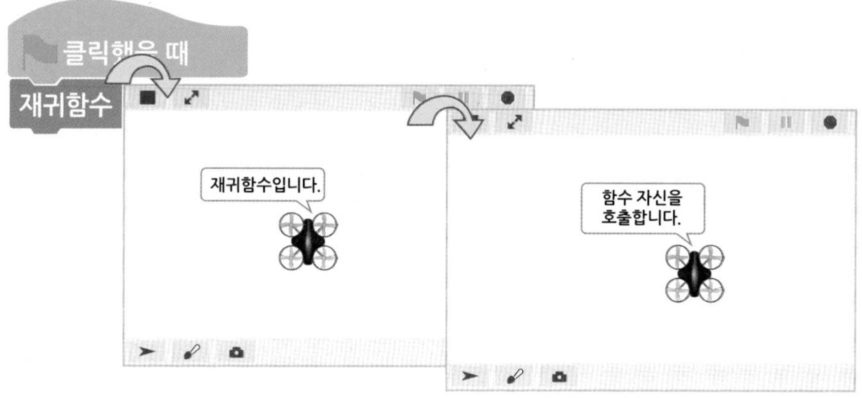

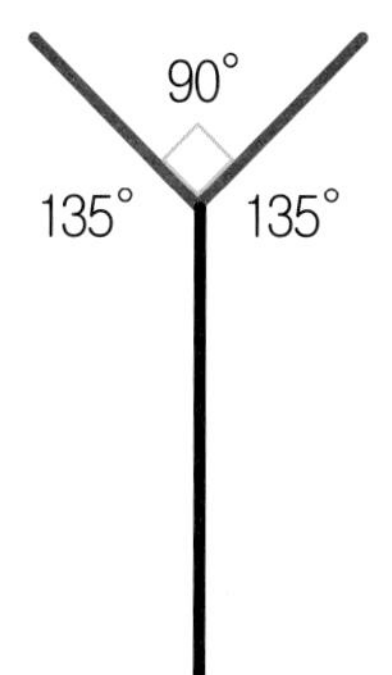

앞의 그림을 자세히 보면 같은 모양이 반복되는 것을 알 수 있습니다. 이런 구조를 프랙탈 구조라고 합니다. 크기는 점점 작아지지만 그림처럼 가지 모양이 계속 반복됩니다. 빨간색 선은 검은색 선 길이의 반(1/2)입니다. 빨간색 선 사이의 각은 90도입니다.

여기서부터 어려울 수 있으니, 천천히 읽으면서 곰곰이 생각해야 합니다. 위의 그림을 어떻게 그리는지 순서대로 알아보겠습니다.

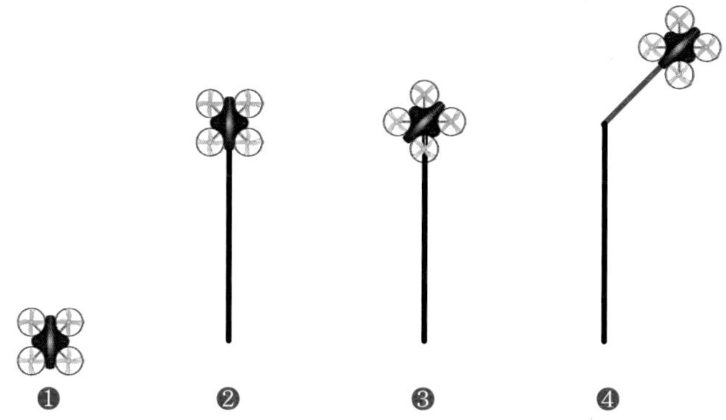

❶ 위쪽을 보도록 방향을 바꿉니다.
❷ 정한 길이만큼 움직입니다
❸ 오른쪽으로 45도 회전합니다.
❹ 정한 길이의 반만큼 움직입니다.

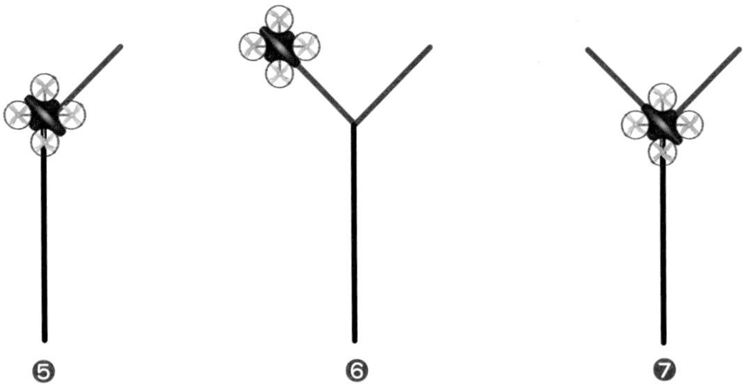

❺	왼쪽으로 90도 회전합니다.
❻	정한 길이의 반만큼 움직입니다.
❼	이제 원래 시작했던 것으로 다시 와야 합니다.

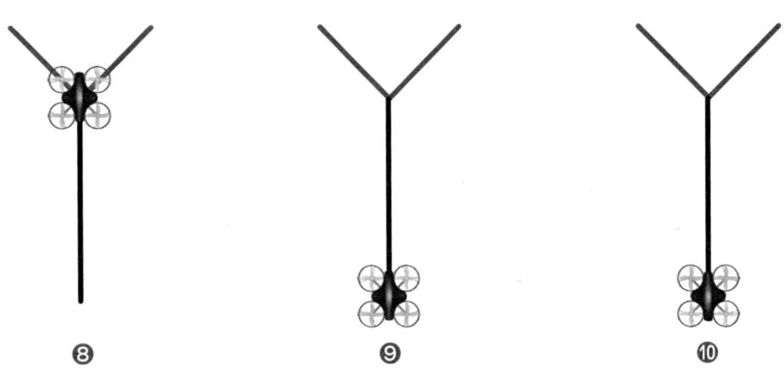

❽	아래쪽을 향하도록 135도 회전합니다.
❾	정한 길이만큼 움직입니다. 시작했던 곳으로 다시 돌아오는 것이죠.
❿	그리고 180도를 회전해서 처음처럼 위를 보도록 합니다.

〈가지 그리기〉라는 함수를 만들고 매개변수로 숫자가 들어올 수 있게 합니다. 매개변수 이름은 〔길이〕라고 정했습니다. 〔길이〕 매개변수가 1보다 크면 계속 함수 자신을 사용해서 그림을 그립니다.

먼저 정한 길이만큼 움직입니다.

그리고 오른쪽으로 45도 회전하고 다시 〈가지 그리기〉 함수를 실행합니다. 여기서 중요한 것은 원래 정한 길이의 반(1/2)만 함수에 넣어서 사용합니다. 함수를 사용하는 것을 '호출한다'고 합니다. 오른쪽 45도 회전하고 다시 함수 자신을 사용하는 것이죠. 그러면 반으로 줄어든 가지를 그립니다. 그리고 다시 90도로 왼쪽으로 회전합니다. 다시 〈가지 그리기〉 함수를 실행합니다. 마찬가지로 정한 길이의 반만 매개변수로 해서 함수 자신을 사용합니다.

블록 편집기

+가지+그리기+ 길이# +
만약 길이 > 1 라면
길이 만큼 움직이기
↻ 45 도 돌기
가지 그리기 길이 / 2
↺ 90 도 돌기
가지 그리기 길이 / 2

확인 적용 취소

그 다음 왼쪽으로 135도 회전하고 원래 정했던 길이만큼 움직입니다. 원래 자리로 돌아오는 것이죠. 그리고 180도로 회전해서 원래 방향으로 바꿉니다. 재귀함수를 만들 때 원래 자기가 있는 곳으로 오고, 원래 보던 방향이 되게 코딩하면 됩니다.

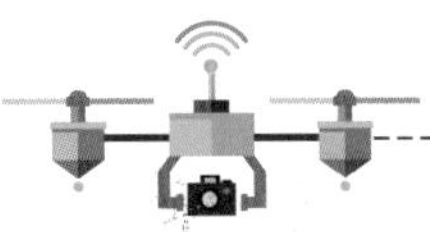

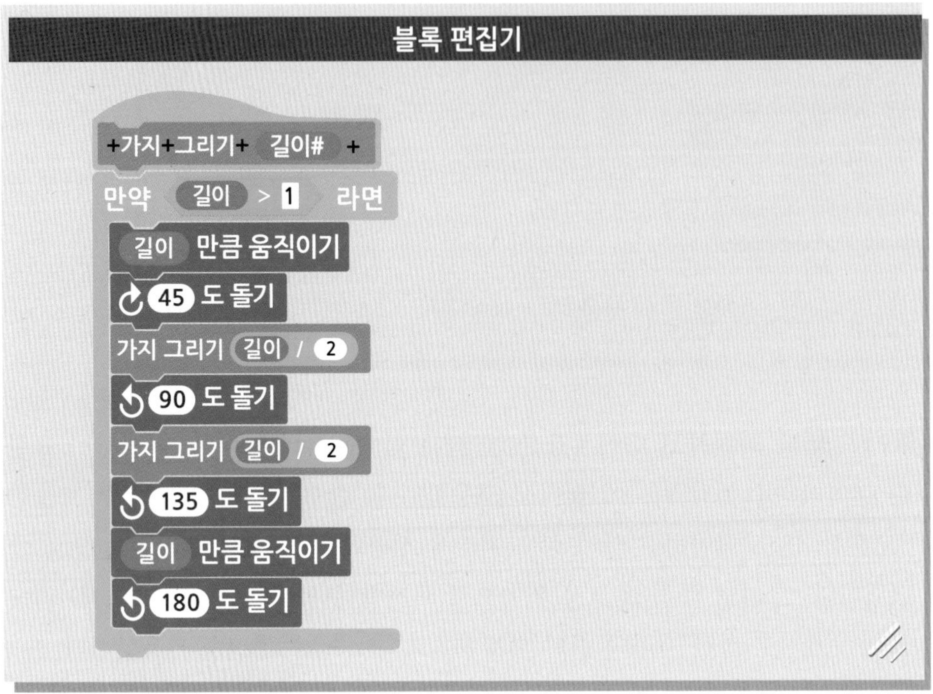

잘 되는지 확인해 보겠습니다.

재귀함수로 프랙탈 구조를 멋지게 그렸습니다.

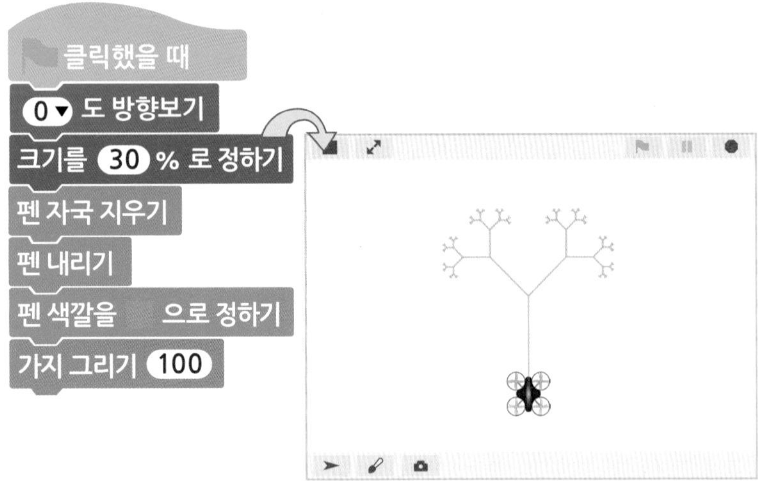

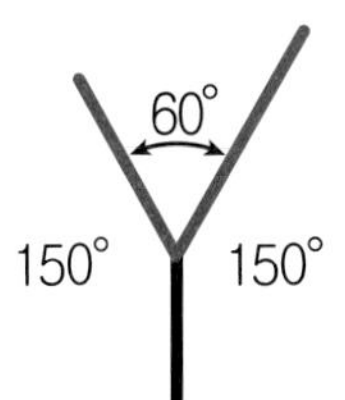

왼쪽 가지와 오른쪽 가지의 크기를 다르게 할 수도 있고, 가지 사이의 각도를 바꿀 수도 있습니다.작은 수로 나눠야 값이 커집니다. 오른쪽은 1.5, 왼쪽은 2로 나눕니다.

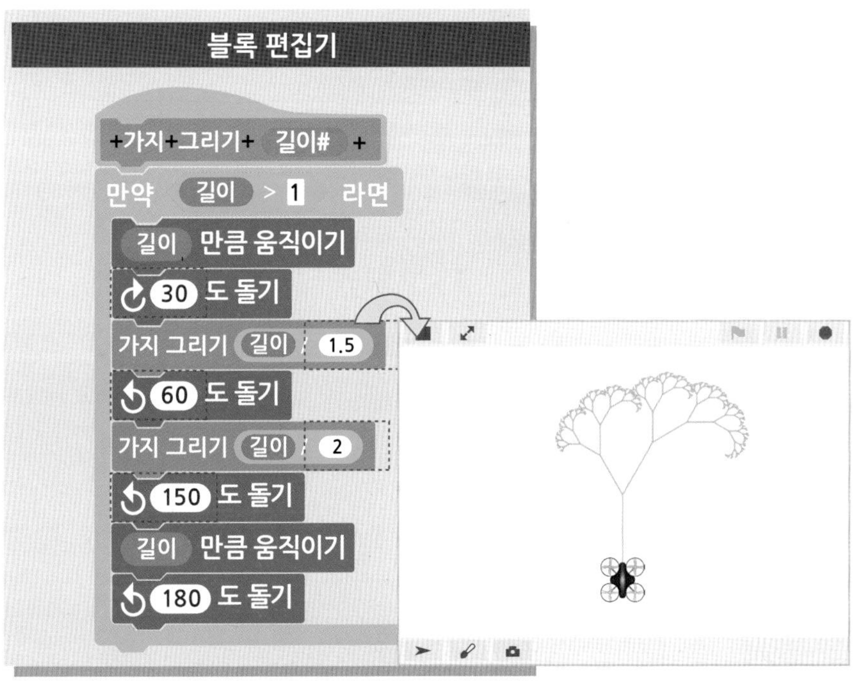

나무처럼 보이게 색칠도 해보겠습니다. [길이] 변수가 2보다 작으면 초록색으로 그립니다. 그리고 맨 마지막에 색깔을 다시 갈색으로 바꿉니다. 가지를 끝까지 다 그리면 펜 색깔을 갈색으로 바꾸는 것이죠.

블록 편집기
+가지+그리기+ 길이# +
만약 길이 > 1 라면
만약 길이 < 2 라면
펜 색깔을 으로 정하기
길이 만큼 움직이기
30 도 돌기
가지 그리기 길이 / 1.5
60 도 돌기
가지 그리기 길이 / 2
150 도 돌기
길이 만큼 움직이기
180 도 돌기
펜 색깔을 으로 정하기

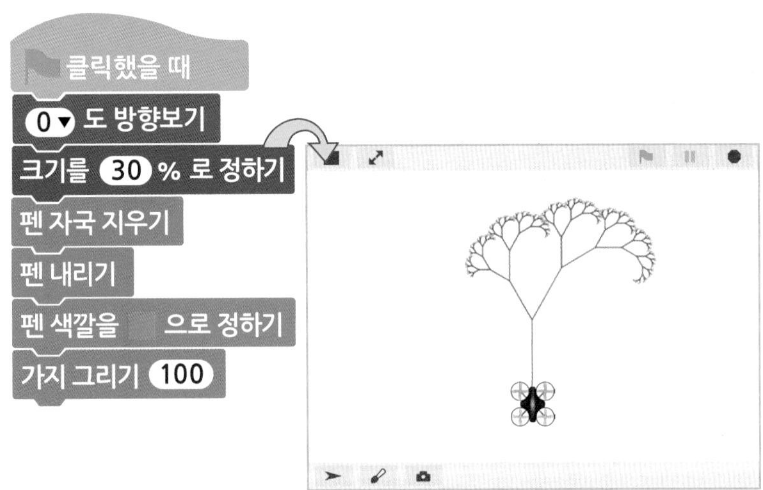
클릭했을 때
0 도 방향보기
크기를 30 % 로 정하기
펜 자국 지우기
펜 내리기
펜 색깔을 으로 정하기
가지 그리기 100

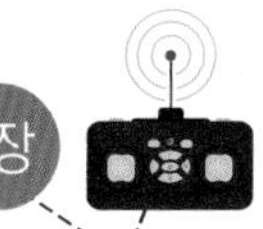

재귀함수를 사용하면 짧은 코드로 멋진 그림을 그릴 수 있습니다.

	스스로 평가하기	확인
1	변수의 개념을 이해할 수 있습니다.	
2	다중 반복문으로 그림을 그릴 수 있습니다.	
3	선택 구조를 이해할 수 있습니다.	
4	함수를 사용해서 그림을 그릴 수 있습니다.	

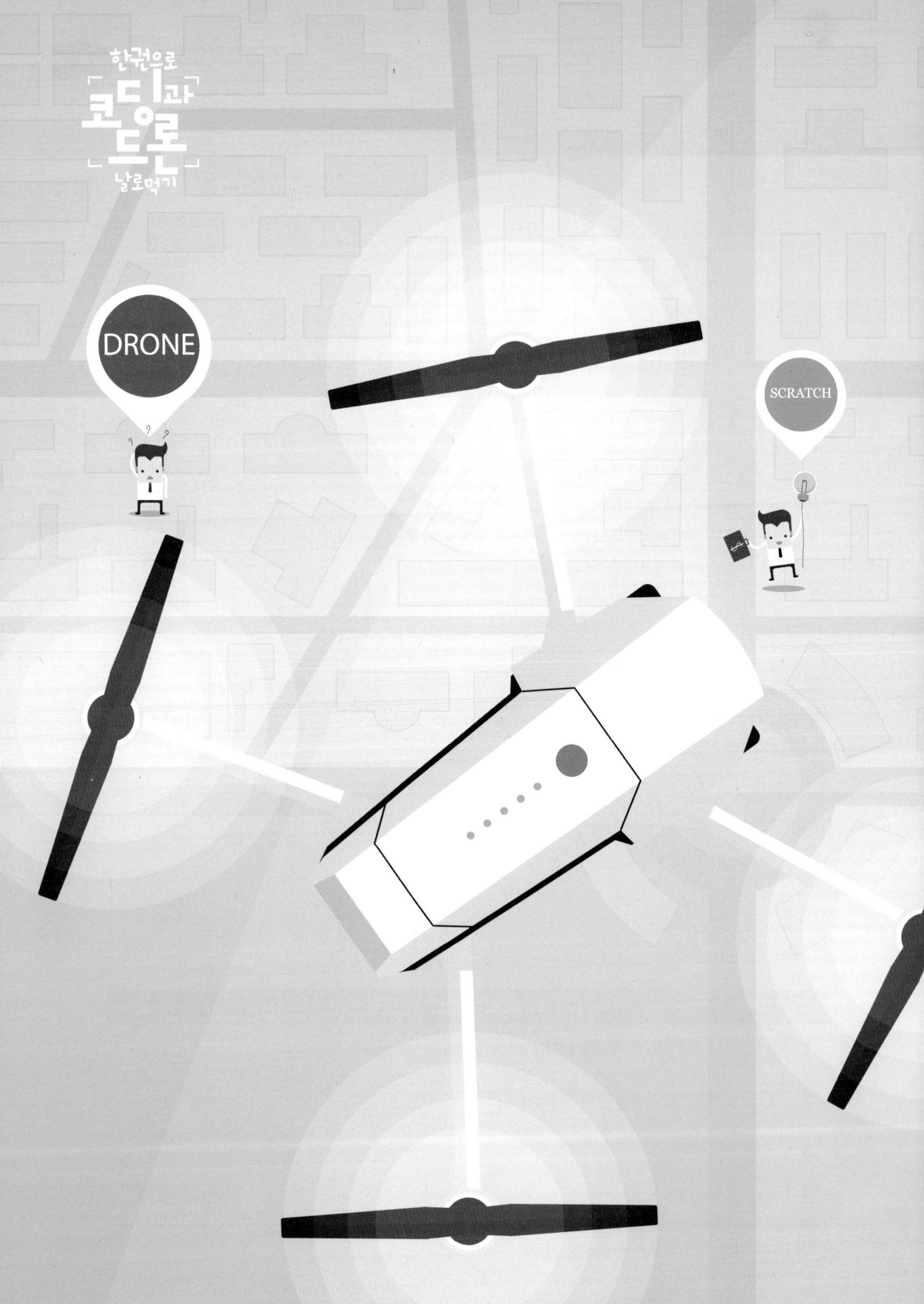
한권으로
코딩과
드론
날로먹기
DRONE
SCRATCH

Chapter
6

드론 정보와 센서

1. 시뮬레이터로 확인하기
2. 로킷 브릭으로 확인하기
3. 드론센서로 코딩하기
4. 드론 정보와 센서

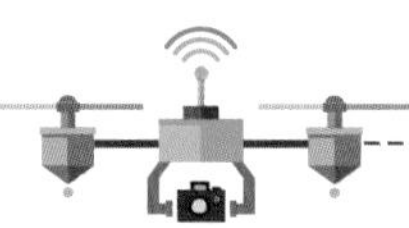

1 시뮬레이터로 확인하기

드론에는 여러 가지 센서가 들어있습니다. 이 센서값을 읽어서 드론의 정보를 확인할 수 있습니다. 드론의 정보를 확인하기 위해서는 컨트롤러와 드론을 페어링해야 합니다.

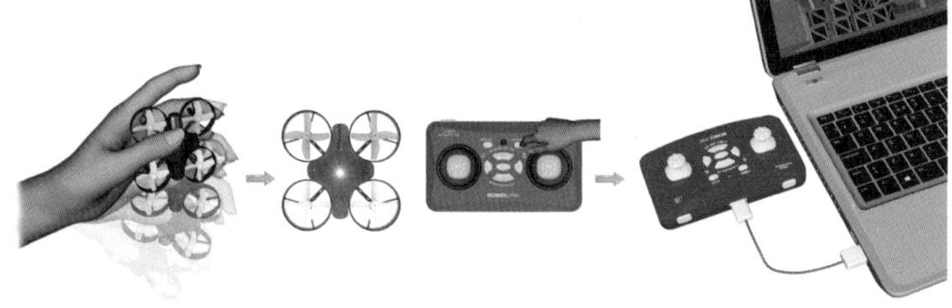

USB 케이블로 컨트롤러와 컴퓨터를 연결하고, 배터리를 드론에 연결합니다. 그러면 컨트롤러, 시뮬레이터와 로킷 브릭으로 드론을 조종할 수 있고, 다양한 정보와 센서값을 읽을 수도 있습니다.

직접 드론을 조종할 때 반드시 알아두어야 할 것이 있습니다. 드론의 배터리는 잘 관리하지 않으면 매우 위험할 수 있습니다. 그래서 안전하게 쓸 수 있는 전압과 올바른 충전법을 알아야 합니다. 충전할 때 배터리를 정격 충전기에 연결하면, 충전기의 LED가 켜지고 충전이 완료된 경우엔 LED가 꺼집니다.

시뮬레이터로 드론의 정보를 확인해 보겠습니다. 시뮬레이터 프로그램 실행합니다. 그리고 〈Connect D〉-〈연결된 포트 번호〉를 순서대로 클릭합니다.

그러면 다음과 같은 화면이 나옵니다.

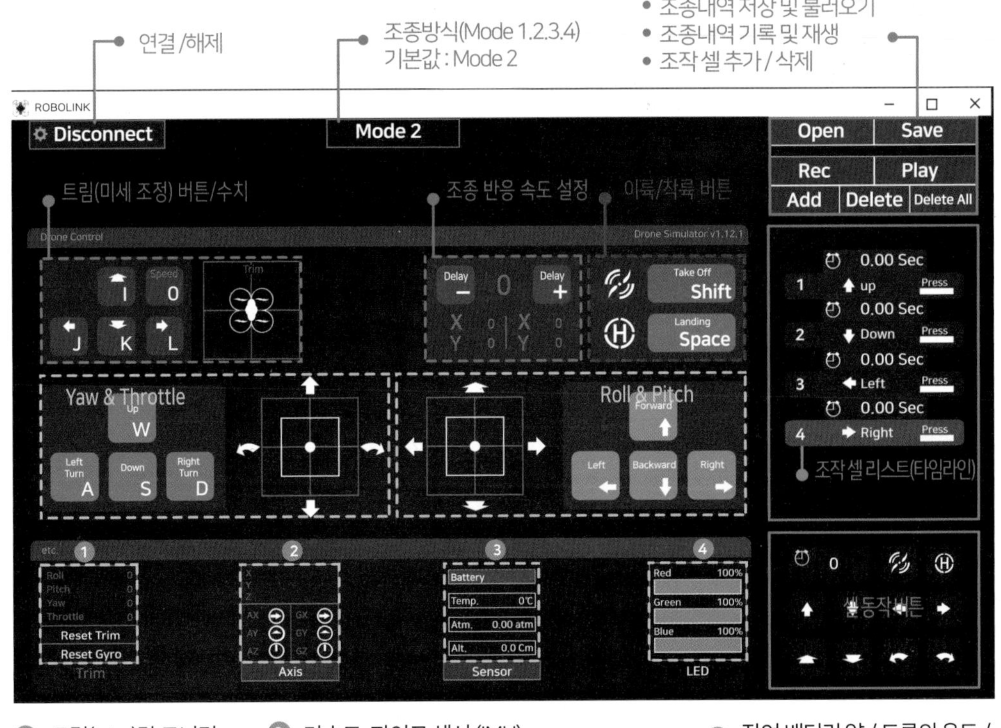

① 트림(trim)값 모니터

② 가속도, 자이로 센서 (IMU)
X,Y,Z : 가속도 센서 값
AX, AY, AZ : 드론의 회전 각도 (Angle)
GX, GY, GZ : 자이로 센서 값 (Gyroscope)

③ 잔여 배터리 양 / 드론의 온도 / 기압 값 / 높이 값

④ 드론 LED 색 변경 슬라이드

이 화면에 있는 기능을 사용해서 드론을 조종할 수도 있고, 여러 가지 정보를 확인할 수도 있습니다. 〈이륙〉 버튼을 잘못 누르면 드론이 위로 뜹니다. 이때는 〈스페이스〉 키를 한 번 눌러서 착륙하거나 빠르게 두 번 눌러서 긴급착륙을 해야 합니다.

코드론은 안전을 최우선 해서 만들어졌기 때문에 드론이 뒤집히거나 외부의 충격을 받으면 자동으로 멈추게 됩니다. 하지만 예상치 못한 상황을 대비해서 착륙과 비상착륙 방법은 잘 알아야 합니다.
1부터 6번까지 드론의 정보를 확인할 수 있는 메뉴가 보입니다. 이 책에서 사용하는 코드론은 2, 3번 정보를 확인할 수 없습니다.

우선 드론을 움직여서 XYZ 값이 어떻게 변하는지 확인해 봅시다. 드론에는 자이로 센서와

가속도 센서가 있어서 얼마나 회전했고, 어떻게 움직였는지 확인할 수 있습니다.

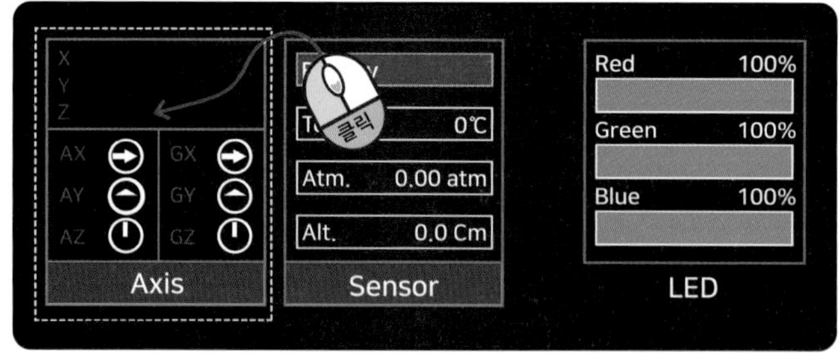

이 메뉴를 두 번 클릭하면 재미있는 게임도 할 수 있습니다.

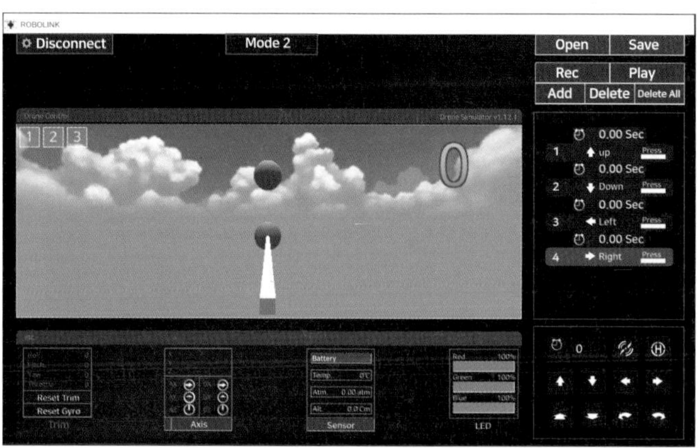

드론을 움직이면 게임 안의 물체가 움직입니다. 드론의 자이로 센서와 가속도 센서를 읽어서 물체를 움직이는 것이죠. 숫자를 클릭하면 게임이 종류가 바뀝니다.

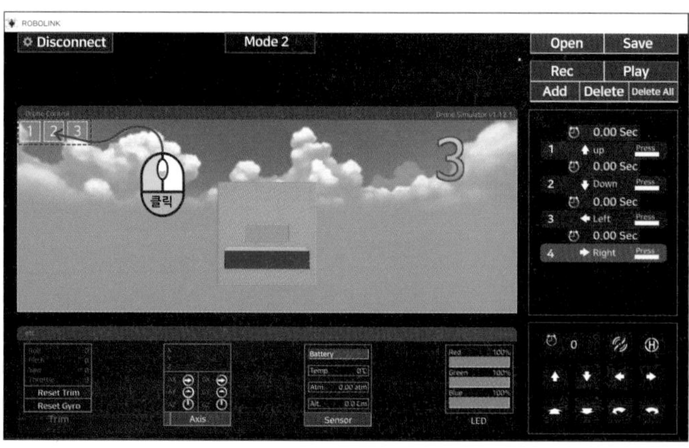

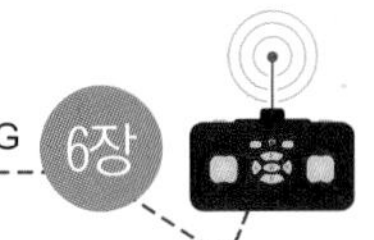

아래 메뉴에서는 남아있는 배터리의 양, 드론 내부 온도, 기압 등을 알 수 있고 LED의 색깔도 확인할 수 있습니다. 코드론은 RGB LED를 사용합니다. 빨간색과 초록색, 파란색 빛을 섞어서 LED 색깔을 만듭니다. 그림처럼 마우스로 색깔을 비율을 바꾸면 LED의 색깔을 바꿀 수 있습니다.

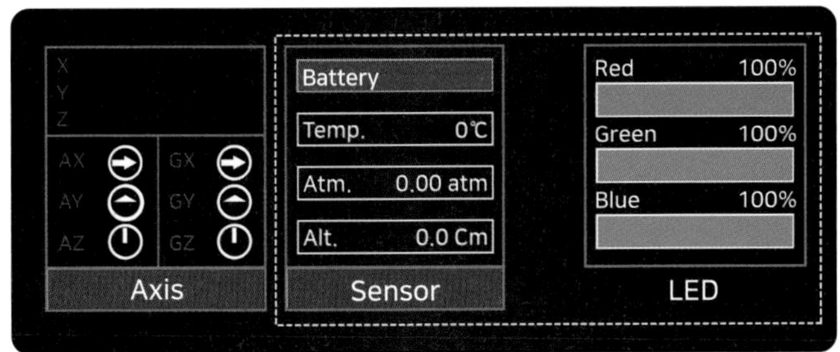

드론의 센서값을 확인하는 화면입니다. 여기 있는 버튼으로 드론을 움직이거나 트림(미세조정)을 할 수 있습니다. 빨간색으로 표시한 I, J, K, L 버튼을 눌러 트림을 합니다.

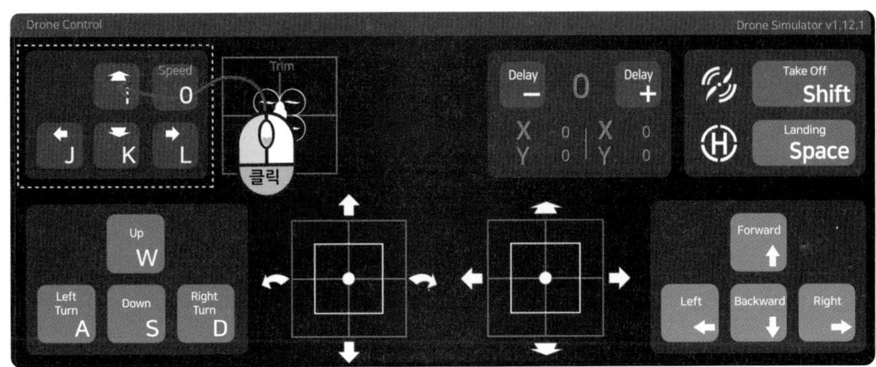

다음 그림과 같은 화면이 있습니다. 처음 호버링할 때 〈Reset Trim〉을 해서 미세조정한 값을 초기화합니다. 그리고 센서를 초기화해서 캘리브레이션을 해야 합니다. 〈Reset Gyro〉를 클릭합니다. 그리고 자이로 센서가 초기화되고 현재 상태를 기준으로 캘리브레이션합니다.

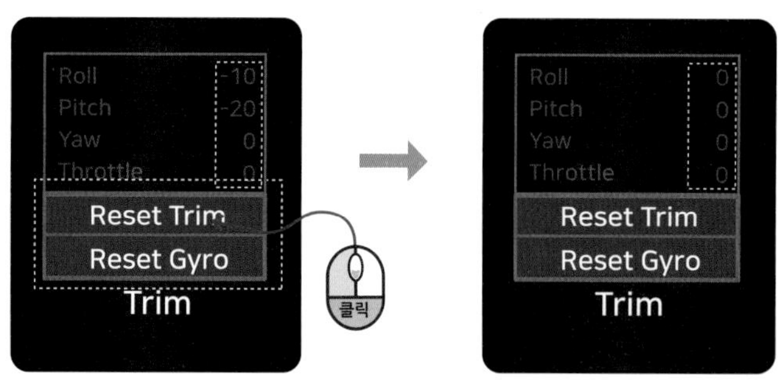

이륙(Shift) 버튼을 눌러서 드론을 띄운 다음에 제자리 비행을 할 수 있게 트림 버튼을 누릅니다. 그러면 위 그림과 같이 미세조정된 값이 화면에 보입니다. 10단위로 미세조정값이 변합니다.

호버링을 처음 할 때는 익숙하지 않아서 어려울 수 있습니다.
공중에 드론을 띄운 다음 호버링될 때까지 트림 버튼을 누르다 보면, 드론이 이리저리 움직여서 당황할 때가 있습니다. 이럴 땐 일단 이륙하고 드론이 어디로 흐르는지 보고, 착륙시킨 나음에 트림 버튼을 눌러서 미세조정하는 방법도 있습니다. 그리고 다시 이륙시킨 후 확인하는 과정을 여러 번 해서 호버링하는 방법도 있습니다.

제자리에서 5초 정도 머물면 호버링이 잘 된 것입니다. 주변 환경 탓에 완벽히 가만히 있을 순 없습니다. 어느 정도 움직이는 것은 괜찮습니다. 잘 되었는지 확인해 보겠습니다. 호버링이 잘 되면, 코딩한 대로 드론이 잘 움직입니다.
드론이 앞으로 갔다가 다시 뒤로 돌아오게 만들어 보겠습니다. 시뮬레이터의 '레코드 기능'을 사용해서 드론을 움직일 수 있습니다. '레코드 기능'으로 드론의 움직임을 저장(기록)해서 사용할 수 있습니다.

다음 그림은 레코드 기능과 관련된 버튼입니다.
이제 패널을 추가해서 드론을 움직여 보겠습니다. 패널은 블록과 비슷합니다. 명령(행동)을 기억해서 나중에 그 명령대로 실행합니다.
〈Add〉를 클릭하면 패널이 생기고 원하는 명령을 선택해서 바꿀 수 있습니다.

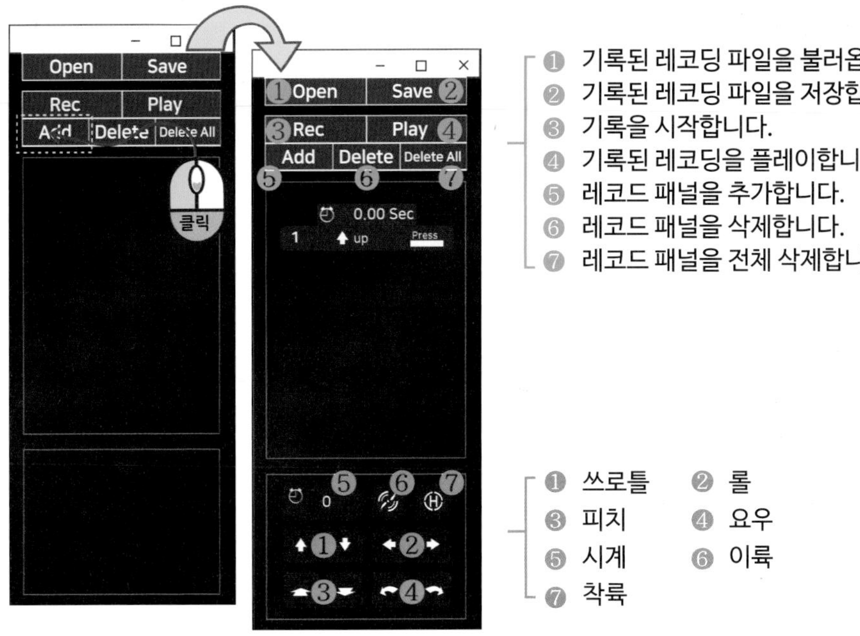

먼저 이륙해야 합니다. 〈이륙〉 버튼을 선택합니다.

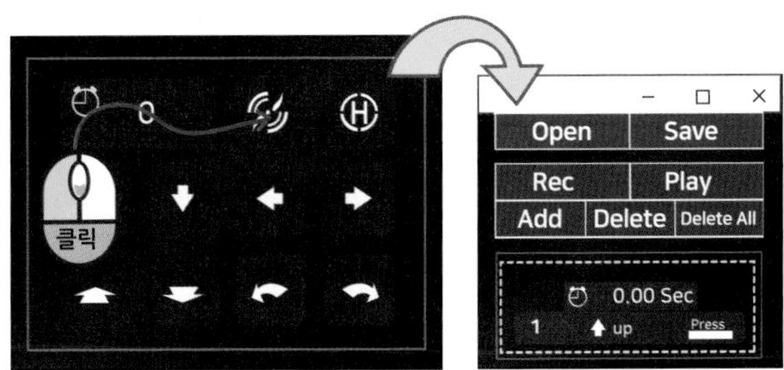

레코드가 코딩과 다른 점은 사람의 행위를 기준으로 명령을 한다는 것입니다.

우선 패널의 명령어를 선택합니다. Forward 명령어 옆의 'Press'와 'Release' 표시를 잘 구분해야 합니다. Press는 그 명령어를 실행했다(눌렀다: Press)는 뜻이고, Release는 그 명령어를 실행하지 않았다(풀다: Release)는 뜻입니다. 버튼을 누르면 앞으로 가고, 버튼을 떼면 앞으로 가지 않는 것과 같습니다. Release로 바꾸지 않으면 계속 누른 상태가 됩니다. 그러면 멈추지 않고 계속 앞으로 갑니다. 명령어를 한 번 더 클릭하면 'Press'에서 'Release'로 바뀝니다.

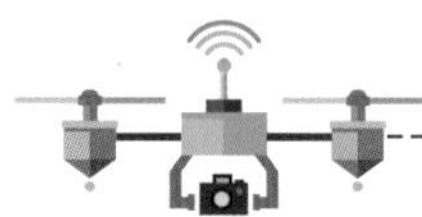

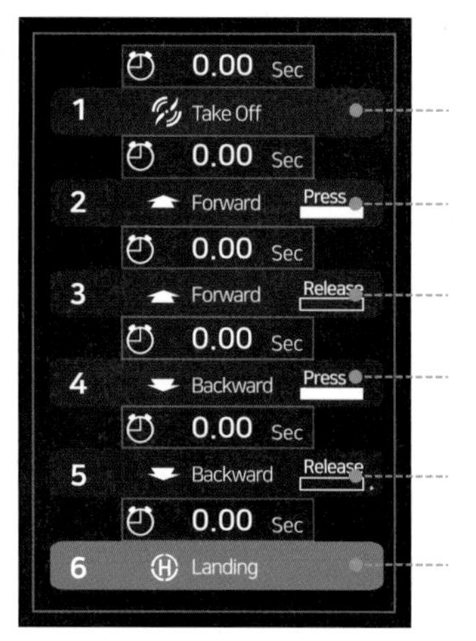

패널을 선택하고 그림처럼 숫자를 넣으면 바로 앞의 초가 바뀝니다. 100이 1초입니다(100=1초).

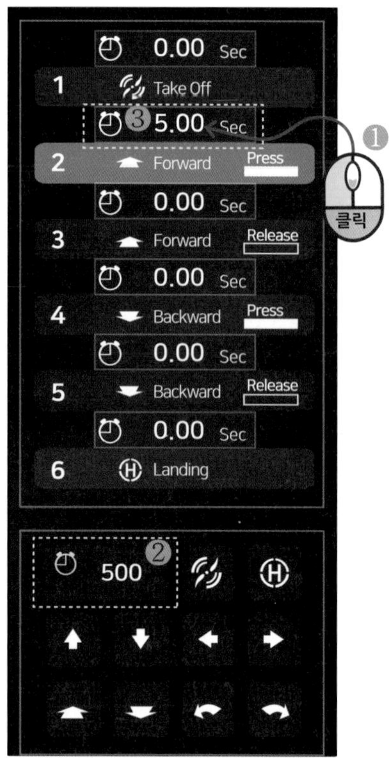

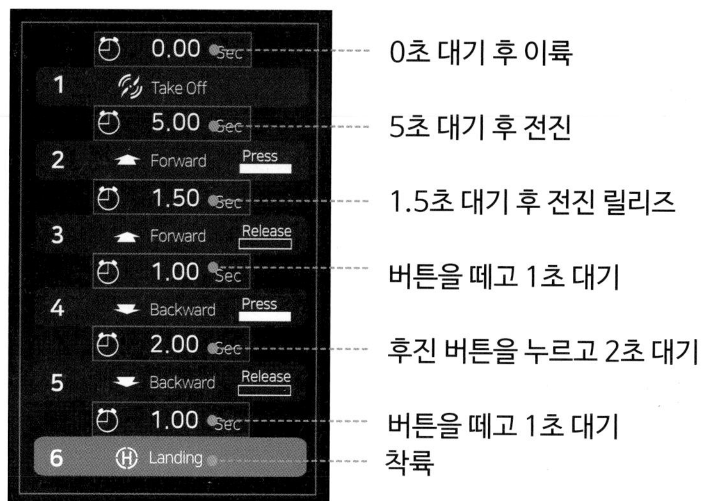

패널을 다 넣었으면 〈Play〉를 클릭해서 명령을 실행합니다. 그러면 드론의 LED가 깜박이면서 우리가 정한 명령대로 움직입니다.

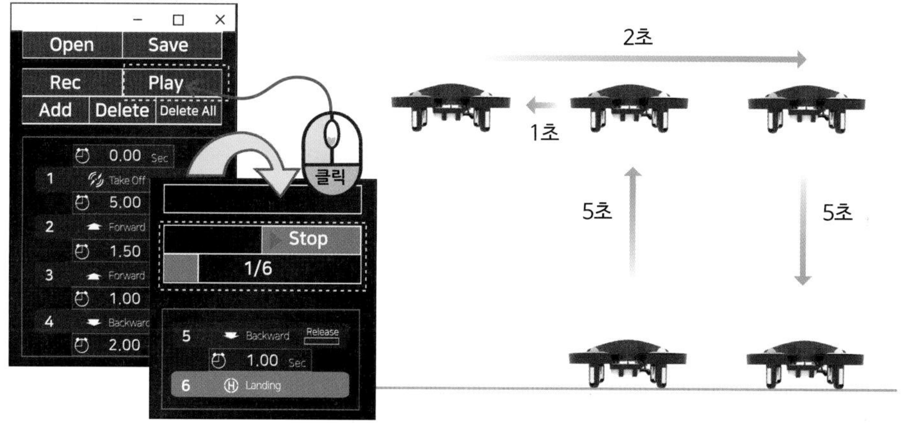

호버링이 잘 되면 앞뒤로 잘 움직입니다.

버튼을 직접 눌러서 명령을 내릴 수도 있습니다. 〈Delete All〉를 클릭해서 패널을 모두 지웁니다.

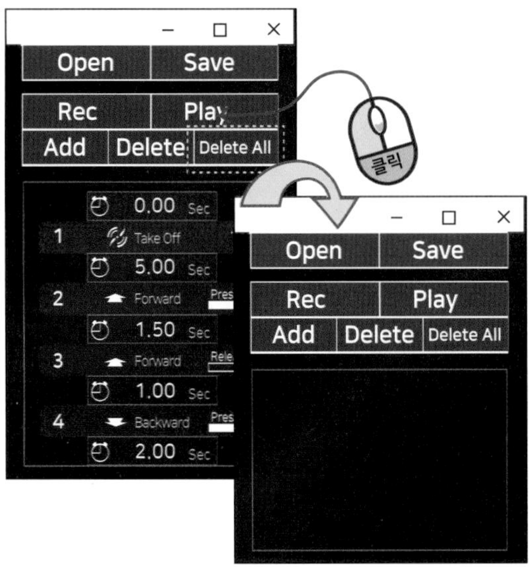

녹화 기능을 사용해보겠습니다.

〈Rec〉를 클릭해서 녹화를 시작합니다. 버튼이나 컨트롤러로 명령을 내리면 저장됩니다.

디 녹회하면 〈Stop〉를 클릭합니다.

〈Play〉를 클릭하면 아까 저장했던 명령대로 드론이 움직입니다.

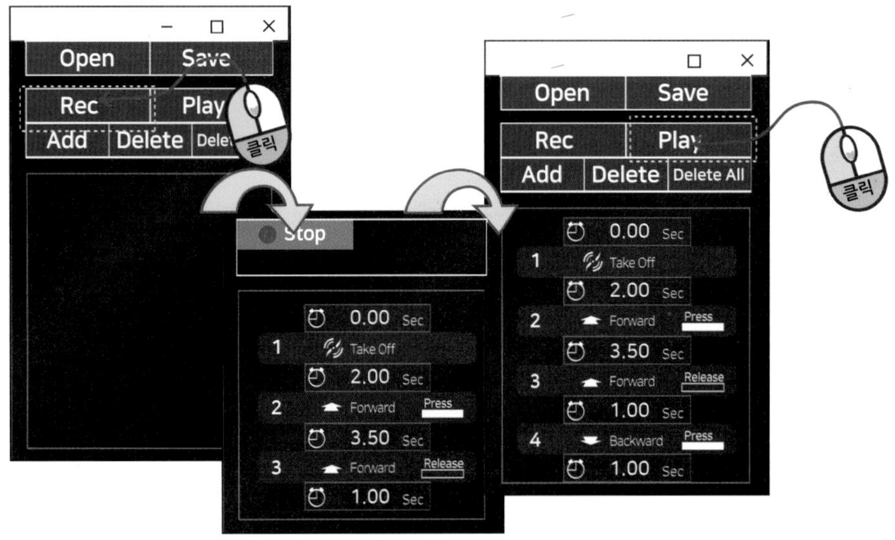

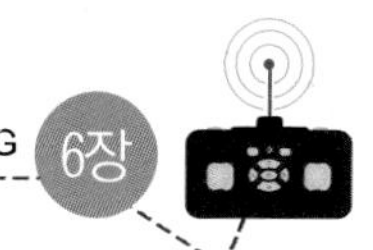

그리고 〈링크 플레이〉에서도 실시간 통신 모드를 사용해서 드론의 상태를 확인할 수 있습니다. 〈1〉 번을 클릭하면 드론의 방향 및 움직임, XYZ축 가속도와 회전값을 확인할 수 있습니다. 〈2〉 번을 클릭하면 드론의 측정 높이 값을 확인할 수 있습니다.

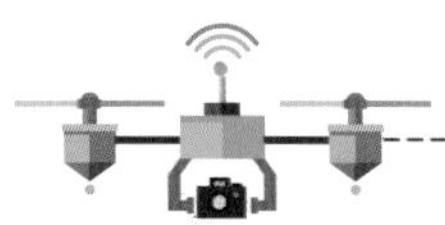

2 로킷 브릭으로 확인하기

로킷 브릭으로도 드론의 다양한 정보와 센서값을 확인할 수 있습니다. 〈코드론 미니〉 팔레트를 선택합니다. 〈코드론 미니〉 팔레트에는 드론의 정보를 확인하거나 드론을 움직일 수 있는 다양한 블록이 있습니다.

먼저 페어링을 해야 합니다. 앞에서 배운 대로 컨트롤러를 연결하고 드론과 페어링합니다.

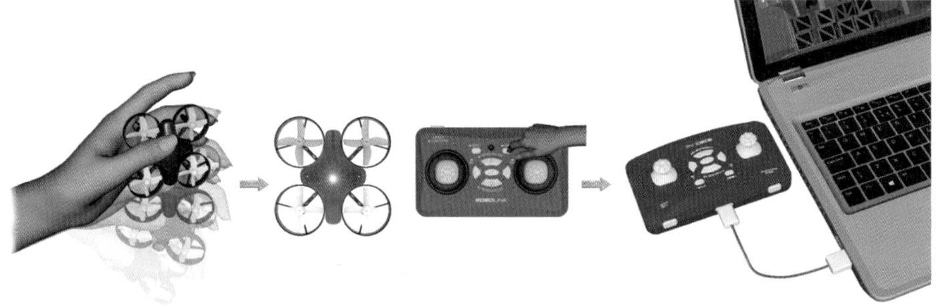

그리고 〈드론에 연결하기〉를 클릭하여 컨트롤러와 연결된 포트 번호를 선택합니다.

그러면 아래와 같은 화면이 나오면서 로킷 브릭과 연결됩니다.

〈드론 정보〉 블록을 살펴보겠습니다. 세모 표시(▼)가 있으면 고를 수 있다는 것이 여러 개 있다는 뜻입니다.

〈센서값〉 블록에서는 드론의 센서에서 읽은 다양한 값을 확인할 수 있습니다.

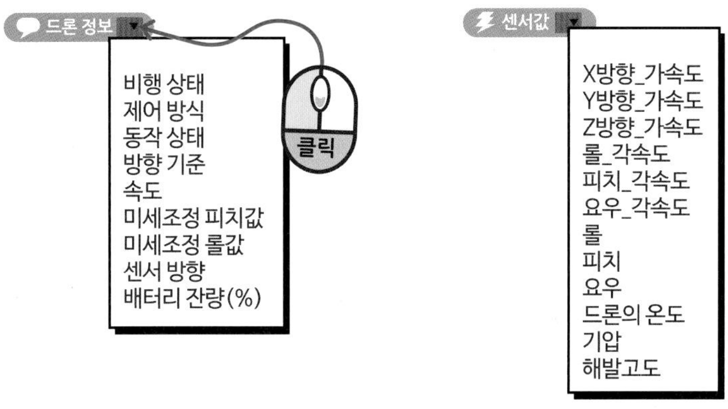

드론의 정보와 센서값을 확인해 보겠습니다. 드론에 연결하고 그림과 같이 스프라이트를 넣습니다.

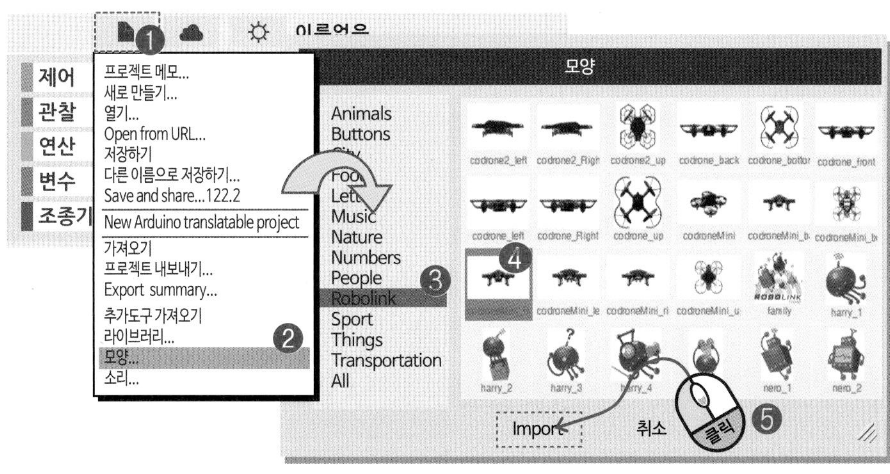

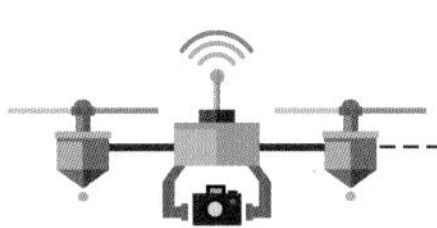

정보나 센서값을 확인할 때 〈~말하기〉 블록을 사용하면 편리합니다.

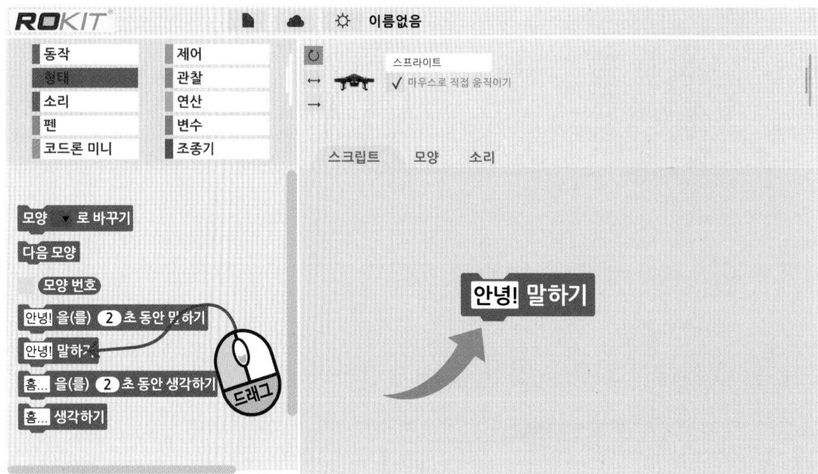

그림과 같이 코딩합니다. 〈비행 상태〉는 드론의 비행 상태(대기/착륙/이륙/비행 등)를 알려줍니다.

초록색 깃발을 클릭하면 처음에는 'READY'라고 말합니다. 아직 대기 상태라는 뜻입니다.

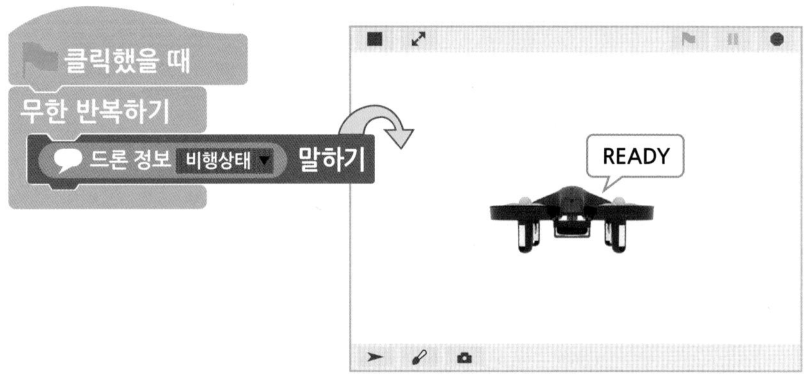

다음과 같이 코딩하겠습니다. 〈센서 리셋〉 블록은 드론의 각도 측정 센서를 초기화합니다. 평평한 곳에 드론을 놓고 〈센서 리셋〉 블록을 사용하면 현재 놓인 곳을 기준으로 각도 측정 센서를 초기화합니다. 그러면 지금 놓인 상태일 때 평평하다고 판단합니다. 그리고 2초 기다리고 5초간 이륙하다가 착륙합니다.

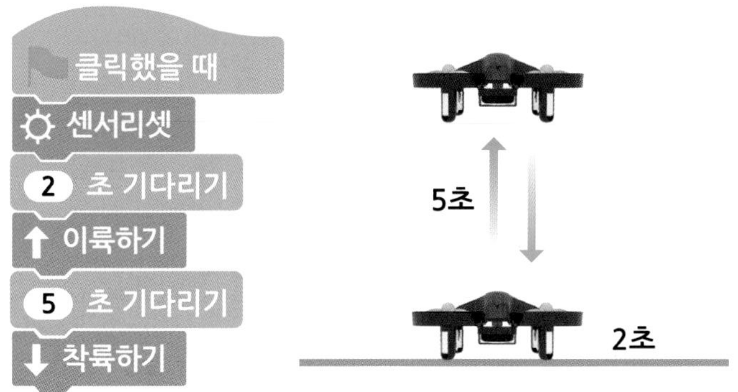

급하게 드론을 정지해야 할 때는 〈멈춤〉 블록을 사용합니다. 드론은 동작을 멈추고 아래로 떨어집니다.

키보드를 눌러서 정지하게 하면 편리합니다. 아래 〈~키를 눌렀을 때〉 블록을 사용합니다. 이 블록에서 지정한 키를 누르면 아래에 연결된 블록을 실행합니다. 세모 표시(▼)를 눌러서 〈p〉 키를 찾습니다.

〈p〉 키를 누르면 멈추게 그림과 같이 코딩합니다.

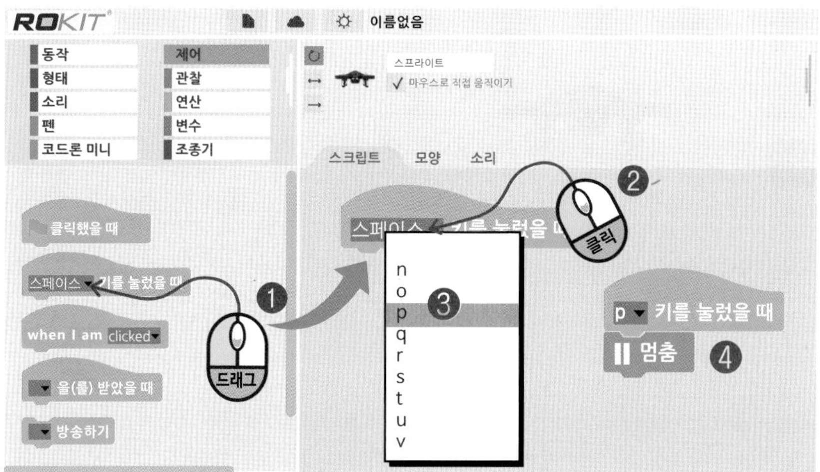

드론이 이륙하는 중에 'TAKEOFF', 드론이 이륙을 마치고 비행을 시작하면 'FLIGHT', 드론이 착륙하면 'LANDING'라고 말합니다.

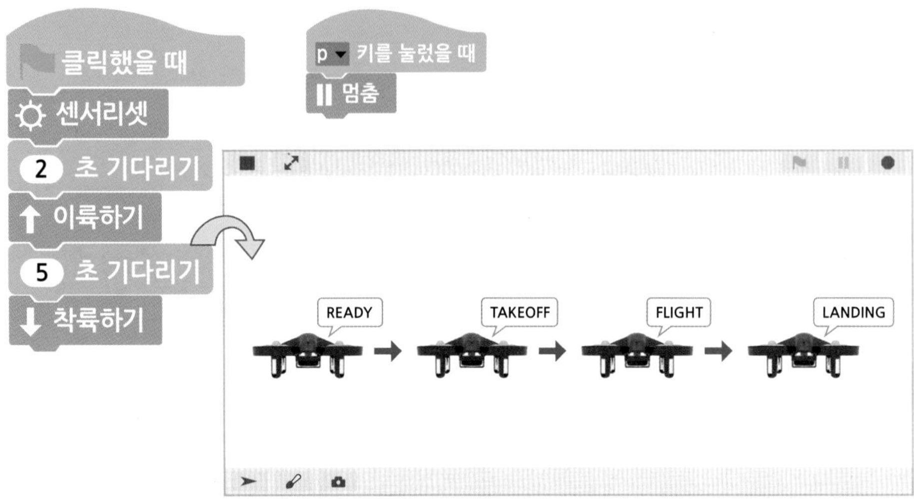

이렇게 〈~말하기〉 블록을 사용해서 드론의 정보를 확인할 수 있습니다. 같은 방법으로 드론의 센서값도 확인할 수 있습니다.

센서값으로 드론이 얼마나 회전했는지 확인할 수 있습니다.

다음과 같이 코딩합니다. 그러면 왼쪽과 오른쪽으로 얼마나 기울었는지 알 수 있습니다.

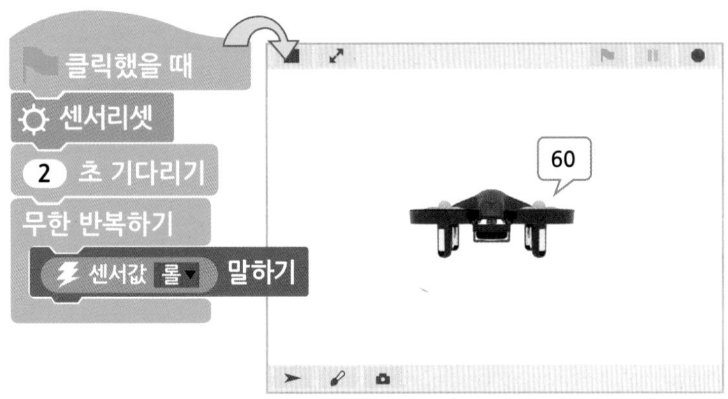

드론에는 기압 센서도 있습니다. 드론을 위로 올리면 기압이 아주 조금씩 떨어지는 것을 알 수 있습니다.

드론을 코딩하거나 조종할 때는 드론 속도와 미세조정값도 알아야 합니다. 미세조정은 드론이 제자리에서 날 수 있도록 조정하는 값입니다.
〈SPD〉는 드론의 속도, 〈P〉는 미세조정 피치 값, 〈R〉은 미세조정 롤값을 나타냅니다.

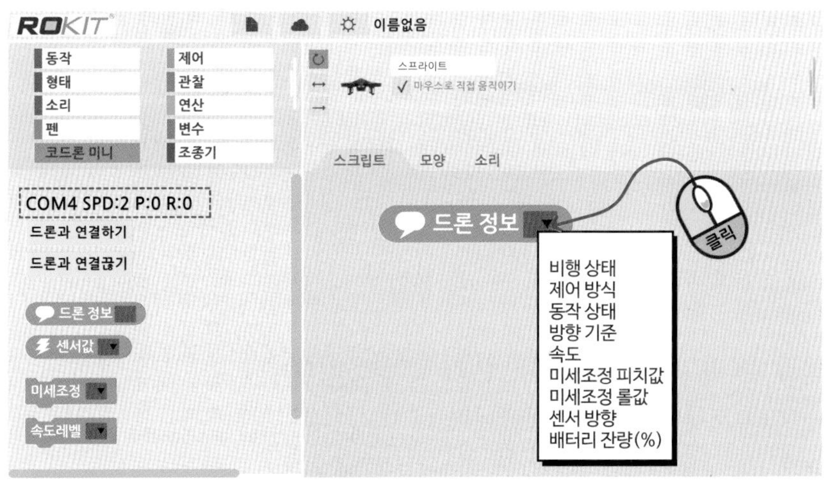

가속도-각속도 센서도 확인해보겠습니다. 가속도는 시간에 따라 속도가 변하는 정도를 말합니다. 현재 속도보다 속도가 빨라지면 가속도는 +가 됩니다. 반대로 현재 속도보다 속도가 느려지면 가속도는 −가 됩니다.
만약 속도가 바뀌지 않는다면 가속도는 0이 됩니다.
가속도-각속도 센서 블록을 사용할 때 축을 잘 확인해야 합니다. 드론의 앞-뒤가 X 방향입니

다. 드론의 오른쪽-왼쪽이 Y 방향입니다. 드론의 위-아래가 Z 방향입니다.

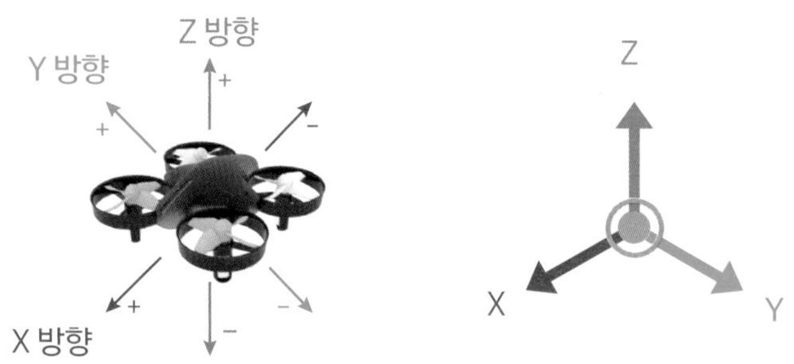

아래와 같이 코딩하고 드론을 오른쪽-왼쪽으로 움직여봅니다. 그러면 아래와 같이 말하는 숫자가 바뀝니다. 현재 속도보다 빨라지면 +값을 말합니다. 반대로 현재 속도보다 느려지면 −값을 말합니다.

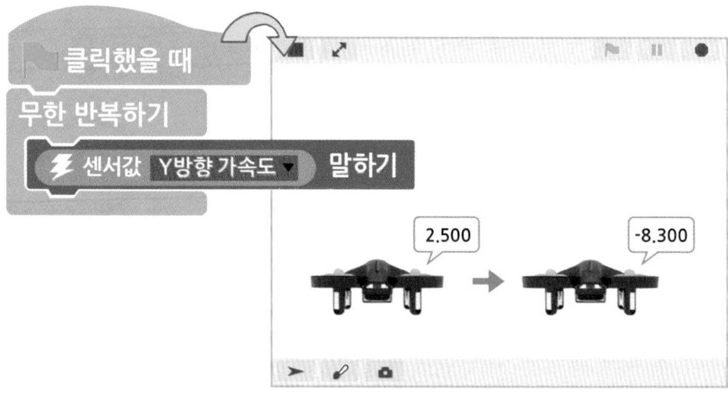

드론을 움직였을 때 +값을 말하다가 느려지면 −값을 말하게 됩니다.

가속도는 〔X방향 가속도〕, 〔Y방향 가속도〕, 〔Z방향 가속도〕가 있습니다.
키보드를 눌러서 원하는 가속도를 확인할 수 있습니다.

Z 방향은 아래쪽으로 중력이 작용하기 때문에 기본 9.7 정도의 속도 값을 항상 가지고 있습니다.

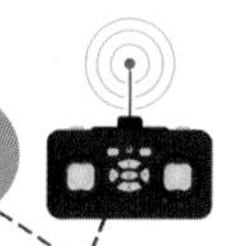

각속도는 기준이 되는 축으로 얼마나 빨리 도는지 나타내며 현재보다 빠르게 회전하면 +값이 되고, 느리게 회전하면 −값이 됩니다.
각속도는 [롤 각속도], [피치 각속도], [요우 각속도]가 있습니다. 가속도와 마찬가지로 키보드를 눌러서 원하는 각속도를 확인할 수 있습니다.

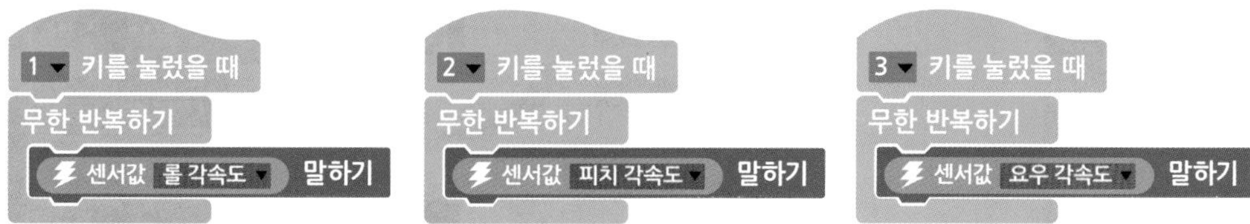

3 드론 센서로 코딩하기

■ 장애물 피하기 게임 만들기

드론의 센서값을 사용해서 코딩하는 방법을 알아보겠습니다. 피치와 롤값을 사용해서 장애물 피하는 게임을 만들어 보겠습니다. 드론을 움직이면 스프라이트도 같이 움직이도록 코딩할 수 있습니다. 드론을 마치 조종기처럼 사용하는 것입니다.
아래와 같이 '드론' 스프라이트를 가져와 코딩할 때 스프라이트를 잘 구분할 수 있도록 이름을 '플레이어'로 정합니다.

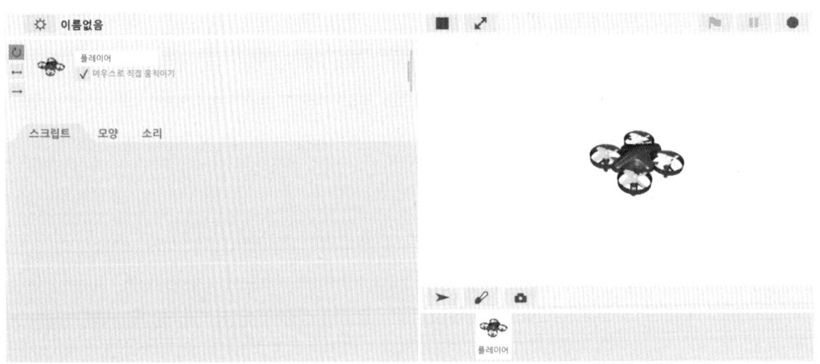

그리고 아래와 같이 코딩합니다. 그러면 크기가 30%로 작아지고 피치와 롤값에 따라서 '드론' 스프라이트가 움직입니다.

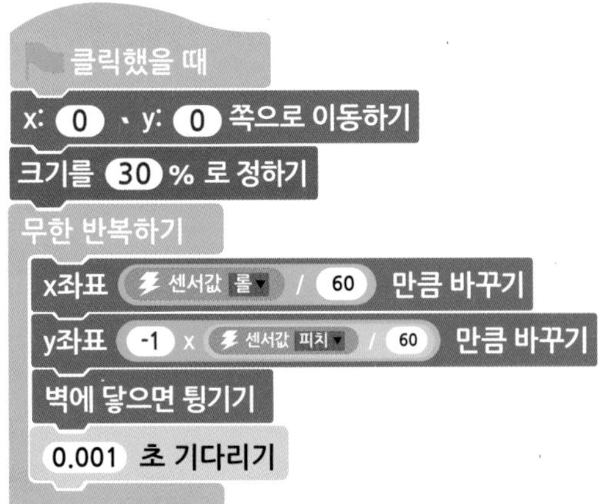

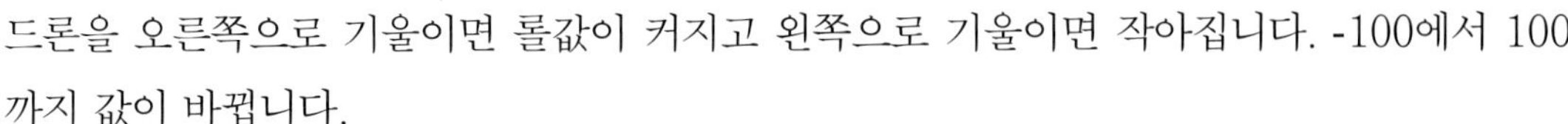

드론을 오른쪽으로 기울이면 롤값이 커지고 왼쪽으로 기울이면 작아집니다. -100에서 100까지 값이 바뀝니다.

드론을 아래로 기울이면 피치 값이 커지고 위쪽으로 기울이면 피치 값이 작아집니다. 마찬가지로 -100에서 100까지 값이 바뀝니다.

x좌표와 y좌표가 너무 많이 바뀌지 않도록 60으로 나눕니다. 그리고 드론을 위로 올렸을 때 '드론'이 위로 가도록 -1을 곱합니다. 너무 많이 움직이면 나누는 값을 크게 하고, 그렇지 않다면 작게 합니다. 무대 안에서만 움직이도록 〈벽에 닿으면 튕기기〉 블록을 사용합니다. 그리고 벽에 닿았을 때 회전하지 않도록 빨간색으로 표시한 아이콘을 클릭합니다.

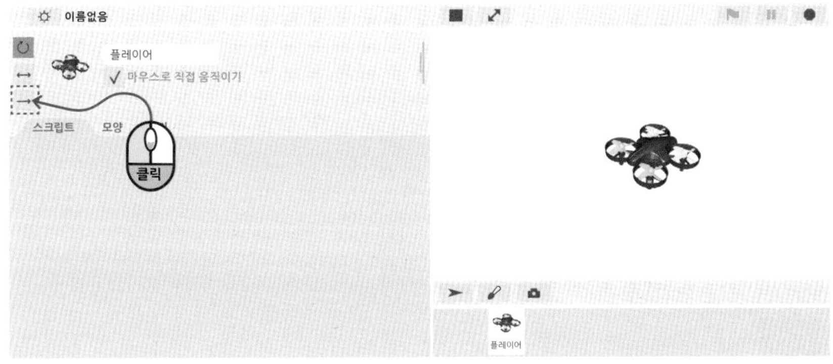

잘 되는지 확인해볼까요? 드론을 움직이면 '드론' 스프라이트도 움직입니다.

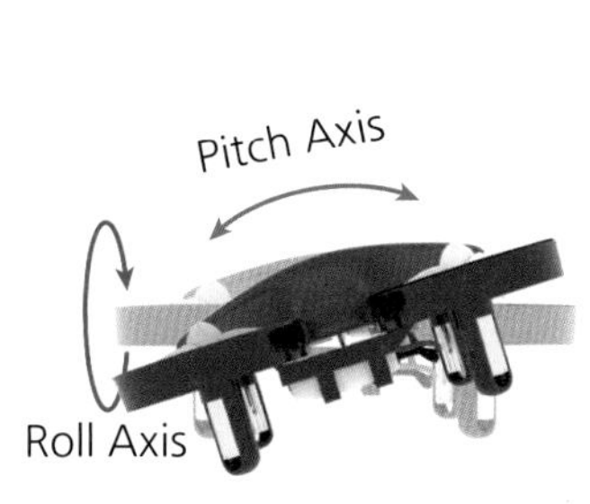

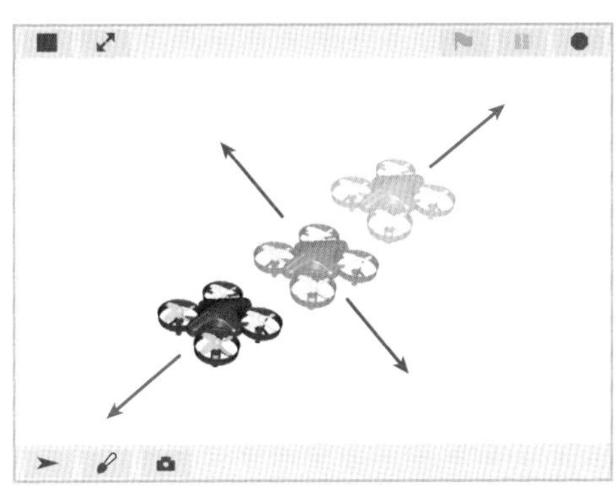

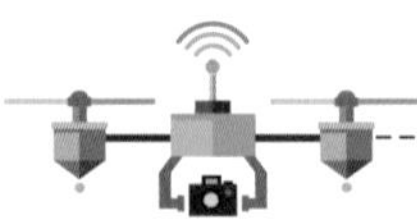

그림과 같이 〈만약 ~라면〉 블록을 사용해도 됩니다.

장애물이 움직이도록 코딩하겠습니다. 새로운 스프라이트를 추가하고 이름을 '장애물'로 정합니다.

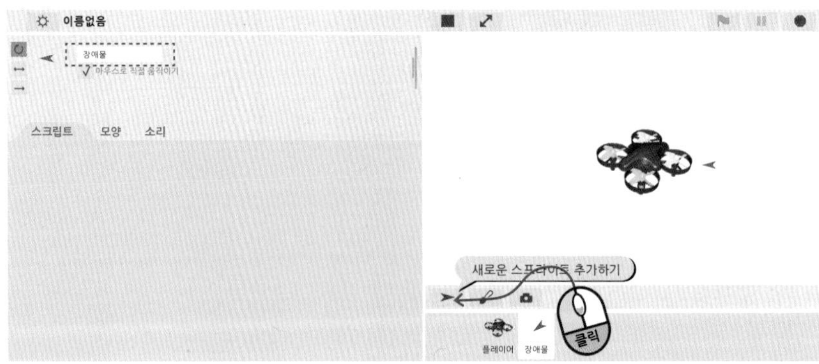

그리고 원하는 모양을 선택합니다. 이 책에서는 '사과'를 선택했습니다.

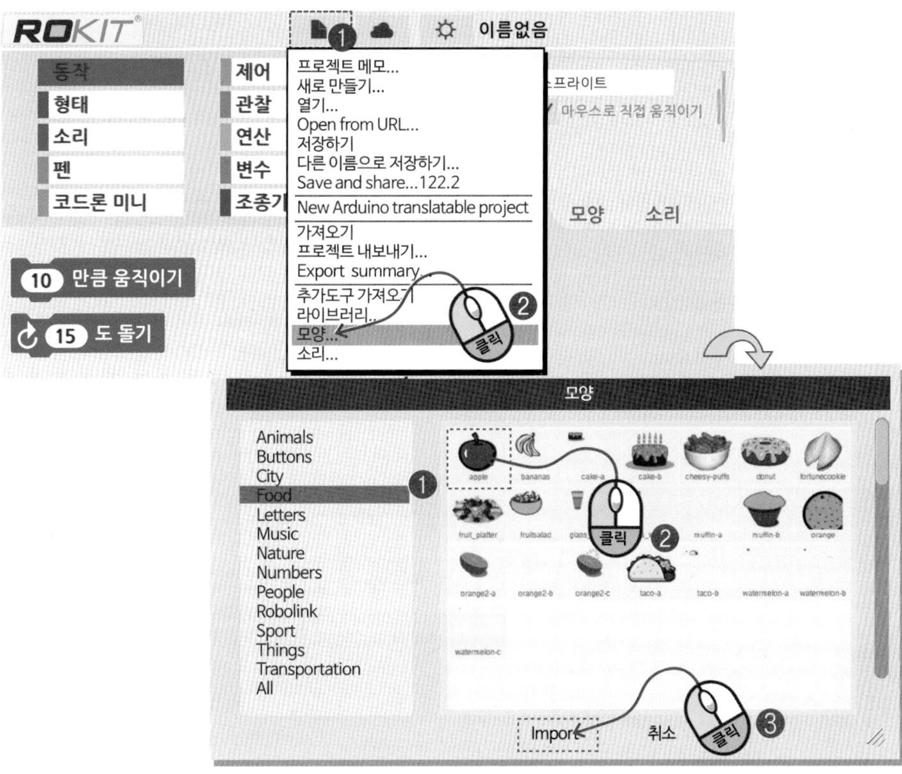

〈90도 방향 보기〉 블록을 사용해서 원래 모양대로 보이도록 합니다. 그리고 크기를 적당하게 바꿉니다.

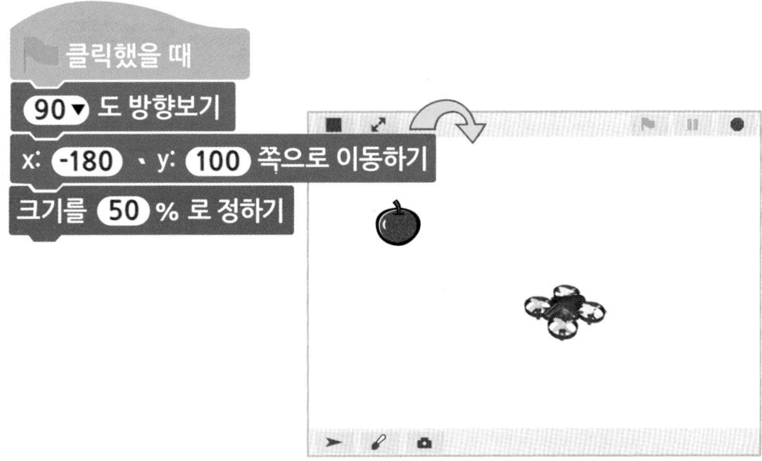

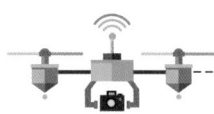

이 '장애물'이 움직이다가 '플레이어'에 닿으면 멈추고 게임을 얼마나 했는지 보여주도록 코딩하겠습니다. 어떻게 코딩하면 될까요? 오른쪽에 있는 〈~ 닿았는가?〉 블록과 메시지(신호)를 사용하면 됩니다.

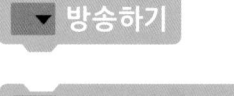

▼ 에 닿았는가?

로킷 브릭에서는 '신호'와 같은 '메시지'가 있습니다. 스포츠 경기에서 심판이 호루라기를 불면 경기를 시작하는 것과 같습니다. 어떤 메시지를 보내면(방송하기) 그 메시지를 받은 스프라이트는 지정한 명령을 실행합니다.

▼ 방송하기

▼ 방송하고 기다리기

세모 표시(▼)를 누르면 메시지 이름을 정할 수 있습니다. 〈게임 끝〉이라는 메시지를 만듭니다. 그리고 아래와 같이 코딩합니다. 게임이 시작하면 난수를 사용해서 방향을 정합니다. 그리고 2만큼 움직이고 벽에 닿으면 튕깁니다. 만약 '플레이어'에 닿으면 〈게임 끝〉 메시지를 보내고 기다립니다.

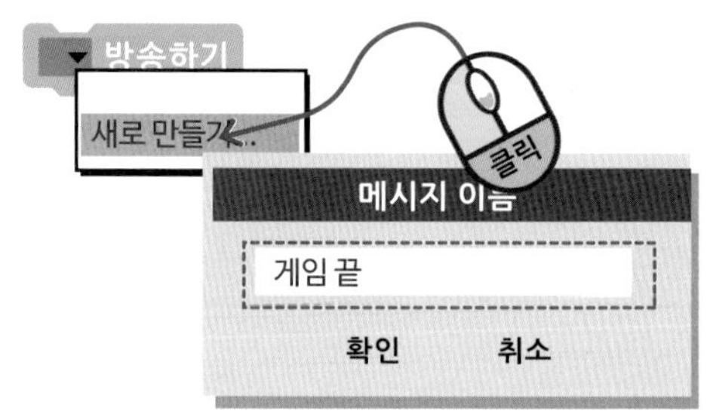

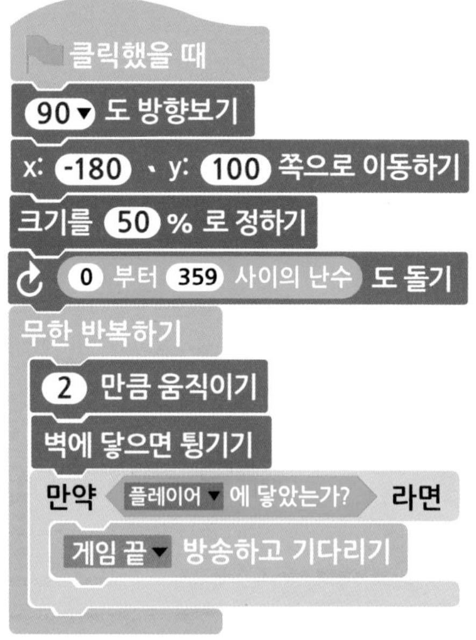

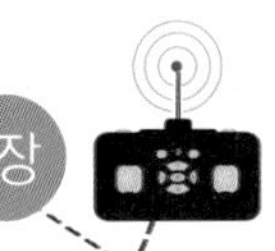

〈게임 끝〉 신호를 받으면 아래 블록을 사용해서 이 스프라이트에 있는 다른 스크립트를 멈춰서 '장애물'이 움직이지 않도록 합니다.

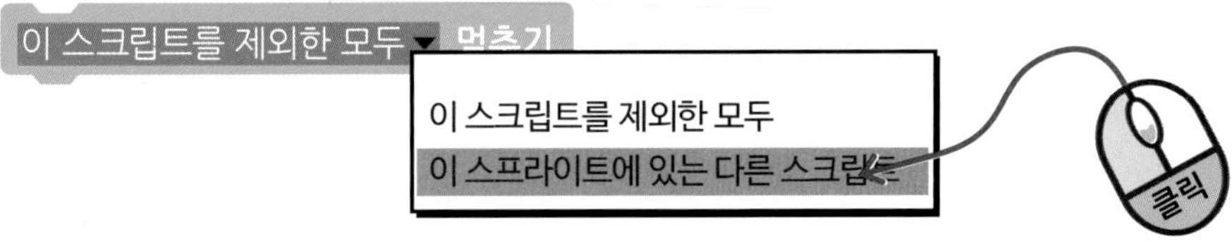

'장애물'이 자신에게 메시지를 보내고 받는 것입니다. '장애물'이 '플레이어'에게 닿으면 아래와 같이 멈춥니다.

'플레이어'도 〈게임 끝〉 메시지를 받으면 멈추고 게임을 얼마나 했는지 보여주도록 코딩합니다. '플레이어'를 선택합니다.

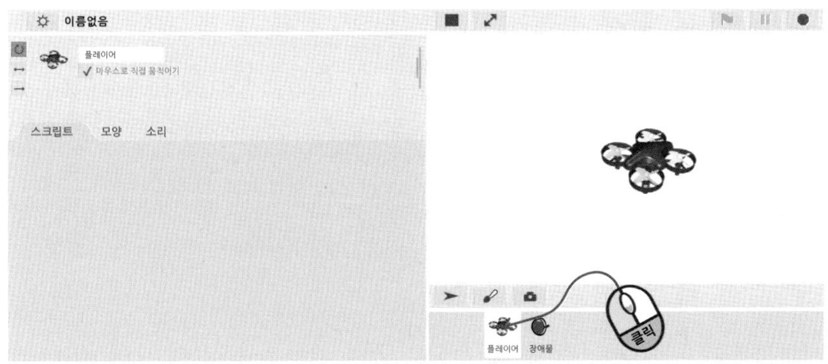

〈관찰〉 팔레트에 보면 〈타이머 초기화〉 블록이 있습니다. 타이머는 프로그램을 시작한 지 얼마나 됐는지 시간을 알려줍니다. 이 블록을 사용해서 아래와 같이 코딩합니다.

〈게임 끝〉 메시지를 받으면 아래와 같이 얼마나 게임을 했는지 '플레이어'가 말을 합니다.

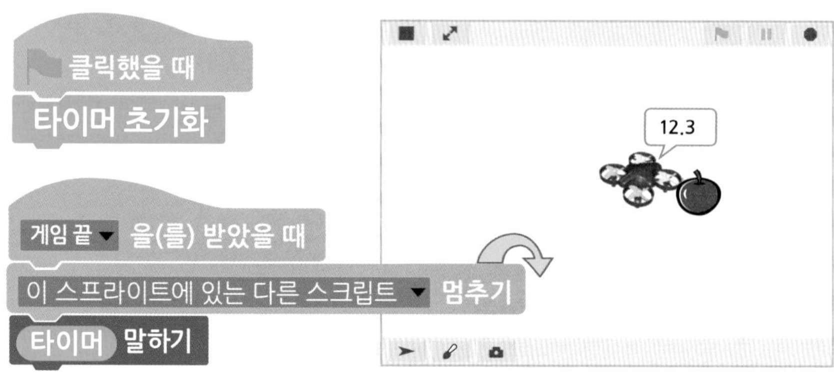

■ 고도 측정하기

〈해발 고도〉 블록을 사용해서 고도를 재는 프로그램을 만들어 보겠습니다.

아래와 같이 코딩하고 프로그램을 실행해서 드론의 높이를 바꿔봅니다. 드론을 위로 올릴수록 숫자가 커집니다. 이렇게 〈해발 고도〉 블록을 사용해서 드론이 얼마나 높이 있는지 알 수 있습니다. 그런데 값이 많이 바뀌지 않기 때문에 100을 곱해서 사용하는 것이 좋습니다.

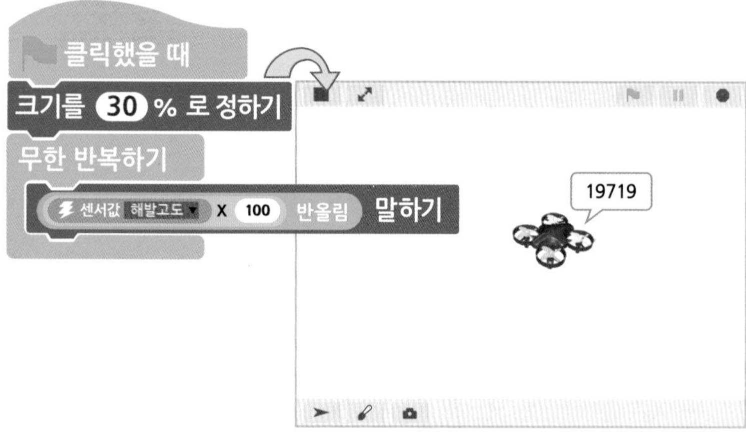

〔해발고도 평균〕 변수를 만듭니다. 〈해발 고도〉 센서값을 10번 더하고 이것을 10으로 나눈 값을 〔해발고도 평균〕 변숫값으로 정합니다.

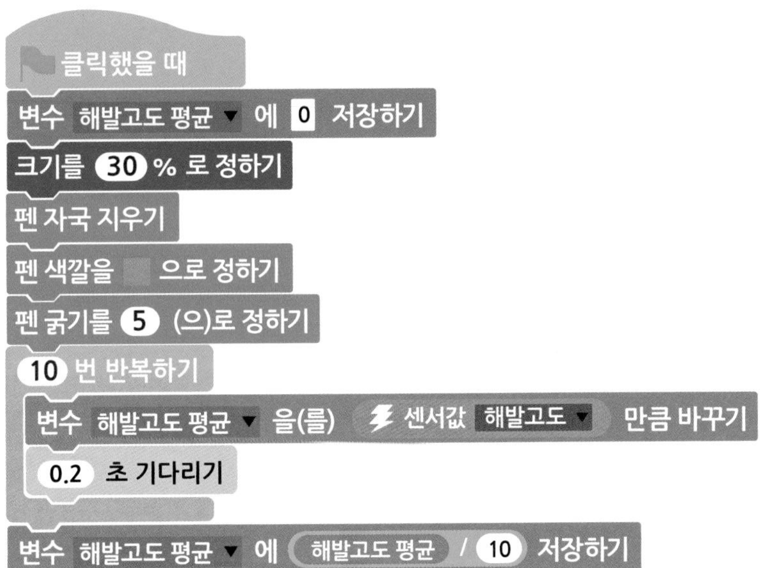

평균을 구하고 현재 〈해발 고도〉 센서값과 얼마나 차이가 나는지에 따라서 그림을 그리겠습니다.

〈해발 고도〉 센서값에서 〔해발고도 평균〕 변숫값을 뺀 값을 〔고도〕 변숫값으로 정합니다. y 좌표가 -100인 곳에서부터 펜으로 그림을 그립니다.

〔고도〕 변숫값에 100을 곱하고 이것을 반올림한 만큼 위로 선을 그립니다.

```
무한 반복하기
    변수 고도 에 (센서값 해발고도 - 해발고도 평균) 저장하기
    (고도 x 100 반올림) 말하기
    펜 내리기
    x: 0 , y: -100 쪽으로 이동하기
    펜 자국 지우기
    x: 0 , y: (고도 x 100 반올림) 쪽으로 이동하기
    펜 올리기
```

드론을 위-아래로 움직여서 높이를 다르게 하면 선이 그려집니다. 높이 올릴수록 '드론' 스프라이트가 더 위로 올라가서 긴 선을 그립니다.

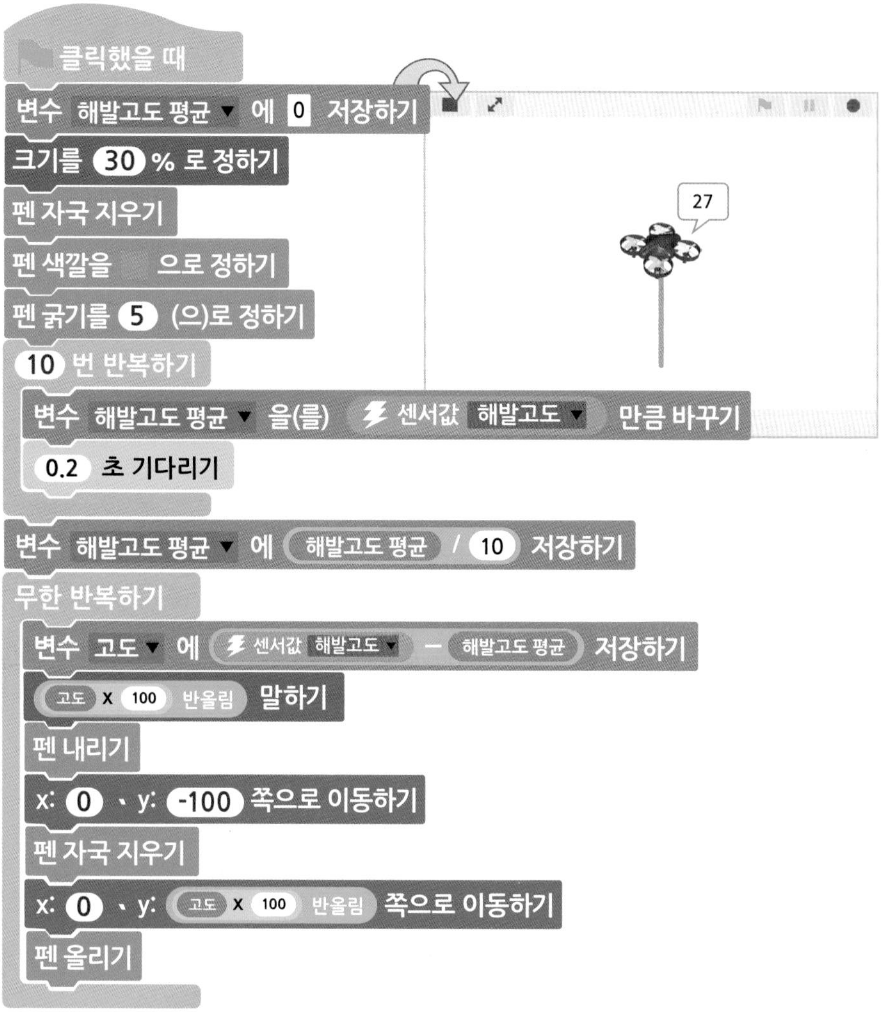

```
클릭했을 때
변수 해발고도 평균 ▼ 에 0 저장하기
크기를 30 % 로 정하기
펜 자국 지우기
펜 색깔을 ■ 으로 정하기
펜 굵기를 5 (으)로 정하기
10 번 반복하기
    변수 해발고도 평균 ▼ 을(를) 센서값 해발고도 ▼ 만큼 바꾸기
    0.2 초 기다리기
변수 해발고도 평균 ▼ 에 (해발고도 평균 / 10) 저장하기
무한 반복하기
    변수 고도 ▼ 에 (센서값 해발고도 ▼ - 해발고도 평균) 저장하기
    ((고도 x 100) 반올림) 말하기
    펜 내리기
    x: 0 , y: -100 쪽으로 이동하기
    펜 자국 지우기
    x: 0 , y: ((고도 x 100) 반올림) 쪽으로 이동하기
    펜 올리기
```

27

지금까지 드론 센서로 코딩하는 방법을 알아봤습니다. 이렇게 드론 센서를 사용해서 다양한 작품을 만들 수 있습니다. 자신만의 아이디어로 더 멋진 작품을 만들어 보면 어떨까요?

4 드론 정보와 센서

다양한 정보와 센서값을 확인하면서 드론의 특성을 잘 관찰하길 바랍니다. 다음은 드론 정보와 센서값을 정리한 표입니다.

센서 값 블록	
센서값 X방향 가속도 ▾	드론의 X방향 가속도 값입니다.
센서값 Y방향 가속도 ▾	드론의 Y방향 가속도 값입니다.
센서값 Z방향 가속도 ▾	드론의 Z방향 가속도 값입니다.
센서값 롤 각속도 ▾	드론의 롤 방향 각속도 값입니다.
센서값 요우 각속도 ▾	드론의 요우 방향 각속도 값입니다.
센서값 피치 각속도 ▾	드론의 피치 방향 각속도 값입니다.
센서값 롤 ▾	드론이 왼쪽-오른쪽으로 얼마나 기울어져 있는지 각도로 알려줍니다.
센서값 피치 ▾	드론이 앞-뒤로 얼마나 기울어져 있는지 각도로 알려줍니다.
센서값 요우 ▾	드론이 왼쪽-오른쪽으로 얼마나 회전했는지 각도로 알려줍니다.
센서값 드론의 온도 ▾	드론의 내부 온도를 알려줍니다.
센서값 기압 ▾	드론이 측정한 주위의 공기압을 알려줍니다.
센서값 해발고도 ▾	드론의 해발 고도 값을 알려줍니다.

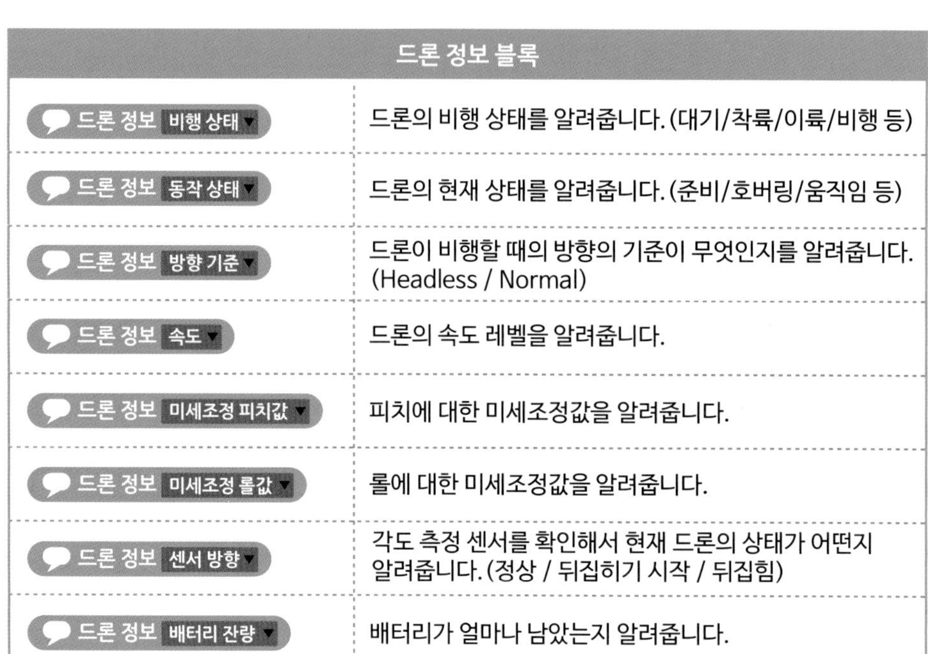

드론 정보 블록	
드론 정보 비행 상태	드론의 비행 상태를 알려줍니다. (대기/착륙/이륙/비행 등)
드론 정보 동작 상태	드론의 현재 상태를 알려줍니다. (준비/호버링/움직임 등)
드론 정보 방향 기준	드론이 비행할 때의 방향의 기준이 무엇인지를 알려줍니다. (Headless / Normal)
드론 정보 속도	드론의 속도 레벨을 알려줍니다.
드론 정보 미세조정 피치값	피치에 대한 미세조정값을 알려줍니다.
드론 정보 미세조정 롤값	롤에 대한 미세조정값을 알려줍니다.
드론 정보 센서 방향	각도 측정 센서를 확인해서 현재 드론의 상태가 어떤지 알려줍니다. (정상 / 뒤집히기 시작 / 뒤집힘)
드론 정보 배터리 잔량	배터리가 얼마나 남았는지 알려줍니다.

비행 블록	
미세조종 피치 증가	호버링 시, 뒤쪽으로 드론이 흘러갈 때 클릭하여 조절합니다.
미세조종 피치 감소	호버링 시, 앞쪽으로 드론이 흘러갈 때 클릭하여 조절합니다.
미세조종 롤 증가	호버링 시, 왼쪽으로 드론이 흘러갈 때 클릭하여 조절합니다.
미세조종 롤 감소	호버링 시, 오른쪽으로 드론이 흘러갈 때 클릭하여 조절합니다.
미세조종 미세조정 초기화	미세조정 값을 0 으로 바꿉니다.
비행 대기	드론이 이륙하지 않고 프로펠러만 회전하는 비행 대기 상태를 진행합니다. (이 블록 이후에는 쓰로틀 블록을 사용하여 이륙 시킬 수 있습니다)

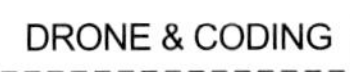
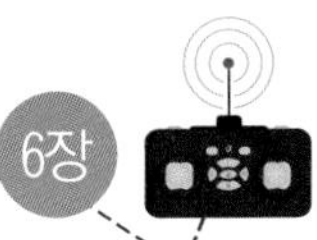

SPD : 드론의 스피드를 표시 속도레벨 ▾ 블록으로 변경 가능

SPD 1(레벨1)(30%) SPD 2(레벨2)(70%) SPD 3(레벨3) (100%)

P : -20 R : -10 : 현재 드론의 미세조정 값

ex) 미세조종 피치 증가 ▾ 블록 사용 시 P 값이 +5가 됩니다.

ex) 미세조종 롤 감소 ▾ 블록 사용 시 R 값이 -5가 됩니다.

	스스로 평가하기	확인
1	드론의 정보와 센서값을 읽을 수 있습니다.	
2	드론의 센서값으로 스프라이트를 움직일 수 있습니다.	
3	[피치]값으로 작품을 만들 수 있습니다.	
4	[롤]값으로 작품을 만들 수 있습니다.	

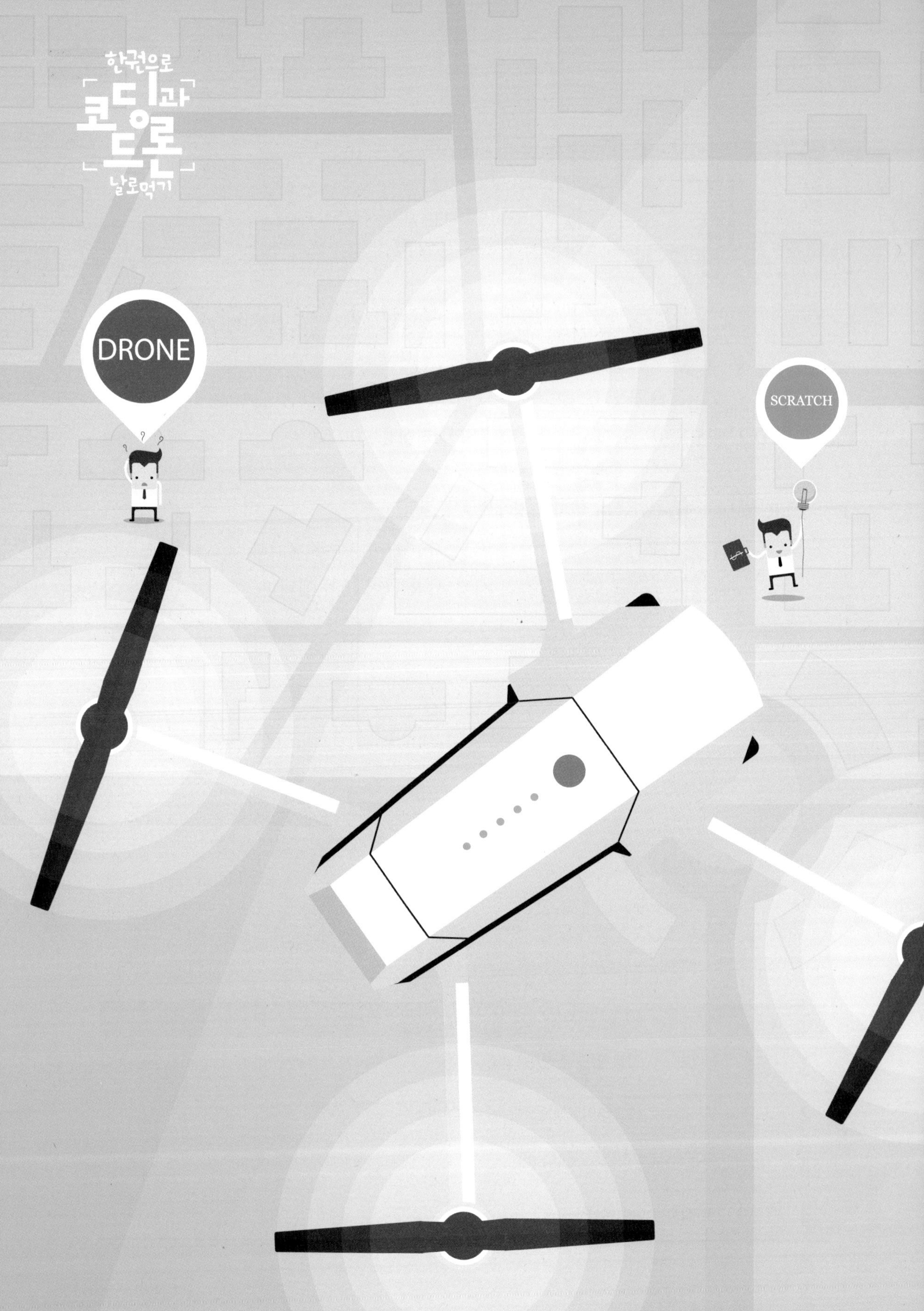
한권으로
코딩과 드론을
날로먹기
DRONE
SCRATCH

Chapter
7

코딩으로 조종하기

1. 로킷 브릭으로 호버링하기
2. 여러 방향으로 움직이기
3. LED와 속도 제어하기
4. 마우스로 드론 조종하기
5. 키보드로 드론 조종하기

DRONE

1 로킷 브릭으로 호버링하기

로킷 브릭에서도 코딩으로 호버링할 수 있습니다. 〈센서 리셋〉은 자이로 센서를 초기화해서 캘리브레이션합니다. 그리고 〈미세조정〉한 값도 초기화합니다.

〈스페이스〉 키를 눌러 이륙과 착륙을 할 수 있게 코딩하겠습니다. 어떻게 하면 될까요? 변수를 만들어 변숫값에 따라 이륙 또는 착륙하게 하면 됩니다.
〔이륙〕이라는 변수를 만들고 '아니오'를 저장합니다. 〔이륙〕 변수가 '아니오'일 때 〈스페이스〉 키를 누르면 〔이륙〕 변수를 '예'로 바꿉니다. 〔이륙〕 변수가 '예'일 때 〈스페이스〉 키를 누르면 착륙합니다. 마치 스위치처럼 쓰는 것이죠.

클릭했을 때
변수 이륙 에 아니요 저장하기

〈만약 ~라면, 아니면〉 블록을 사용하면 쉽게 코딩할 수 있습니다.

그림과 같이 코딩합니다. 그러면 변숫값에 따라 이륙 또는 착륙합니다. 로킷 브릭으로 명령을 내리면, 시뮬레이터 경우처럼 드론의 LED가 깜박이면서 움직입니다.

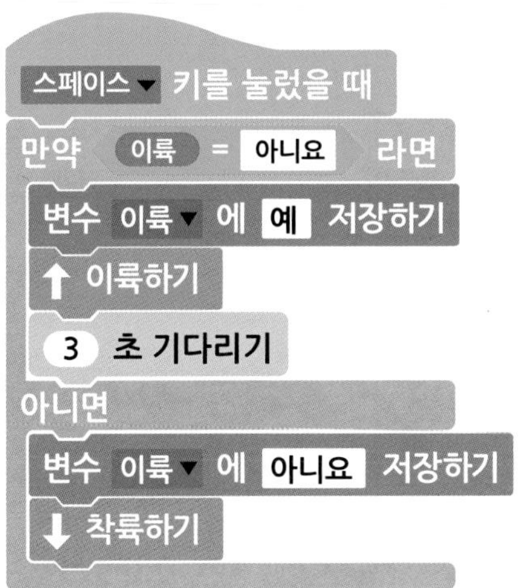

그리고 비상시에 드론을 멈출 수 있게 그림과 같이 코딩합니다. 〈P〉 키를 누르면 드론이 멈춰 비상 착륙할 수 있게 합니다. 빨간색으로 표시한 곳을 클릭하면 누를 수 있는 키가 나옵니다. 여기에서 'p'를 선택합니다.

또는 조종기모드로 바꿔서 비상대처를 할 수 있습니다. 긴급한 경우, 컨트롤러의 전원버튼을 한 번 누릅니다. 그러면 컨트롤러로 직접 드론을 조종할 수 있습니다.

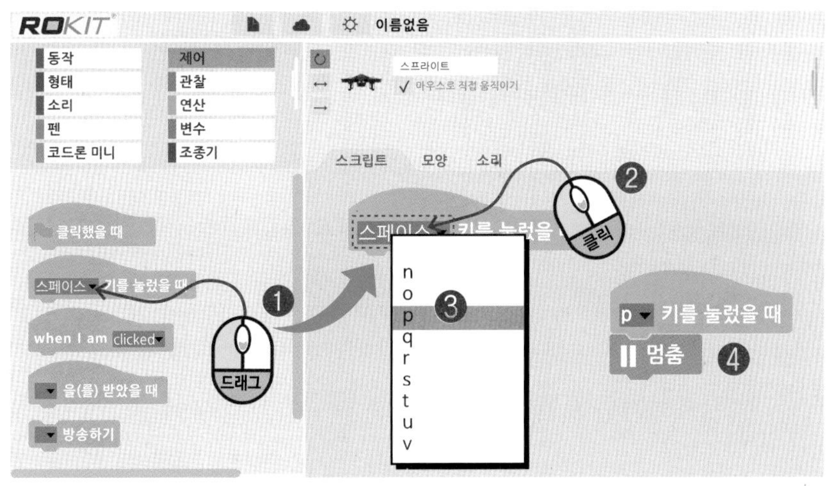

〈미세조정〉 블록을 사용해서 트림합니다.

원하는 트림 값을 선택합니다.

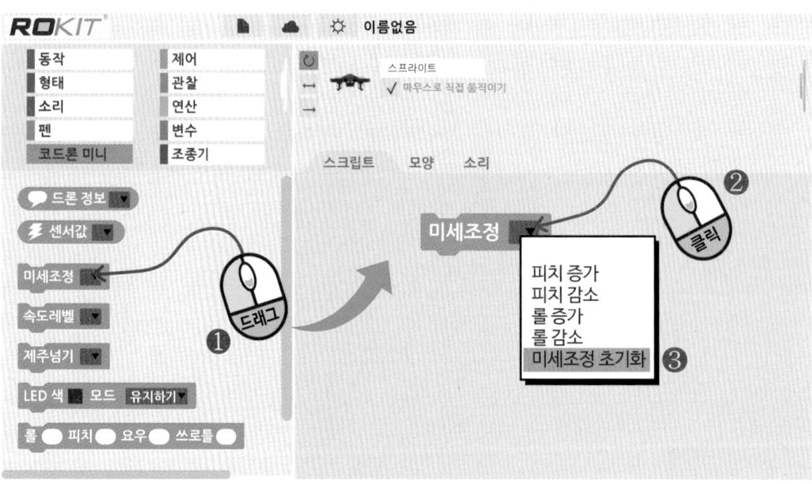

시뮬레이터처럼 〈I〉, 〈J〉, 〈K〉, 〈L〉 키를 눌러 트림할 수 있게 그림과 같이 코딩합니다.

〈스페이스〉 키를 눌러 드론을 띄웁니다. 〈I〉, 〈J〉, 〈K〉, 〈L〉 키로 미세조정합니다. 미세조정이 끝나면 〈스페이스〉 키를 한 번 더 눌러 착륙시킵니다.
다음과 같이 블록을 놓고 마우스로 클릭해도 됩니다.

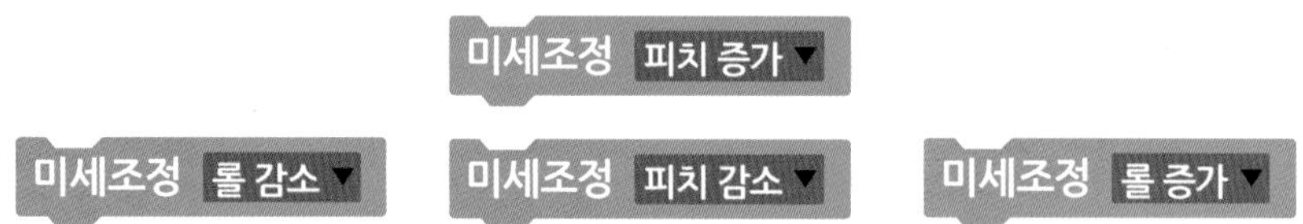

미세조정한 값은 〈코드론 미니〉 팔레트를 클릭하면 보입니다. P는 미세조정된 피치 값, R은 롤값을 나타냅니다.

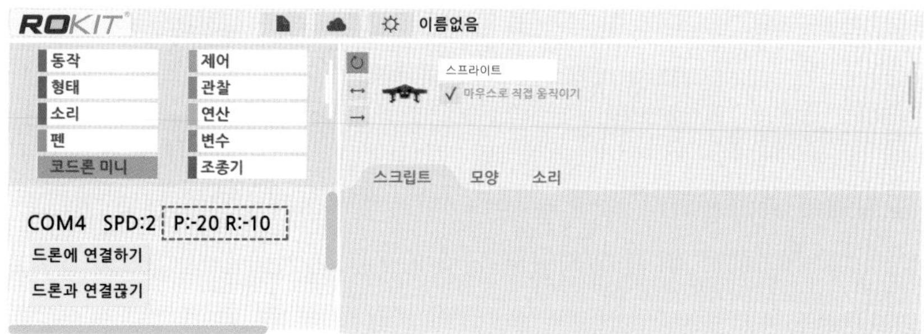

시뮬레이터에서 했던 것처럼 드론을 띄워 확인한 후 착륙시킨 상태에서 트림해도 됩니다.

클릭했을 때
이륙하기
5 초 기다리기
착륙하기

〔쓰로틀〕 값이 플러스이면 위로, 마이너스면 아래로 움직입니다.

드론 쓰로틀 ▾ 값을 50 %   드론 쓰로틀 ▾ 값을 -50 %

〔요우〕 값이 플러스면 오른쪽(시계방향)으로, 마이너스면 왼쪽(시계 반대 방향)으로 회전합니다.

드론 요우 ▾ 값을 50 %   드론 요우 ▾ 값을 -50 %

〔피치〕 값이 플러스이면 앞으로, 마이너스면 뒤로 움직입니다.

드론 피치 ▾ 값을 50 %   드론 피치 ▾ 값을 -50 %

〔롤〕 값이 플러스면 오른쪽으로, 마이너스면 왼쪽으로 움직입니다.

드론 롤 ▾ 값을 50 %

드론 롤 ▾ 값을 -50 %

호버링이 잘 되었다면 코딩해서 확인합니다. 앞으로 갔다, 뒤로 갔다, 착륙하게 코딩합니다. 움직이다가 다른 방향으로 움직일 때는 전에 움직였던 값을 0으로 초기화해야 합니다. 아래 그림의 블록을 사용하면 됩니다.

그 이유는 다음 장에서 자세하게 배우겠습니다. 일단은 '0으로 초기화해서 멈춘다'고 기억합니다.

롤 0 피치 0 요우 0 쓰로틀 0

드론 피치 ▾ 값을 0 %

〔피치〕 값을 바꿔서 앞뒤로 움직이게 그림과 같이 코딩합니다.

```
클릭했을 때
↑ 이륙하기
5 초 기다리기
드론 피치 ▾ 값을 50 %
1.5 초 기다리기
드론 피치 ▾ 값을 0 %
1 초 기다리기
드론 피치 ▾ 값을 -50 %
2 초 기다리기
드론 피치 ▾ 값을 0 %
1 초 기다리기
↓ 착륙하기
```

잘 움직이면 호버링이 된 것입니다.

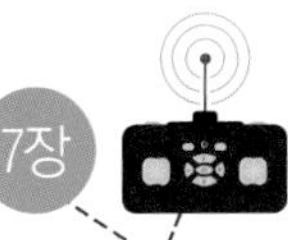

2 여러 방향으로 움직이기

드론 코딩 대회나 경주대회 때 드론을 90도로 꺾어 움직여야 할 때가 있습니다.

단순하게 생각하면 앞으로 갔다가(피치(+)) 오른쪽으로 가면(롤(+)) 될 것으로 생각하고 다음과 같이 코딩합니다.

하지만 확인해 보면 드론이 대각선 방향으로 움직입니다. 왜 그럴까요? 뉴턴의 제1법칙 '관성의 법칙'으로 설명할 수 있습니다. '관성의 법칙'에 따르면 운동하고 있는 물체는 계속 운동하려고 합니다. 그래서 〔피치〕 값을 0으로 정하지 않으면 앞으로 가는 힘과 오른쪽으로 가는 힘이 합쳐져서 드론은 대각선 방향으로 움직입니다.

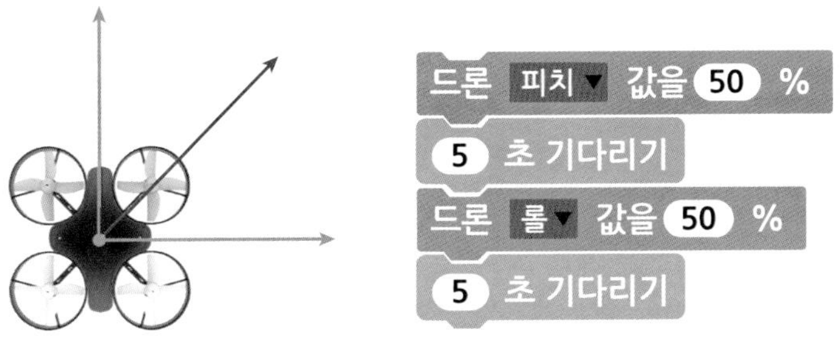

원하는 대로 움직이려면 〔피치〕 값을 0으로 정해서 멈추고, 〔롤〕 값을 높여주면 됩니다.

드론을 코딩할 때 이런 관성의 힘을 잘 알아야 합니다.

시뮬레이터에서 쉽게 확인할 수 있습니다. 〈위쪽 화살표〉 키와 〈오른쪽 화살표〉 키를 동시에 누르면 드론이 위쪽 대각선 방향으로 움직입니다.

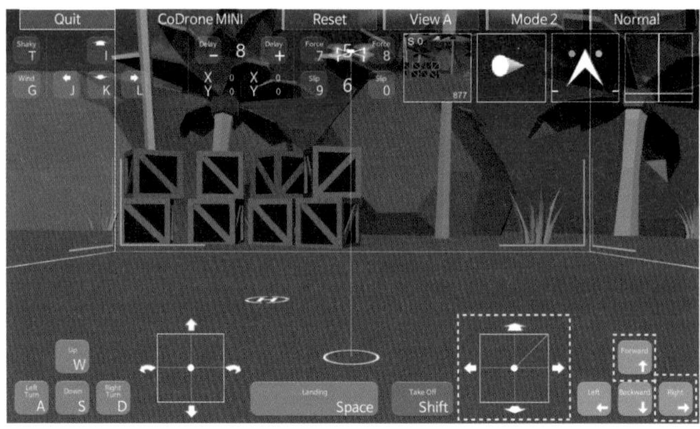

〔피치〕 값과 〔롤〕 값의 크기가 달라지면 대각선의 각도가 달라집니다.
드론을 움직일 때 이런 점을 잘 생각해서 코딩해야 합니다.

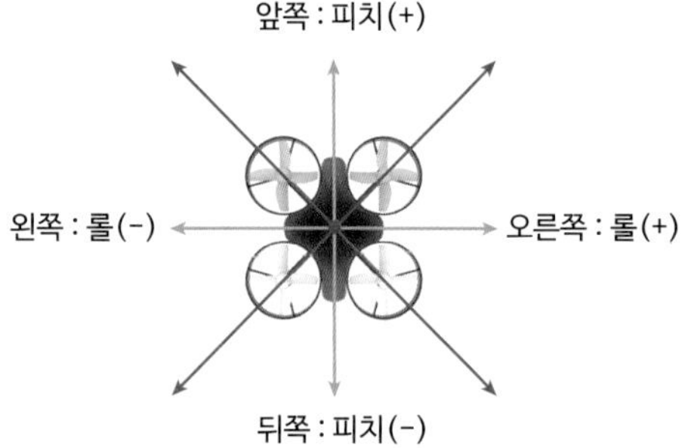

앞으로 움직일 때도 마찬가집니다. 〔쓰로틀〕을 0으로 할 때와 안 할 때 움직이는 모습이 다릅니다.

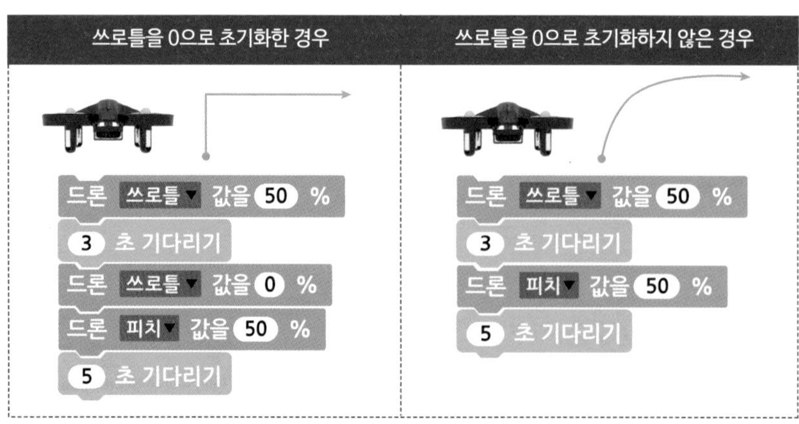

그림처럼 드론이 손바닥 위로 올라오도록 하려면 어떻게 코딩해야 할까요?

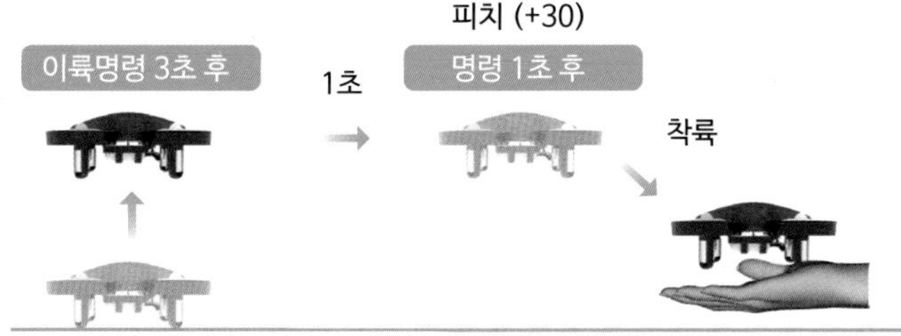
피치 (+30)
이륙명령 3초 후
1초
명령 1초 후
착륙

클릭했을 때
이륙하기
3 초 기다리기
드론 피치 값을 30 %
1 초 기다리기
착륙하기

〔피치〕 값을 높여서 앞으로 움직이다가 착륙하면 앞으로 움직이는 힘 때문에 대각선 방향으로 움직이면서 착륙합니다.

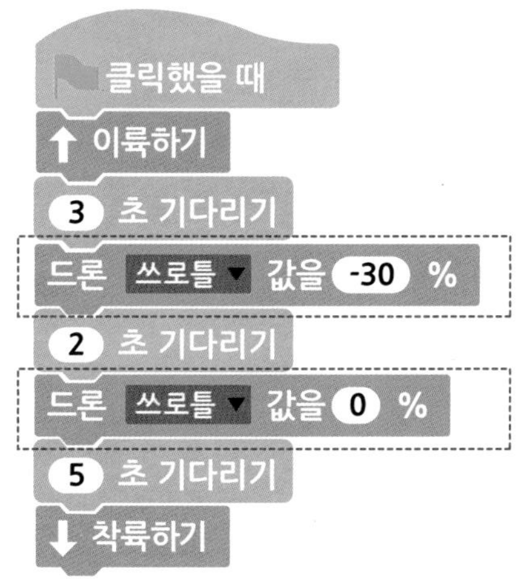
클릭했을 때
이륙하기
3 초 기다리기
드론 쓰로틀 값을 -30 %
2 초 기다리기
드론 쓰로틀 값을 0 %
5 초 기다리기
착륙하기

드론을 조금만 위로 올려 움직이고 싶을 때가 있습니다. 〈이륙하기〉 블록을 사용하면 바로 위로 올라가기 때문에 〔쓰로틀〕 값을 낮춰서 내려가게 해야 합니다.

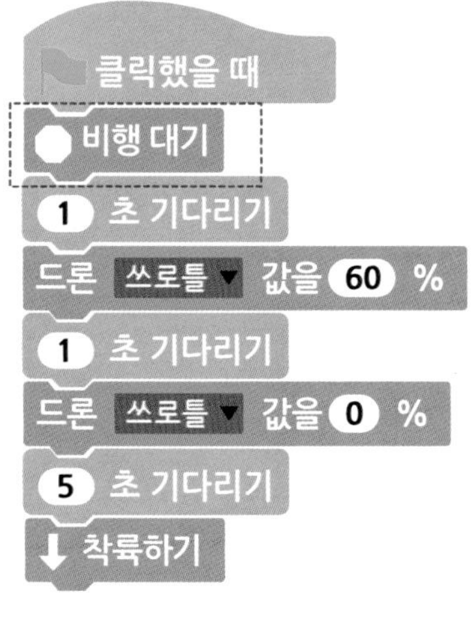

하지만 〈비행 대기〉 블록을 사용하면 드론을 내리지 않고 조금만 위로 올릴 수 있습니다.

비행할 수 있는 상태에 있다가 〔쓰로틀〕 값을 높이면 드론이 조금만 위로 올라가게 할 수 있습니다. 〔쓰로틀〕 값과 기다리는 시간에 따라 드론이 올라가는 높이가 달라집니다. 낮게 비행해야 하는 경우 〈비행 대기〉 블록을 사용하면 편리합니다.

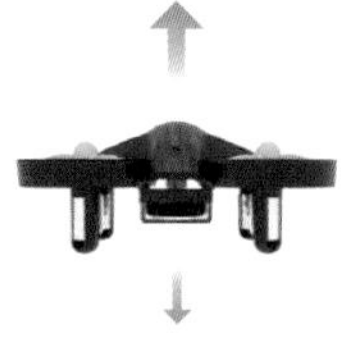

중력도 잘 제어해야 합니다. 〔쓰로틀〕 값을 낮춰 드론을 아래로 내려가게 할 때 중력을 받습니다. 따라서, 같은 높이로 위-아래 반복해서 움직이려면 올릴 때 드는 힘은 내릴 때 드는 힘보다 커야 합니다.

〈반복하기〉 블록을 사용해서 코딩할 때, 올라가게 하는 〔쓰로틀〕 값은 내려가게 하는 〔쓰로틀〕 값보다 커야 합니다. 값을 같게 하면 중력 때문에 드론이 명령어를 반복할 때마다 점점 아래로 내려갑니다.

좌우로 점점 더 멀리 이동하는 프로그램도 만들 수 있습니다.

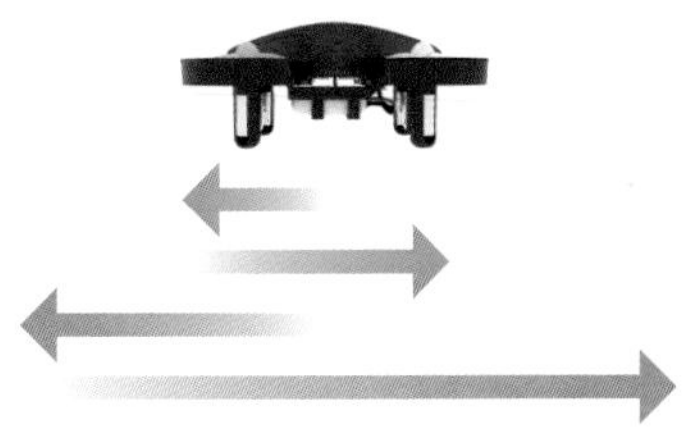

아래 코드를 보면 〔롤〕 값을 점점 크게 하거나 작게 해서 더 멀리 움직이게 했습니다. 그리고 〔롤〕 값을 0으로 정하는 블록을 넣어서 관성의 작용을 받지 않게 했습니다.

```
클릭했을 때
↑ 이륙하기
3 초 기다리기
드론 롤▼ 값을 -30 %
2 초 기다리기
드론 롤▼ 값을 0 %
드론 롤▼ 값을 40 %
2 초 기다리기
드론 롤▼ 값을 0 %
드론 롤▼ 값을 -50 %
2 초 기다리기
드론 롤▼ 값을 0 %
드론 롤▼ 값을 60 %
2 초 기다리기
드론 롤▼ 값을 0 %
2 초 기다리기
↓ 착륙하기
```

3 LED와 속도 제어하기

드론에는 RGB LED가 들어있어서 다양한 색깔을 낼 수 있고, 다양한 방법으로 LED를 켜고 끌 수도 있습니다.

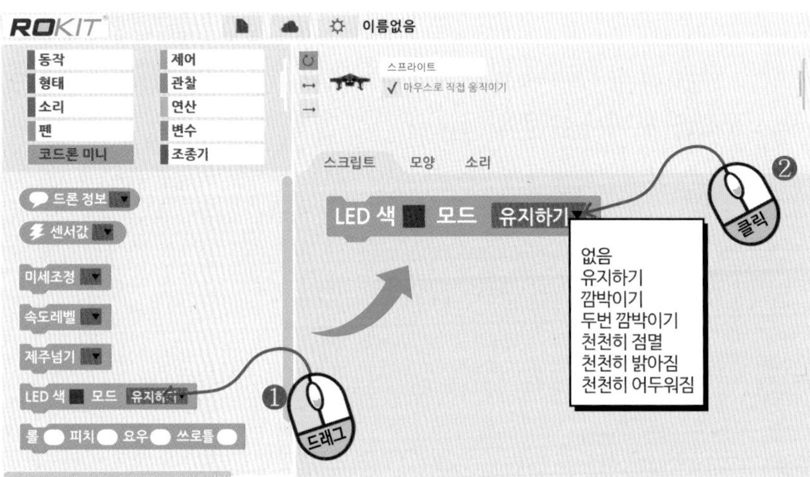

LED를 켜고 끄는 방법을 표로 정리했습니다.

드론 LED를 켜고 끄는 방법	
LED 색 ■ 모드 없음	드론 LED를 끈다.
LED 색 ■ 모드 유지하기	드론 LED를 정한 색으로 켠다.
LED 색 ■ 모드 깜빡이기	드론 LED를 정한 색으로 깜빡인다.
LED 색 ■ 모드 두번 깜빡이기	드론 LED를 두 번씩 깜빡인다.
LED 색 ■ 모드 천천히 점멸	드론 LED를 서서히 밝게 했다가 서서히 어둡게 한다.
LED 색 ■ 모드 천천히 밝아짐	드론 LED를 서서히 밝게 한다.
LED 색 ■ 모드 천천히 어두어짐	드론 LED를 갑자기 켰다가 서서히 어둡게 한다.

빨간색으로 표시한 곳을 클릭하면 그림처럼 LED 색깔을 바꿀 수 있습니다. 드론의 LED는 빨강(R), 초록(G), 파랑(B) 빛을 섞어서 여러 가지 색을 만듭니다.

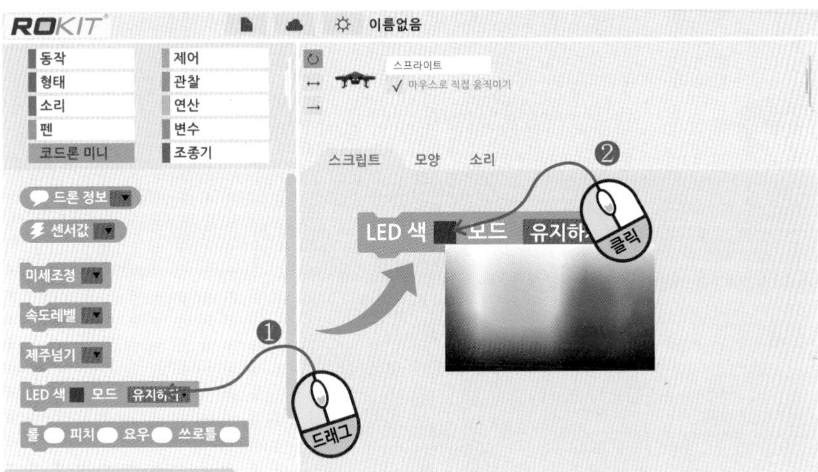

그림과 같이 코딩하면 LED 색깔을 바꾸면서 깜빡이거나 천천히 밝아졌다가 어두워지게 만들 수도 있습니다.

드론의 움직이는 속도도 바꿀 수 있습니다.

드론은 코딩이나 컨트롤러로 속도를 제어할 수 있습니다. 모터의 속도를 높이면 드론은 더욱 빠르게 움직이고, 모터의 속도를 낮추게 되면 드론은 더 천천히 움직입니다.

모터 속도(30%)

모터 속도(100%)

〈속도레벨〉 블록을 사용하면 속도를 바꿀 수 있습니다.

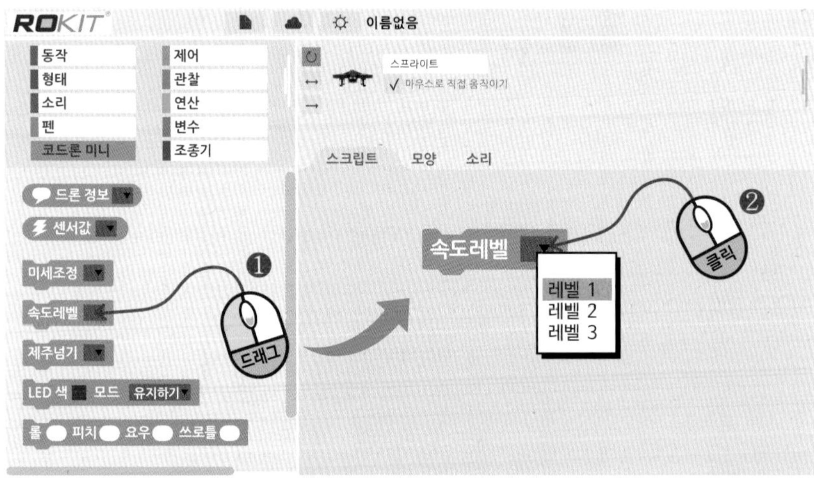

속도레벨은 3단계가 있습니다. 1단계가 가장 느리고, 3단계가 가장 빠릅니다.

〈코드론 미니〉 팔레트에서 속도 레벨을 확인할 수 있습니다. 'SPD'가 나타내는 값이 속도 레벨입니다. 그림을 보니 3단계입니다.

속도 레벨을 바꿔 얼마나 차이가 있는지 확인합니다.

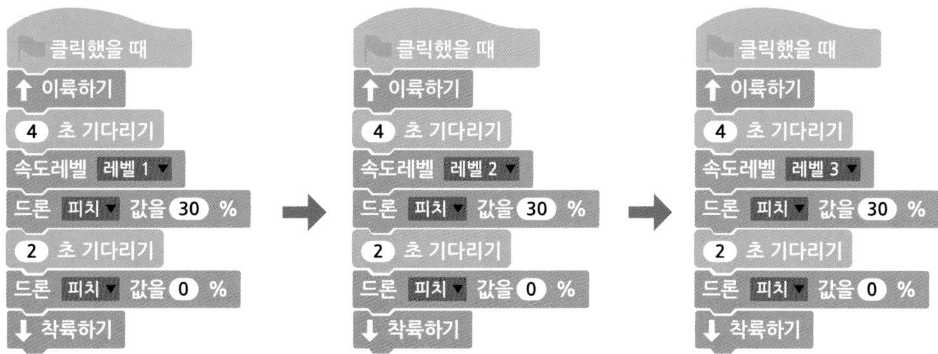

드론이 점점 빨라지게 2초마다 속도 레벨을 바꿀 수 있습니다. 3단계는 매우 빨라서 2초만 날아도 많이 움직입니다.

공간이 작은 경우, 앞-뒤로 움직여서 속도 차이를 확인할 수도 있습니다. [피치] 값을 바꿔서 방향을 바꿉니다.

4 마우스로 드론 조종하기

마우스로도 드론을 조종할 수 있습니다. 무대 가운데 사각형을 그리고 시뮬레이터처럼 사각형 안을 클릭해서 조종할 수 있게 만들겠습니다.

[x좌표]는 －120, [y좌표]는 －120에서 한 변의 길이가 240인 정사각형을 그립니다. 드론을 움직일 때 －100부터 ＋100까지의 값을 정할 수 있습니다. 크기가 240인 정사각형을 그려서 여유 있게 클릭할 수 있게 합니다.

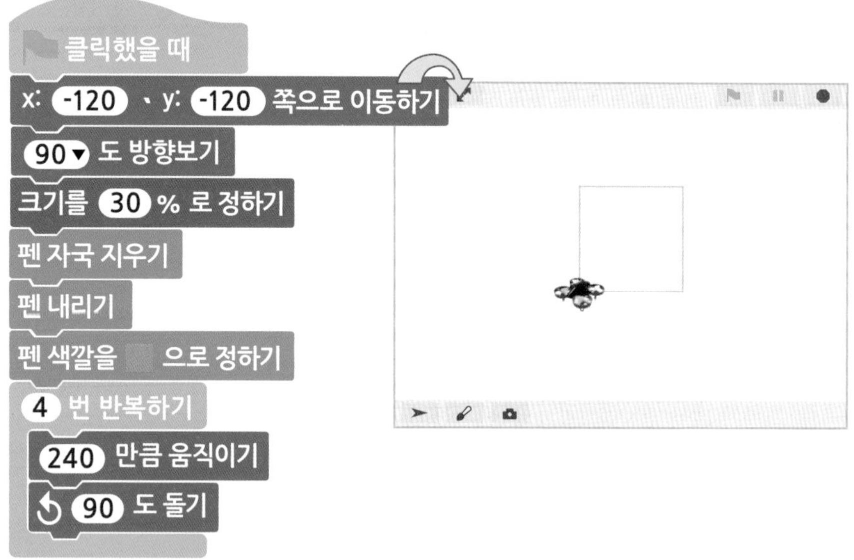

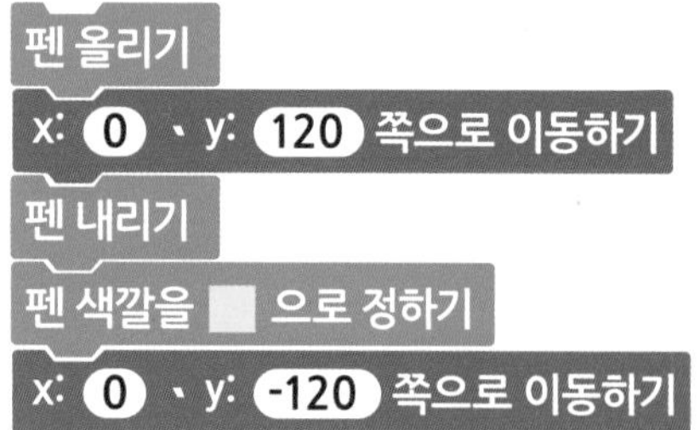

클릭한 위치를 구분할 수 있게 사각형을 나누겠습니다. 사각형 색깔과 다른 색깔로 선을 두 개 그립니다. 위에서 아래로 움직이고 왼쪽에서 오른쪽으로 움직입니다.

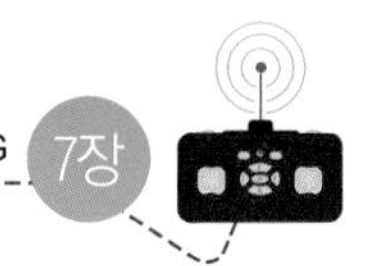

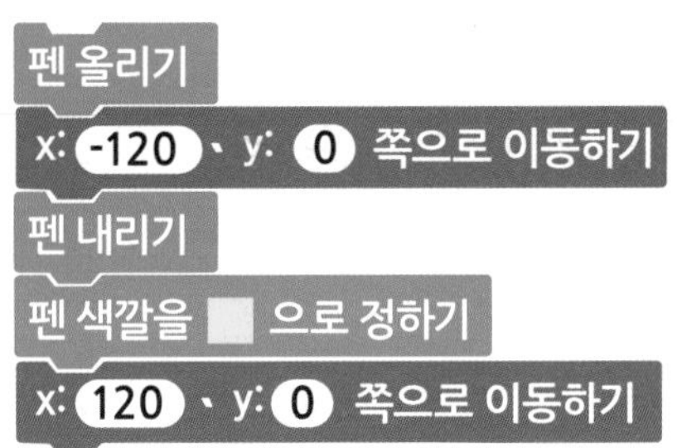

여기서 주의할 점은 〈펜 올리기〉 블록을 사용해야 한다는 것입니다. 〈펜 올리기〉 블록을 사용하면 그림을 그리지 않습니다.

〈펜 올리기〉 블록을 사용하지 않으면 펜이 움직이는 대로 그림이 그려집니다.

코드를 합쳐서 다음과 같이 코딩합니다. 사각형을 다 그리면 〈마우스로 조종 시작〉 메시지를 보냅니다.

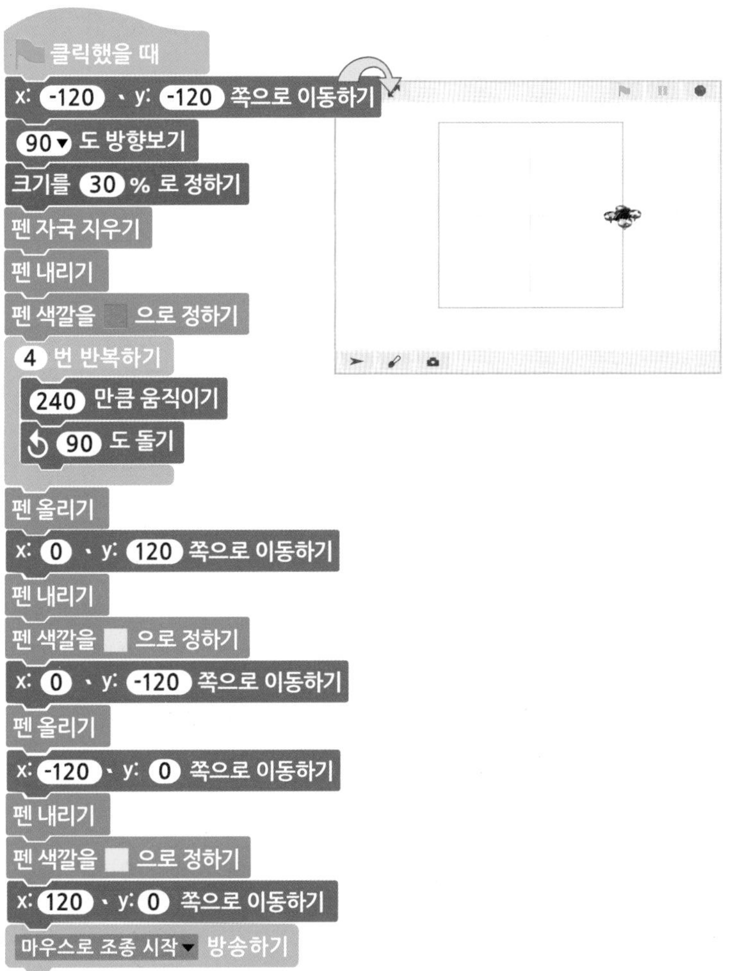

마우스가 어디를 클릭했는지 잘 알 수 있도록 '드론' 스프라이트가 마우스를 따라다니게 만들겠습니다. 어떻게 하면 될까요? 〈~위치로 이동하기〉 블록을 사용하면 됩니다.

〈마우스로 조종 시작〉 메시지를 받으면 펜을 올려서 펜 자국이 남지 않도록 합니다. 그리고 무대 가운데로 움직여서 마우스를 따라 움직일 준비를 합니다.

잘 되는지 확인해 보겠습니다.
'드론'이 마우스를 따라서 잘 움직입니다. 그런데 사각형 밖으로도 움직입니다.

'드론'이 사각형 안에서만 움직이게 하고 싶습니다. 〈마우스의 ~좌표〉를 사용하면 '드론'이 움직이는 범위를 정할 수 있습니다.

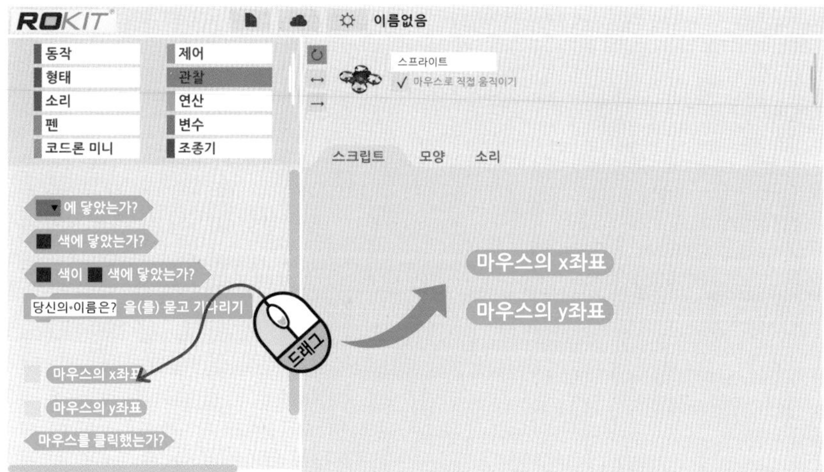

마우스의 〔x좌표〕와 〔y좌표〕가 －120보다 크고 120보다 작을 때 마우스를 따라가게 코딩합니다.

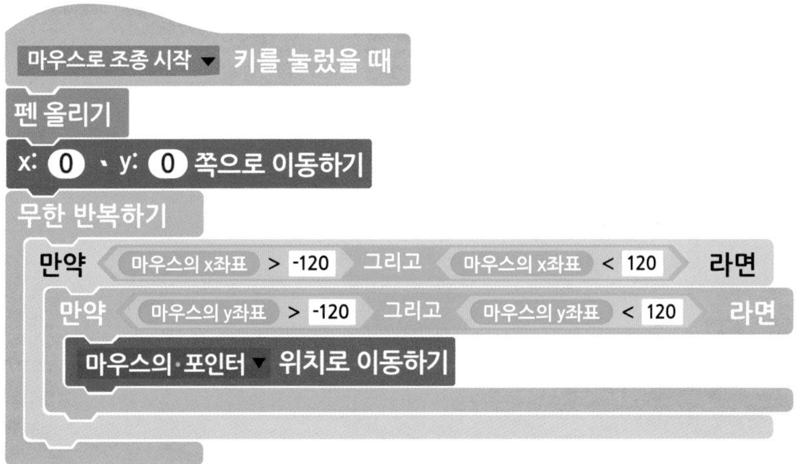

그리고 '드론'이 위-아래로 －100부터 100까지, 왼쪽-오른쪽으로 －100부터 100까지 움직일 수 있게 합니다.

좌표가 100보다 크면 100으로 정하고, -100보다 작으면 －100으로 정합니다.

그리고 '드론'의 좌표로 움직일 수 있게 〔롤〕 값은 〔x좌표〕로, 〔피치〕 값은 〔y좌표〕로 정합니다.

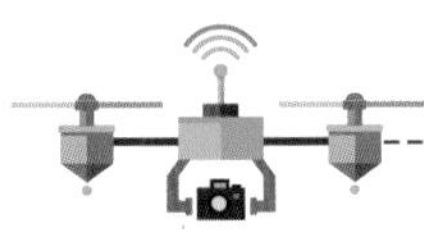
DRONE

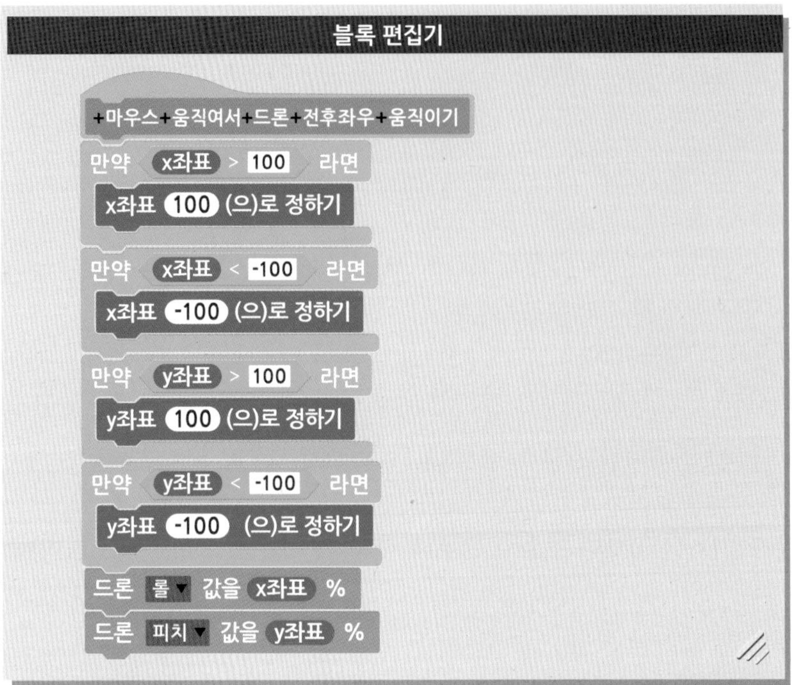
블록 편집기
+마우스+움직여서+드론+전후좌우+움직이기
만약 x좌표 > 100 라면
x좌표 100 (으)로 정하기
만약 x좌표 < -100 라면
x좌표 -100 (으)로 정하기
만약 y좌표 > 100 라면
y좌표 100 (으)로 정하기
만약 y좌표 < -100 라면
y좌표 -100 (으)로 정하기
드론 롤 값을 x좌표 %
드론 피치 값을 y좌표 %

착륙과 비상착륙 코드도 넣습니다.

마우스를 따라 잘 움직이는지 확인해 볼까요? 호버링 상태에서 확인합니다.

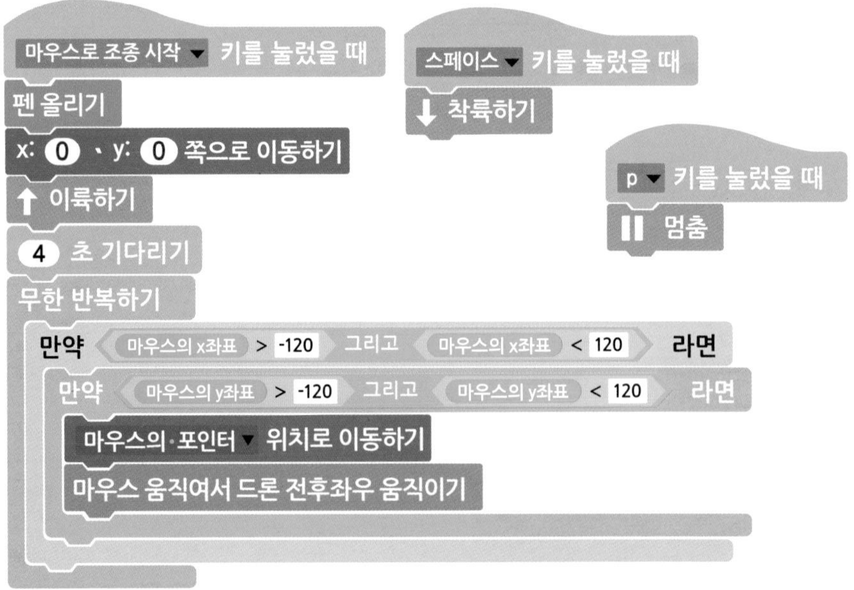
마우스로 조종 시작 키를 눌렀을 때
펜 올리기
x: 0 , y: 0 쪽으로 이동하기
이륙하기
4 초 기다리기
무한 반복하기
만약 마우스의 x좌표 > -120 그리고 마우스의 x좌표 < 120 라면
만약 마우스의 y좌표 > -120 그리고 마우스의 y좌표 < 120 라면
마우스의 포인터 위치로 이동하기
마우스 움직여서 드론 전후좌우 움직이기
스페이스 키를 눌렀을 때
착륙하기
p 키를 눌렀을 때
멈춤

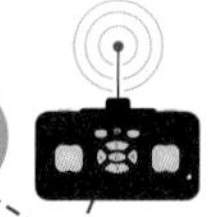

드론이 마우스를 따라서 잘 움직입니다.

배터리가 20% 남으면 배터리가 부족하다고 말하게 합니다.

```
클릭했을 때
  말하기
무한 반복하기
  만약 < 드론 정보 배터리 잔량 ▼ < 20 > 라면
    배터리가 부족합니다. 말하기
```

전후좌우로 잘 움직였으니 상하 회전하게 해볼까요? 〔요우〕 값은 〔x좌표〕로, 〔쓰로틀〕 값은 〔y좌표〕로 정합니다.

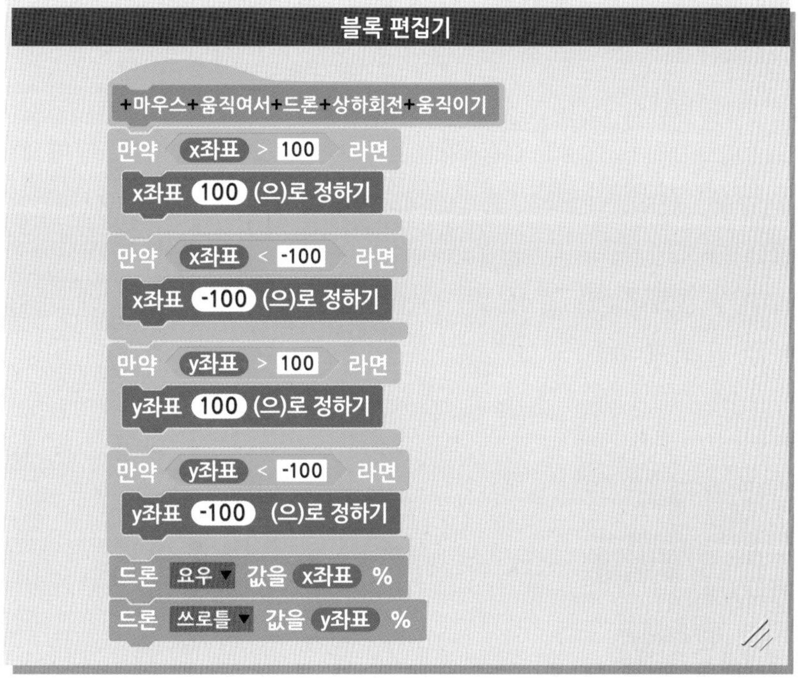
블록 편집기
+마우스+움직여서+드론+상하회전+움직이기
만약 x좌표 > 100 라면
x좌표 100 (으)로 정하기
만약 x좌표 < -100 라면
x좌표 -100 (으)로 정하기
만약 y좌표 > 100 라면
y좌표 100 (으)로 정하기
만약 y좌표 < -100 라면
y좌표 -100 (으)로 정하기
드론 요우 값을 x좌표 %
드론 쓰로틀 값을 y좌표 %

함수를 사용해서 코딩하면 참 편합니다. 〈마우스 움직여서 드론 상하회전 움직이기〉 함수로 바꿔서 코딩합니다.

```
마우스로 조종 시작 ▾ 키를 눌렀을 때
펜 올리기
x: 0 · y: 0 쪽으로 이동하기
↑ 이륙하기
4 초 기다리기
무한 반복하기
  만약 < 마우스의 x좌표 > -120 그리고 마우스의 x좌표 < 120 > 라면
    만약 < 마우스의 y좌표 > -120 그리고 마우스의 y좌표 < 120 > 라면
      마우스의 포인터 ▾ 위치로 이동하기
      마우스 움직여서 드론 상하회전 움직이기
```

프로그램을 실행해 보니, 우리가 원하는 대로 잘 움직입니다.

상하 회전, 전후좌우로 조종할 수 있게 프로그램을 만들고 싶습니다. 어떻게 하면 될까요? 정답은 변수입니다. [조종 종류] 변수를 만들고 변숫값이 '왼쪽'이면 상하 회전, '오른쪽'이면 전후좌우로 움직이게 합니다.

⟨when I am clicked⟩ 블록은 스프라이트를 클릭하면 아래 연결된 블록이 실행됩니다. 클릭할 때마다 변숫값이 스위치처럼 바뀝니다.

```
when I am clicked ▾
만약 < 조종 종류 = 왼쪽 > 라면
  변수 조종 종류 ▾ 에 오른쪽 저장하기
아니면
  변수 조종 종류 ▾ 에 왼쪽 저장하기
0.01 초 기다리기
```

그리고 변숫값에 따라서 어떻게 조종할 수 있는지 〈말하기〉 블록으로 알려줍니다.

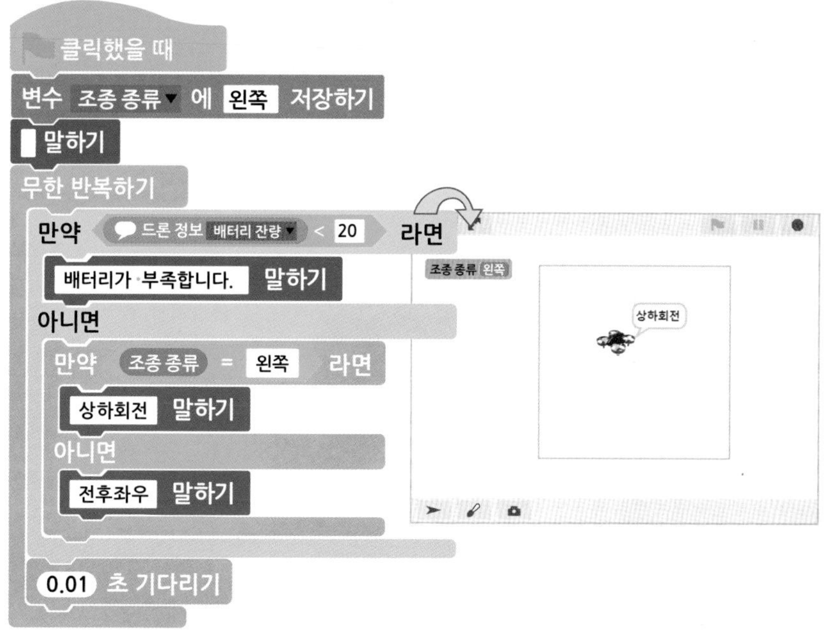

마우스를 클릭할 때마다 말하는 내용이 잘 바뀝니다.

다음의 블록을 사용해서 코드를 바꿉니다. 〔롤〕, 〔피치〕, 〔요우〕, 〔쓰로틀〕 값을 한 번에 바꿀 수 있습니다.

블록 편집기

```
+마우스+움직여서+드론+전후좌우+움직이기
만약 x좌표 > 100 라면
  x좌표 100 (으)로 정하기
만약 x좌표 < -100 라면
  x좌표 -100 (으)로 정하기
만약 y좌표 > 100 라면
  y좌표 100 (으)로 정하기
만약 y좌표 < -100 라면
  y좌표 -100 (으)로 정하기
롤 x좌표 피치 y좌표 요우 0 쓰로틀 0
```

블록 편집기

```
+마우스+움직여서+드론+상하회전+움직이기
만약 x좌표 > 100 라면
  x좌표 100 (으)로 정하기
만약 x좌표 < -100 라면
  x좌표 -100 (으)로 정하기
만약 y좌표 > 100 라면
  y좌표 100 (으)로 정하기
만약 y좌표 < -100 라면
  y좌표 -100 (으)로 정하기
롤 0 피치 0 요우 x좌표 쓰로틀 y좌표
```

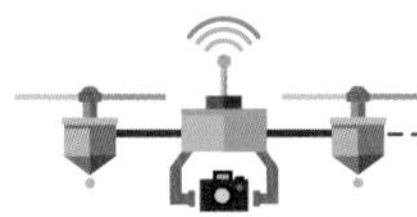

[조종 종류] 변숫값에 따라서 조종할 수 있는 종류가 바뀌도록 그림과 같이 코딩합니다. 함수를 사용하면 참 편리하죠?

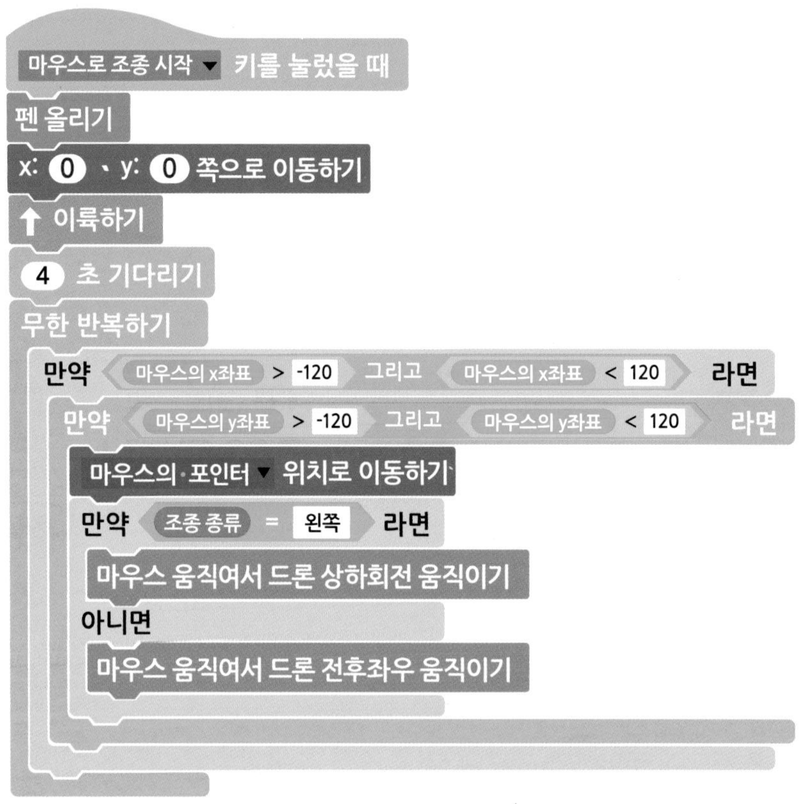
마우스로 조종 시작 키를 눌렀을 때
펜 올리기
x: 0 、y: 0 쪽으로 이동하기
이륙하기
4 초 기다리기
무한 반복하기
만약 마우스의 x좌표 > -120 그리고 마우스의 x좌표 < 120 라면
만약 마우스의 y좌표 > -120 그리고 마우스의 y좌표 < 120 라면
마우스의 포인터 위치로 이동하기
만약 조종 종류 = 왼쪽 라면
마우스 움직여서 드론 상하회전 움직이기
아니면
마우스 움직여서 드론 전후좌우 움직이기

5 키보드로 드론 조종하기

게임에서 키보드로 비행기를 움직이듯이, 드론도 움직일 수 있는 프로그램을 만들어 보겠습니다. 이륙 · 착륙 · 비상착륙을 할 수 있게 그림과 같이 코딩합니다.

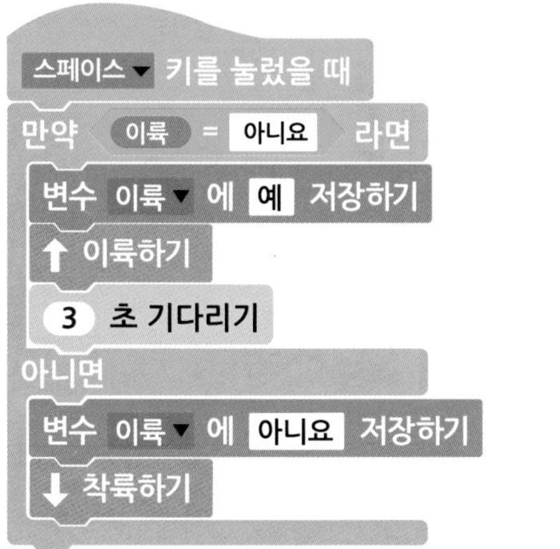
스페이스 키를 눌렀을 때
만약 이륙 = 아니요 라면
변수 이륙 에 예 저장하기
이륙하기
3 초 기다리기
아니면
변수 이륙 에 아니요 저장하기
착륙하기

```
p 키를 눌렀을 때
멈춤
```

[속도]와 [이륙] 변수를 만듭니다. [속도] 변수는 드론이 움직이는 속도를 조절합니다. [이륙] 변수는 이륙했는지, 안 했는지 알려줍니다. 이 변수를 사용하면 이륙했을 때 키보드를 누르면 움직이게 만들 수 있습니다.

```
클릭했을 때
변수 속도 에 50 저장하기
변수 이륙 에 아니요 저장하기
```

다른 방향으로 움직이려면 관성을 줄이기 위해 0으로 초기화 해야 한다고 했습니다. 키를 누르면 움직이다 누르지 않으면 멈춰야 합니다. 어떻게 하면 될까요?

```
드론 롤 값을 0 %
드론 피치 값을 0 %
드론 요우 값을 0 %
드론 쓰로틀 값을 0 %
```

〈~키를 눌렀는가?〉와 〈~이 아니다〉 블록을 사용하면 됩니다.
〈~키를 눌렀는가?〉 블록을 사용하면 선택한 키를 눌렀을 때 참이 되고, 그렇지 않으면 거짓이 됩니다.
〈~이 아니다〉 블록은 참이면 거짓, 거짓이면 참으로 바꿉니다.

스페이스▼ 키를 눌렀는가?　　　이(가) 아니다

〈W〉 키를 눌렀을 때는 〔속도〕 값만큼 위로 움직이다가 키를 떼면 멈춰야 합니다.
〈W〉 키를 누르면 〈W〉 키를 누르지 않을 때까지(키를 뗄 때까지) 〔쓰로틀〕 값을 〔속도〕 값으로 정합니다.
그리고 LED를 켜서 위로 움직이고 있다는 것을 알려줍니다.
그러다가 〈W〉 키를 떼면 더 반복하지 않고 〔쓰로틀〕 값을 0으로 정합니다.
〈S〉, 〈D〉, 〈A〉 키도 같은 방법으로 코딩합니다.

〈화살표〉 키를 누를 때도 마찬가지입니다.

잘 되는지 확인해 볼까요?

〈W〉, 〈A〉, 〈S〉, 〈D〉 키와 화살표 키를 누르니 드론이 잘 움직입니다.

〈1〉, 〈2〉, 〈3〉 키를 눌러 속도 레벨을 바꿀 수 있습니다.

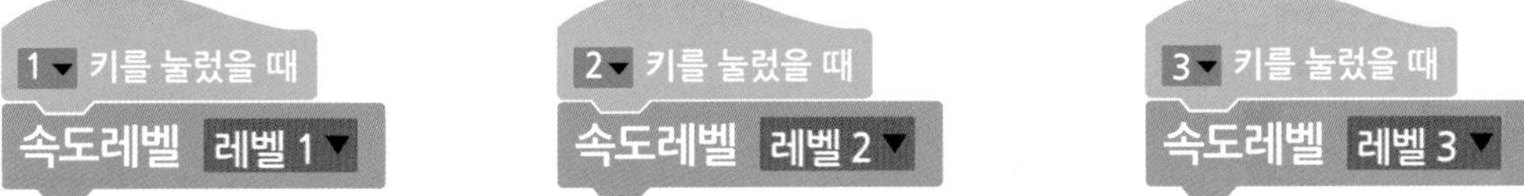

〔속도〕 변숫값도 바꾸면 좋을 것 같습니다.

〈9〉 키와 〈0〉 키를 누르면 속도가 바뀌게 합니다.

키를 눌러서 변숫값을 바꿀 때 기다리는 시간을 조금 넣어야 합니다.

그러지 않으면 컴퓨터는 매우 빠르게 일을 처리하기 때문에 변숫값이 엄청나게 커지거나 작아집니다.

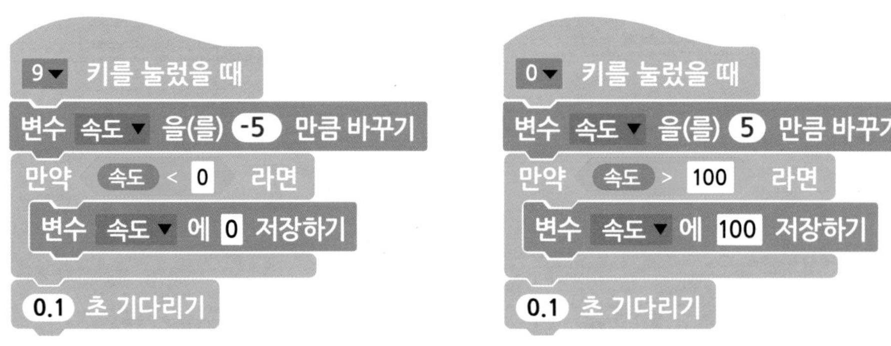

배터리가 20 이하면 LED를 깜빡이면서 착륙하게 다음과 같이 코딩합니다.

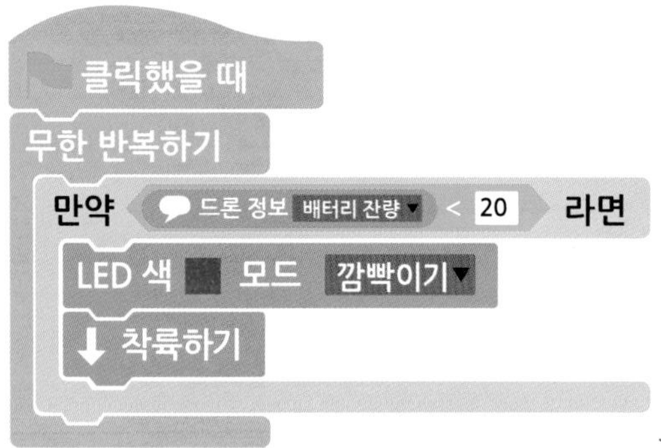

키를 누르면 더 빠르게 움직일 수 있게 프로그램을 만들 수도 있습니다.
키를 누르면 [바뀌는 값]변숫값 만큼 속도를 바꿉니다.
그렇게 바뀐 값만큼 움직이도록 함수를 사용해 코딩합니다.
변숫값을 바꿀 때 조금 기다려야 한다는 것 기억나죠?
반대로 움직이려면 −1를 곱하면 됩니다.

CODING

〈W〉 키와 〈S〉 키를 누르면 〔쓰로틀〕 값이, 〈D〉 키와 〈A〉 키는 〔요우〕 값이 바뀌게 함수를 만들어 코딩합니다.

블록 편집기

+쓰로틀+바꾸기+
만약 w 키를 눌렀는가? 라면
변수 쓰로틀 을(를) 바뀌는 값 만큼 바꾸기
만약 쓰로틀 > 100 라면
변수 쓰로틀 에 100 저장하기
드론 쓰로틀 값을 쓰로틀 %
LED 색 모드 유지하기
0.1 초 기다리기
만약 s 키를 눌렀는가? 라면
변수 쓰로틀 을(를) -1 x 바뀌는 값 만큼 바꾸기
만약 쓰로틀 < -100 라면
변수 쓰로틀 에 -100 저장하기
드론 쓰로틀 값을 쓰로틀 %
LED 색 모드 유지하기
0.1 초 기다리기

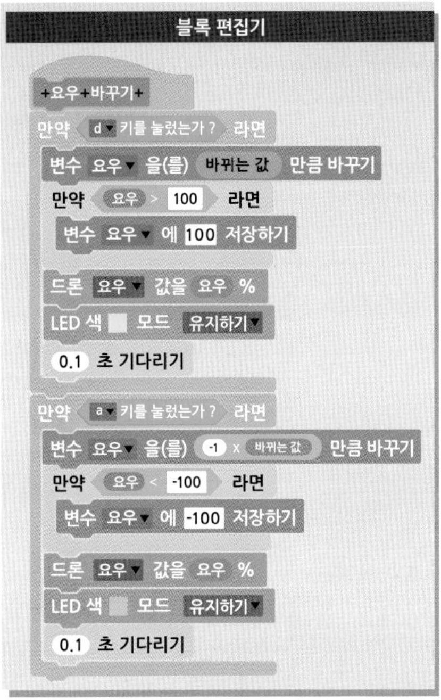
블록 편집기
+요우+바꾸기+
만약 d 키를 눌렀는가? 라면
변수 요우 을(를) 바뀌는 값 만큼 바꾸기
만약 요우 > 100 라면
변수 요우 에 100 저장하기
드론 요우 값을 요우 %
LED 색 모드 유지하기
0.1 초 기다리기
만약 a 키를 눌렀는가? 라면
변수 요우 을(를) -1 x 바뀌는 값 만큼 바꾸기
만약 요우 < -100 라면
변수 요우 에 -100 저장하기
드론 요우 값을 요우 %
LED 색 모드 유지하기
0.1 초 기다리기

〈화살표〉 키를 누르면 전후좌우로 움직일 수 있도록 코딩합니다.

블록 편집기

+피치+바꾸기+
만약 위쪽 화살표 키를 눌렀는가? 라면
변수 피치 을(를) 바뀌는 값 만큼 바꾸기
만약 피치 > 100 라면
변수 피치 에 100 저장하기
드론 피치 값을 피치 %
LED 색 모드 유지하기
0.1 초 기다리기
만약 아래쪽 화살표 키를 눌렀는가? 라면
변수 피치 을(를) -1 x 바뀌는 값 만큼 바꾸기
만약 피치 < -100 라면
변수 피치 에 -100 저장하기
드론 피치 값을 피치 %
LED 색 모드 유지하기
0.1 초 기다리기

블록 편집기

+롤+바꾸기+
만약 오른쪽 화살표 키를 눌렀는가? 라면
변수 롤 을(를) 바뀌는 값 만큼 바꾸기
만약 롤 > 100 라면
변수 롤 에 100 저장하기
드론 롤 값을 롤 %
LED 색 모드 유지하기
0.1 초 기다리기
만약 왼쪽 화살표 키를 눌렀는가? 라면
변수 롤 을(를) -1 x 바뀌는 값 만큼 바꾸기
만약 롤 < -100 라면
변수 롤 에 -100 저장하기
드론 롤 값을 롤 %
LED 색 모드 유지하기
0.1 초 기다리기

키를 눌렀을 때 〈W〉, 〈A〉, 〈S〉, 〈D〉 키나 〈화살표〉 키를 누르면 움직이고 그렇지 않으면 값을 0으로 초기화해야 합니다.
〈임의의 키를 눌렀는가?〉 블록을 사용하면 키보드의 어떤 키를 눌러도 '참'이 됩니다.
이 블록을 사용해서 다음과 같이 코딩하면 됩니다.

키를 누르고 있으면, 누른 방향으로 점점 빠르게 움직이고, 그렇지 않으면 제자리에 있습니다.

드론을 여러 방향으로 움직이는 방법을 배웠습니다. 드론을 움직이는 방법은 드론 조종에서 기초적인 내용이므로 여기에 있는 내용을 모두 잘 이해해야 합니다. 특히 드론 코딩 대회와 경주대회에서 좋은 성과를 내기 위해서는 드론을 원하는 방향으로 잘 움직여야 합니다. 이 장에서 배운 내용을 열심히 복습해서 기초 실력을 튼튼하게 쌓기 바랍니다.

	스스로 평가하기	확인
1	관성의 법칙을 이해하여 드론을 조종할 수 있습니다.	
2	원하는 방향으로 드론을 움직일 수 있습니다.	
3	마우스로 드론을 조종할 수 있습니다.	
4	키보드로 드론을 조종할 수 있습니다.	

Memo

한권으로 코딩과 드론으로 날로먹기

Chapter 8

드론 곡예비행

1. 직선 비행
2. 원 비행
3. 플립
4. 자율곡예비행

DRONE

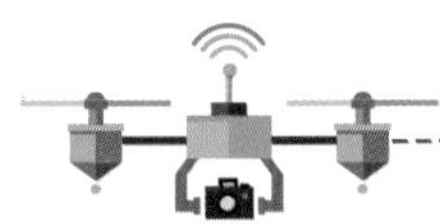

1 직선 비행

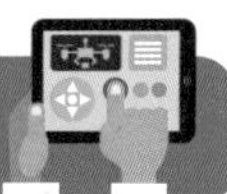

7장에서 기초적인 드론 비행방법을 배웠습니다. 배운 내용을 바탕으로 다양한 곡예비행을 해보겠습니다.
앞으로 움직이는 직선 비행 기술로 드론이 사각형을 그리면서 비행하도록 만들겠습니다.

앞에서 〈펜〉 블록으로 사각형을 그리는 방법을 배웠습니다. 드론도 마찬가지로 〔피치〕 값과 〔롤〕 값을 바꿔서 앞-오른쪽-뒤-왼쪽으로 움직여 사각형을 그리면서 비행하게 만들 수 있습니다. 방향을 바꿀 때 0으로 초기화하는 것을 잊으면 안 됩니다. 초기화하고 1초 정도 기다려도 됩니다.
드론마다 상태가 달라서 〔피치〕와 〔롤〕값을 바꾸면서 적당한 값을 찾아야 합니다.

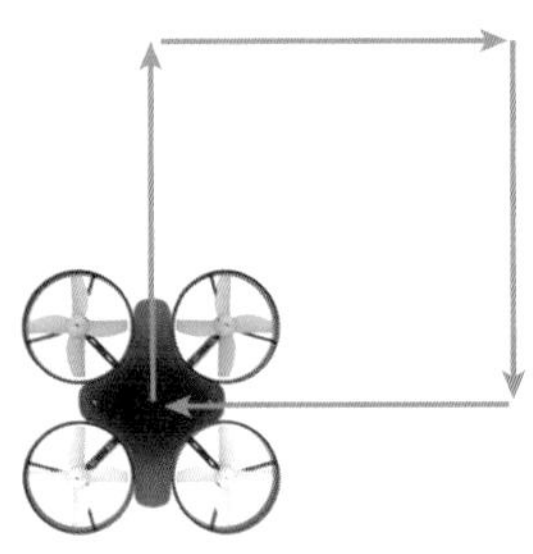

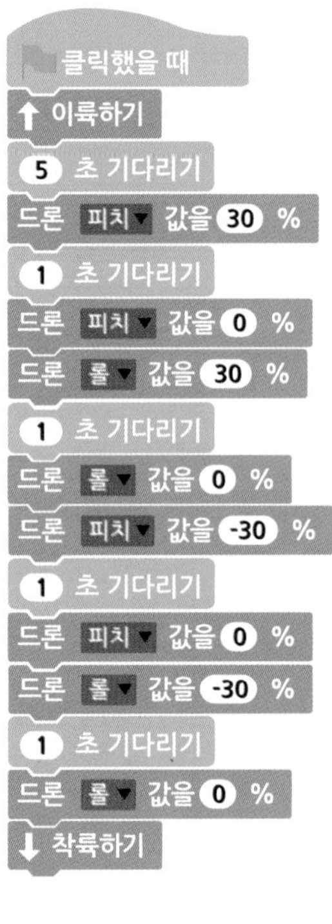

점점 큰 사각형을 그리면서 날게 해볼까요?
두 가지 방법이 있습니다.

첫 번째 방법은 비행하는 시간을 점점 길게 하는 방법입니다.
〔시간〕 변수를 만들어서 반복할 때마다 변숫값을 크게 합니다.

두 번째는 움직이는 속도를 점점 빠르게 하는 방법입니다.
〔속도〕 변수를 만들어서 반복할 때마다 변숫값을 크게 합니다.

```
클릭했을 때
변수 시간▼ 에 1 저장하기
↑ 이륙하기
5 초 기다리기
3 번 반복하기
  드론 피치▼ 값을 30 %
  시간 초 기다리기
  드론 피치▼ 값을 0 %
  드론 롤▼ 값을 30 %
  시간 초 기다리기
  드론 롤▼ 값을 0 %
  드론 피치▼ 값을 -30 %
  시간 초 기다리기
  드론 피치▼ 값을 0 %
  드론 롤▼ 값을 -30 %
  시간 초 기다리기
  드론 롤▼ 값을 0 %
  변수 시간▼ 을(를) 1 만큼 바꾸기
↓ 착륙하기
```

직선 비행으로 지그재그 모양을 만들며 날 수도 있습니다.
왼쪽 대각선 방향과 오른쪽 대각선 방향으로 번갈아 반복하면 됩니다.

움직이는 방향	코드
	롤 -15 피치 15 요우 0 쓰로틀 0
	롤 15 피치 15 요우 0 쓰로틀 0

초기화를 반드시 해줘야 합니다.

롤 0 피치 0 요우 0 쓰로틀 0

다음과 같이 코딩해서 드론이 지그재그 모양을 잘 그리는지 확인합니다.

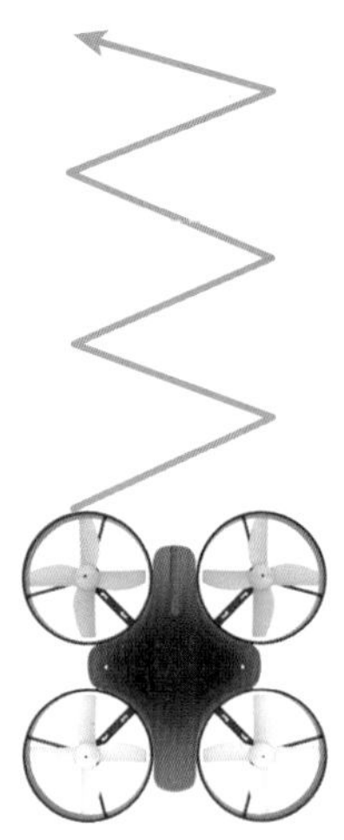

클릭했을 때
이륙하기
5 초 기다리기
3 번 반복하기
롤 15 피치 15 요우 0 쓰로틀 0
2 초 기다리기
롤 0 피치 0 요우 0 쓰로틀 0
1 초 기다리기
롤 -15 피치 15 요우 0 쓰로틀 0
2 초 기다리기
롤 0 피치 0 요우 0 쓰로틀 0
1 초 기다리기
착륙하기

2 원 비행

어떻게 하면 드론이 원을 그리면서 날 수 있을까요? 〔요우〕 값, 〔피치〕 값 또는 〔롤〕 값을 동시에 바꾸면 됩니다.

〔요우〕 값을 바꾸면 회전하는 힘으로 드론이 원을 그리며 비행합니다.

〔요우〕 값은 플러스, 〔롤〕 값을 마이너스로 정하면 드론이 시계 방향으로 회전합니다.

〔요우〕 값, 〔피치〕 값, 〔롤〕 값을 바꿔서 8가지 방법으로 원을 그릴 수 있습니다.

이것을 표로 나타내면 다음과 같습니다.

요우	피치 또는 롤	회전 방향	코 드
↻	↑	앞쪽 시계 방향	롤 0 피치 플러스 요우 플러스 쓰로틀 0
↺	↑	앞쪽 시계 반대 방향	롤 0 피치 플러스 요우 마이너스 쓰로틀 0
↻	↓	뒤쪽 시계 방향	롤 0 피치 마이너스 요우 플러스 쓰로틀 0
↺	↓	뒤쪽 시계 반대 방향	롤 0 피치 마이너스 요우 마이너스 쓰로틀 0
↻	→	오른쪽 시계 방향	롤 플러스 피치 0 요우 플러스 쓰로틀 0
↺	→	오른쪽 시계 반대 방향	롤 플러스 피치 0 요우 마이너스 쓰로틀 0
↻	←	왼쪽 시계 방향	롤 마이너스 피치 0 요우 플러스 쓰로틀 0
↺	←	왼쪽 시계 반대 방향	롤 마이너스 피치 0 요우 마이너스 쓰로틀 0

원의 크기는 어떻게 바꿀까요? 〔요우〕 값으로 원의 크기를 바꿀 수 있습니다. 〔요우〕 값이 작고 〔피치〕나 〔롤〕값이 크면 큰 원을 그립니다. 회전하는 속도보다 전후좌우로 움직이는 속도가 크기 때문에 드론이 큰 원을 반대의 경우는 작은 원을 그립니다.

원의 크기는 〔요우〕 값과 〔피치〕 값 · 〔롤〕 값의 비율에 따라 달라집니다. 만약 〔요우〕 값과 〔피치〕 값 · 〔롤〕 값이 같다면 같은 크기의 원을 그립니다. 하지만 속도가 다릅니다. 〔피치〕

값 · 〔롤〕 값이 클수록 더 빨리 원을 그립니다.

롤 60 피치 0 요우 60 쓰로틀 0　　롤 100 피치 0 요우 100 쓰로틀 0

코딩으로 원을 그리게 해볼까요? 〔롤〕 값과 〔요우〕 값, 기다리는 시간을 바꿔서 한 바퀴를 돌 수 있도록 코딩합니다.

한 바퀴 돌고 나면 모두 0으로 초기화합니다.

원 돌기를 응용하면 8자 모양을 그릴 수 있습니다. 〔속도 레벨〕을 2 이상으로 정합니다. 배터리가 50%이상 남아있는지 확인합니다. 〔롤〕값을 플러스에서 마이너스 값으로 바꾸면 오른쪽으로 시계방향 돌고, 왼쪽으로 시계방향으로 돕니다.

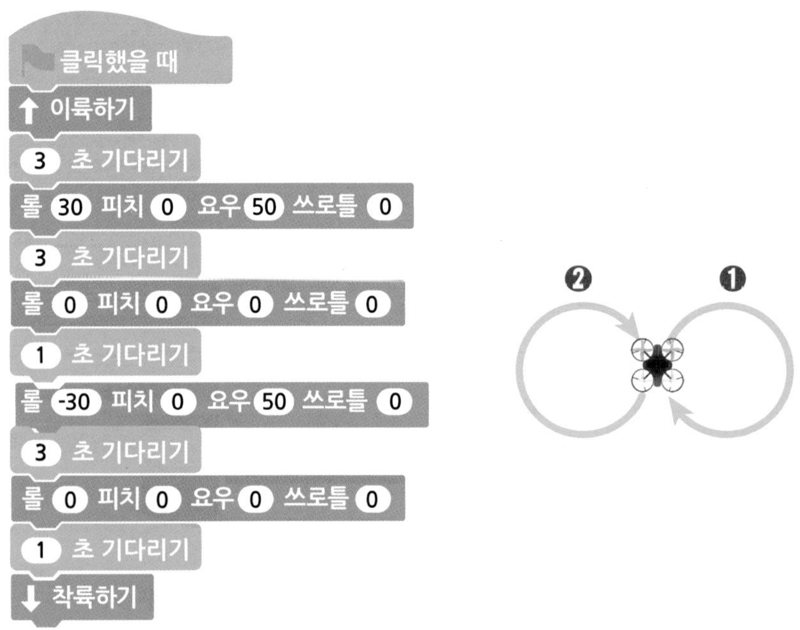
클릭했을 때
이륙하기
3 초 기다리기
롤 30 피치 0 요우 50 쓰로틀 0
3 초 기다리기
롤 0 피치 0 요우 0 쓰로틀 0
1 초 기다리기
롤 -30 피치 0 요우 50 쓰로틀 0
3 초 기다리기
롤 0 피치 0 요우 0 쓰로틀 0
1 초 기다리기
착륙하기
❷
❶

드론마다 상태가 다르기 때문에 〔롤〕과 〔요우〕값, 기다리는 시간을 바꿔서 적당한 값을 직접 찾아야 합니다.

〔요우〕값을 플러스에서 마이너스 값으로 바꿔서 돌아도 됩니다.

CODING

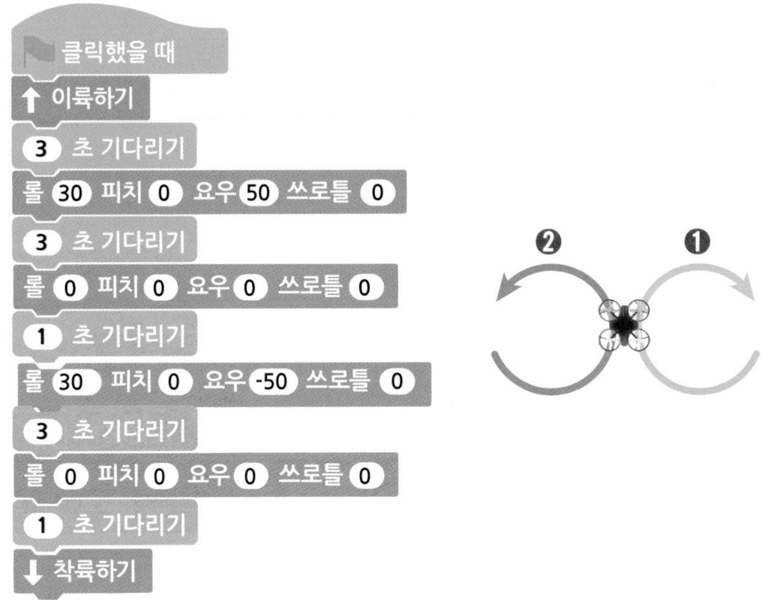
클릭했을 때
이륙하기
3 초 기다리기
롤 30 피치 0 요우 50 쓰로틀 0
3 초 기다리기
롤 0 피치 0 요우 0 쓰로틀 0
1 초 기다리기
롤 30 피치 0 요우 -50 쓰로틀 0
3 초 기다리기
롤 0 피치 0 요우 0 쓰로틀 0
1 초 기다리기
착륙하기
❷
❶

원 비행방법을 배웠습니다. 그러면 점점 더 큰 원을 그리도록 해볼까요? 〔요우〕 값이 점점 작아질수록 회전력이 작아져 더 큰 원을 그립니다. 〔속도〕 변수를 만듭니다. 이 변수가 40보다 작을 때까지 5씩 빼면서 움직이면 점점 큰 원이 그려집니다.

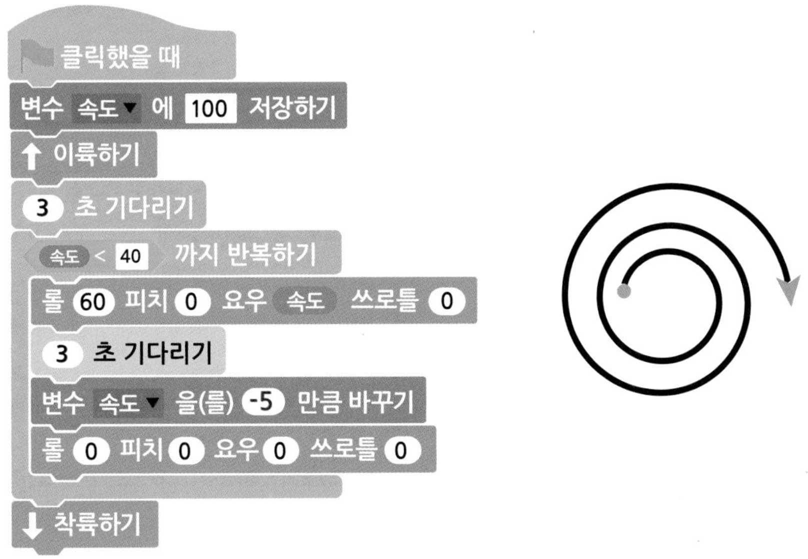
클릭했을 때
변수 속도 에 100 저장하기
이륙하기
3 초 기다리기
속도 < 40 까지 반복하기
롤 60 피치 0 요우 속도 쓰로틀 0
3 초 기다리기
변수 속도 을(를) -5 만큼 바꾸기
롤 0 피치 0 요우 0 쓰로틀 0
착륙하기

DRONE

〔쓰로틀〕 값을 플러스로 정하면 마치 회오리처럼 올라가며 큰 원을 그립니다.

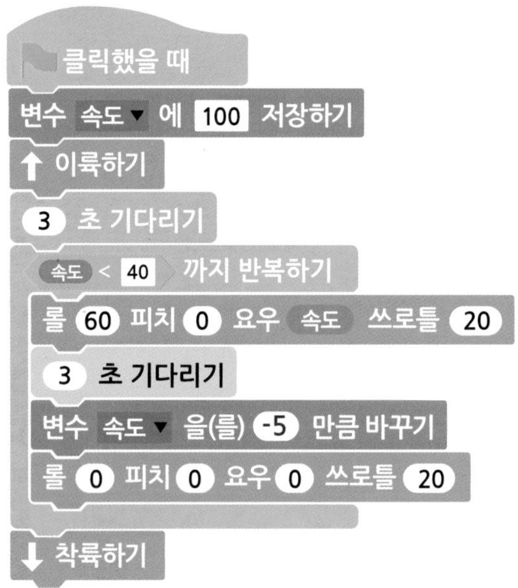
클릭했을 때
변수 속도 에 100 저장하기
이륙하기
3 초 기다리기
속도 < 40 까지 반복하기
롤 60 피치 0 요우 속도 쓰로틀 20
3 초 기다리기
변수 속도 을(를) -5 만큼 바꾸기
롤 0 피치 0 요우 0 쓰로틀 20
착륙하기

3 플립

조작하는 사람의 숙련도에 따라 드론을 자유롭게 비행할 수 있습니다. 그중에 '플립(Flip)'이라는 재주넘기가 있습니다. 플립은 드론을 뒤집는 기술입니다. 그림과 같이 X축, Y축, Z축을 중심으로 회전해서 드론을 뒤집습니다.

▌플립의 원리

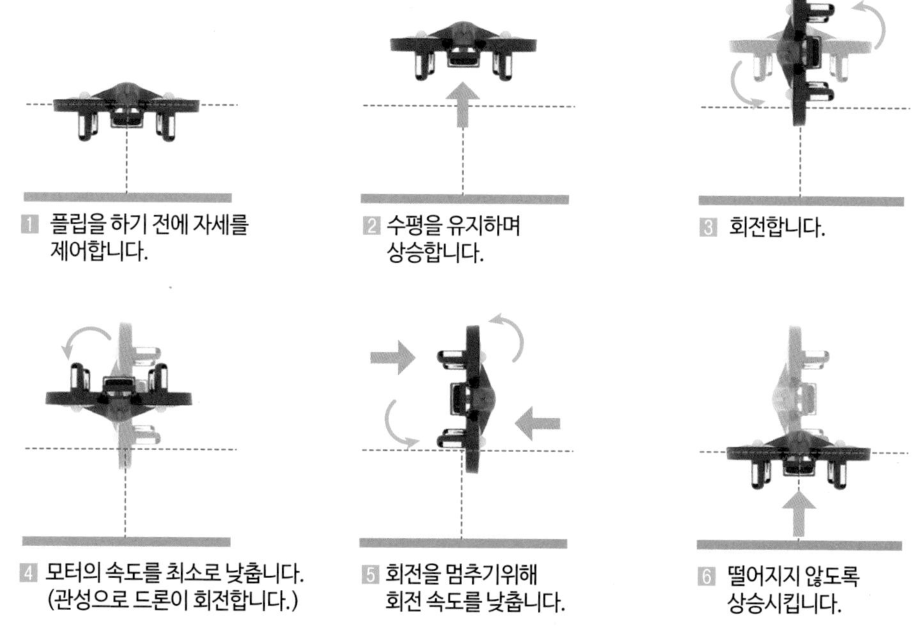

1 플립을 하기 전에 자세를 제어합니다.
2 수평을 유지하며 상승합니다.
3 회전합니다.
4 모터의 속도를 최소로 낮춥니다. (관성으로 드론이 회전합니다.)
5 회전을 멈추기위해 회전 속도를 낮춥니다.
6 떨어지지 않도록 상승시킵니다.

〈재주넘기〉 블록을 사용하면 위와 같이 어렵게 조종하지 않아도 드론을 뒤집을 수 있습니다.

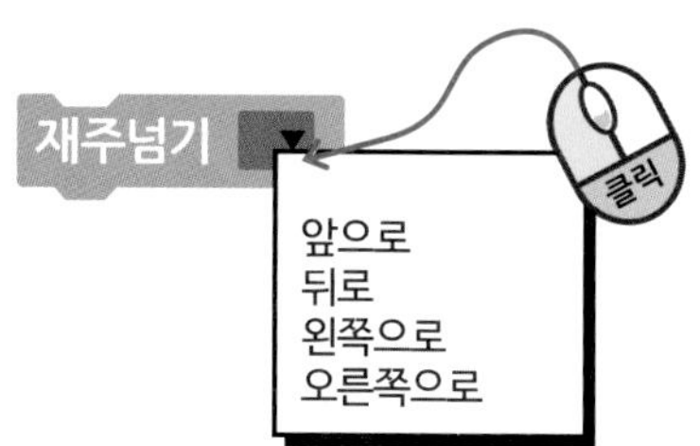

아래 그림처럼 움직이려면 어떻게 코딩해야 할까요?

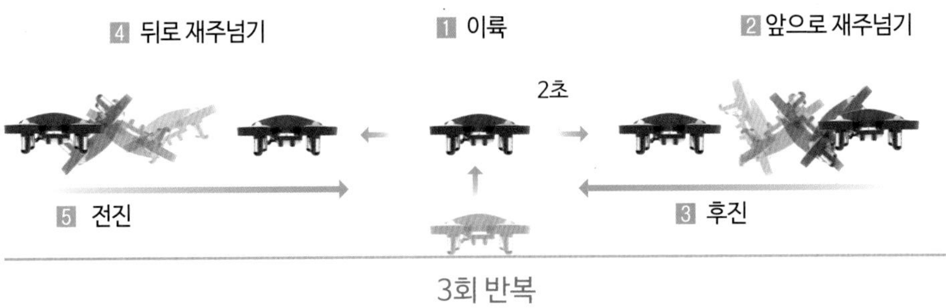

앞으로 갔다가 멈추고 앞으로 재주 넘고, 뒤로 왔다가 멈추고 뒤로 재주 넘으면 됩니다. 다음과 같이 코딩하면 됩니다.

키보드로 드론을 조종할 때 다음의 코드를 더 넣으면 〈T〉, 〈F〉, 〈G〉, 〈H〉 키로 플립을 할 수 있습니다.

```
f▼ 키를 눌렀을 때
재주넘기 왼쪽으로▼
1 초 기다리기
```

```
t▼ 키를 눌렀을 때
재주넘기 앞으로▼
1 초 기다리기
```

```
g▼ 키를 눌렀을 때
재주넘기 뒤로▼
1 초 기다리기
```

```
h▼ 키를 눌렀을 때
재주넘기 오른쪽으로▼
1 초 기다리기
```

4 자율곡예비행

지금까지 배운 기초 비행과 곡예비행 코드를 합쳐서 자율곡예비행 프로그램을 만들어 보겠습니다.
난수를 사용해서 수를 하나 고르고 그 값에 따라서 다르게 움직여서 자율곡예비행을 하도록 코딩하겠습니다.
〔속도〕 변수에 따라 다른 크기의 사각형을 그리며 비행하도록 〈사각형 그리기〉 함수를 만듭니다.

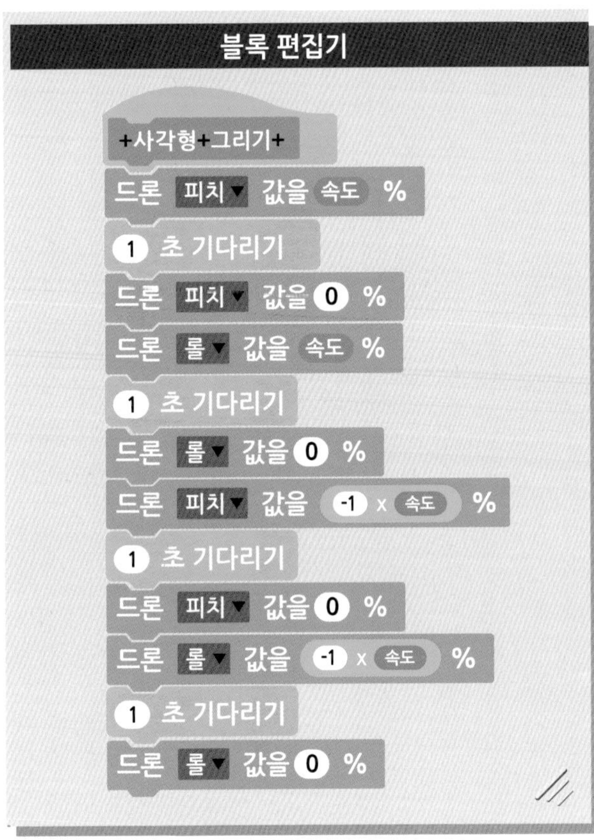

〔속도〕 변수에 따라 지그재그 모양이 달라지도록 〈지그재그〉 함수를 만듭니다.

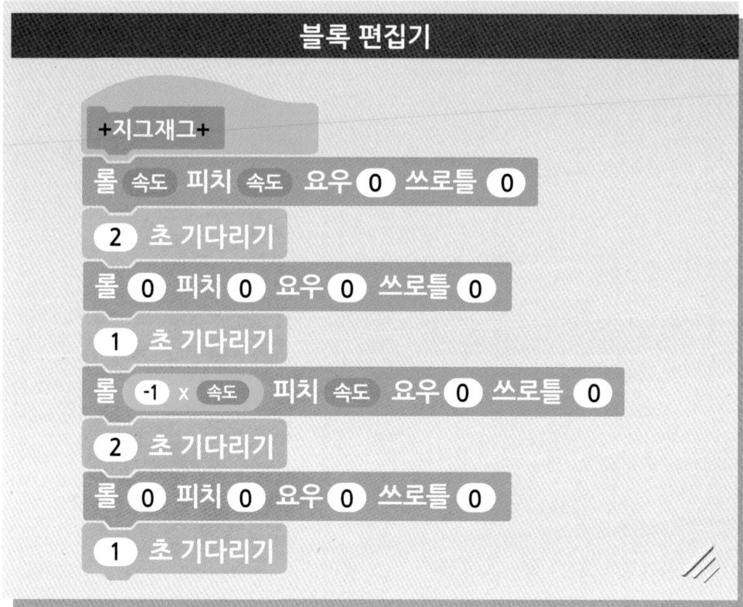

그리고 원 비행을 할 수 있게 그림과 같이 함수를 만듭니다.
〔요우〕 값과 〔피치〕 값 · 〔롤 〕값의 비율이 달라지게 난수를 곱합니다.
범위를 소수로 정하면 난수로 소수를 정할 수 있습니다.

왼쪽으로 회전해야 하니 값에 -1를 곱합니다.
이와 같은 방법으로 원 비행하기 함수를 만듭니다.

블록 편집기
+시계방향+왼쪽+원+돌기+
롤 -1 x 속도 x 0.5 부터 1.5 사이의 난수 피치 0 요우 속도 쓰로틀 0
3 초 기다리기
롤 0 피치 0 요우 0 쓰로틀 0
1 초 기다리기

블록 편집기

+시계방향+오른쪽+원+돌기+
롤 속도 x 0.5 부터 1.5 사이의 난수 피치 0 요우 속도 쓰로틀 0
3 초 기다리기
롤 0 피치 0 요우 0 쓰로틀 0
1 초 기다리기

블록 편집기

+시계반대방향+왼쪽+원+돌기+
롤 -1 x 속도 x 0.5 부터 1.5 사이의 난수 피치 0 요우 -1 x 속도 쓰로틀 0
3 초 기다리기
롤 0 피치 0 요우 0 쓰로틀 0
1 초 기다리기

블록 편집기

+시계반대방향+오른쪽+원+돌기+
롤 속도 x 0.5 부터 1.5 사이의 난수 피치 0 요우 -1 x 속도 쓰로틀 0
3 초 기다리기
롤 0 피치 0 요우 0 쓰로틀 0
1 초 기다리기

〔비행종류〕 변수를 만들고 1부터 12 사이에서 값을 하나 정합니다.

이 변숫값에 따라 비행하는 방법이 달라집니다.

```
변수 비행종류▼ 에 (1 부터 12 사이의 난수) 저장하기
```

〈기본 비행하기〉 함수를 만들고 위-아래로 움직이는 〔쓰로틀〕은 제외하고 나머지 값으로 비행하는 방법을 정합니다.

```
블록 편집기
+기본+비행하기+
만약 (비행종류) = 1 라면
  드론 요우▼ 값을 (속도) %
  (비행시간) 초 기다리기
만약 (비행종류) = 2 라면
  드론 요우▼ 값을 (-1 x 속도) %
  (비행시간) 초 기다리기
만약 (비행종류) = 3 라면
  드론 피치▼ 값을 (속도) %
  (비행시간) 초 기다리기
만약 (비행종류) = 4 라면
  드론 피치▼ 값을 (-1 x 속도) %
  (비행시간) 초 기다리기
만약 (비행종류) = 5 라면
  드론 롤▼ 값을 (속도) %
  (비행시간) 초 기다리기
만약 (비행종류) = 6 라면
  드론 롤▼ 값을 (-1 x 속도) %
  (비행시간) 초 기다리기
```

〈곡예비행하기〉 함수를 만들고 앞에서 만들었던 함수를 합쳐서 코딩합니다.

일정 시간 동안만 자율곡예비행 하게 만들겠습니다. 〈관찰〉 팔레트에 보면 〈타이머 초기화〉 블록이 있습니다. 타이머는 프로그램을 시작한 지 얼마나 됐는지 시간을 알려줍니다. 〈타이머〉를 선택하면 무대에 시간을 알려주는 [타이머]가 나옵니다.

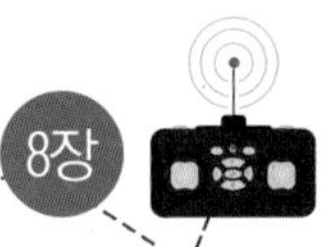

30초가 동안 자율곡예비행을 할 수 있도록 〔타이머〕가 30보다 클 때까지 반복합니다. 〔비행종류〕, 〔비행시간〕, 〔속도〕 변수를 난수로 정합니다. 그러면 이 값에 따라 드론이 다르게 비행합니다. 〔비행시간〕, 〔속도〕 변수의 범위를 너무 크게 정하면 벽에 부딪힐 수 있습니다. 드론을 날리는 공간의 크기를 생각해서 범위를 정해야 합니다.

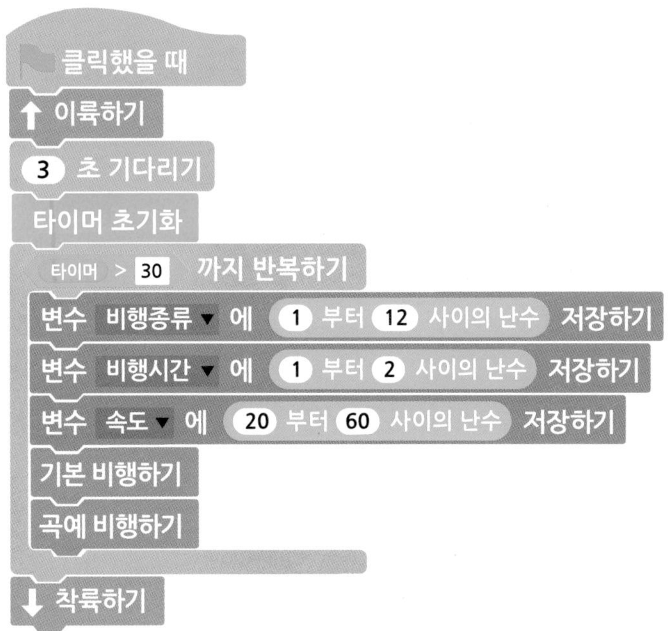

드론으로 다양한 곡예비행 방법을 배웠습니다. 시뮬레이터로 교재에 없는 자신만의 곡예비행방법을 연습하고 직접 코딩을 해보면 드론 조종의 즐거움을 느낄 수 있을 것입니다.
시뮬레이터와 실제 드론을 날리는 환경은 아주 다릅니다. 그래서 시뮬레이터에서는 잘 작동하지만, 실제 코딩하면 잘 안 되는 경우가 생길 수 있습니다. 다양한 방법으로 문제를 해결하려고 노력하다 보면 코딩 실력이 어느새 쑥쑥 늘 것입니다.

	스스로 평가하기	확인
1	직선 운동으로 곡예비행을 할 수 있습니다.	
2	원 모양을 그리면서 비행하도록 코딩할 수 있습니다.	
3	플립의 개념을 이해할 수 있습니다.	
4	난수를 사용해서 자율곡예비행 프로그램을 만들 수 있습니다.	

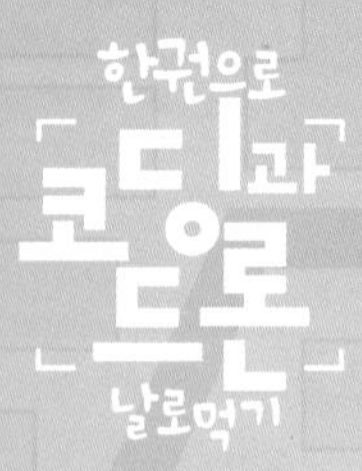
한권으로
코딩과
드론
날로먹기

DRONE

SCRATCH

컨트롤러로 코딩하기

1. 컨트롤러 살펴보기
2. 컨트롤러로 스프라이트 움직이기
3. 컨트롤러 코딩하기

DRONE

1 컨트롤러 살펴보기

로킷 브릭은 조종기를 사용해서 코딩할 수 있습니다. 이 조종기를 '컨트롤러'라고 합니다. 컨트롤러를 보면 여러 가지 버튼과 조이스틱이 있습니다. 이 버튼과 조이스틱으로 드론을 조종할 수 있고, 로킷 브릭에서 코딩도 할 수 있습니다.

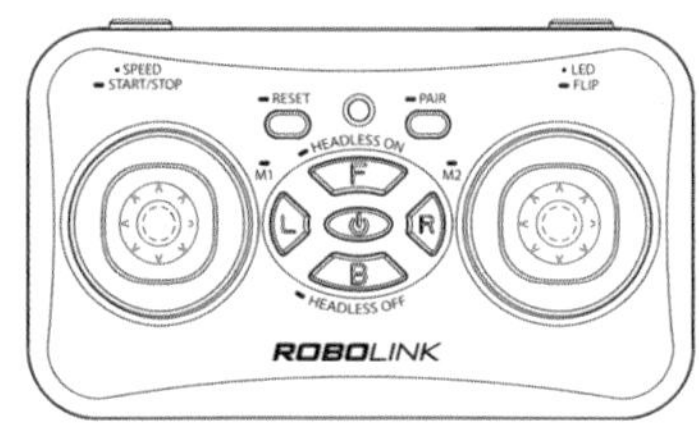

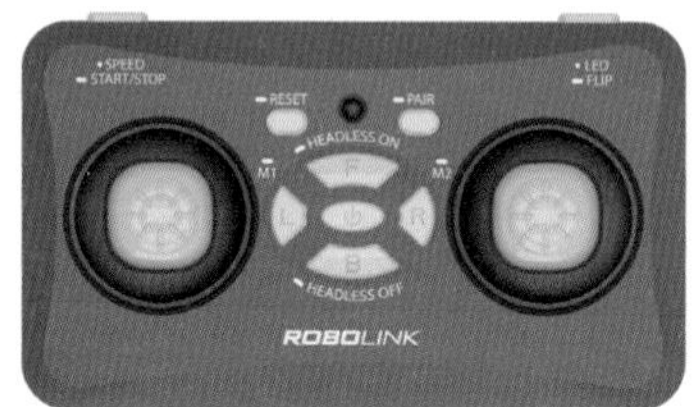

SPEED와 START/STOP으로 표기된 버튼은 〈L1〉입니다. LED와 FLIP으로 표기된 버튼은 〈R1〉입니다.

조이스틱은 그림처럼 8개의 방향이 있습니다.

조이스틱이 향하는 방향을 줄임말로 알려줍니다.

T는 Top으로 '위'를, B는 Bottom으로 '아래'를 나타냅니다.

R과 L은 각각 Right(오른쪽), Left(왼쪽)를 나타냅니다.

M은 Middle로 '가운데'를 뜻합니다. TM은 '위의 가운데'라는 뜻입니다. 조이스틱이 가운데 있을 때는 CN(CeNter)입니다.

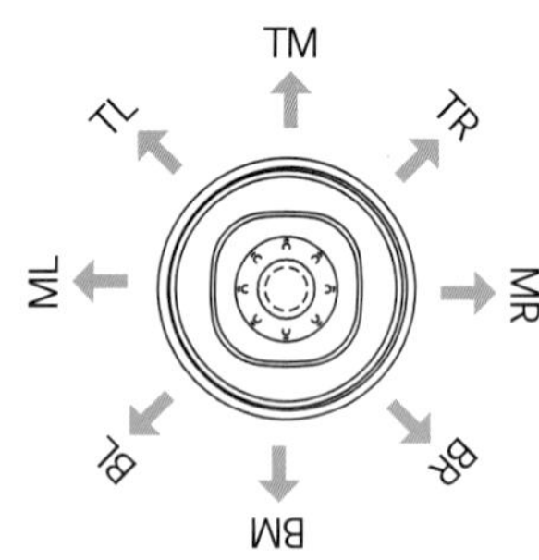

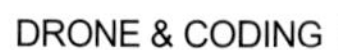

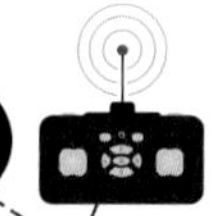

〈조종기〉 팔레트에서 조종기와 관련된 블록을 사용할 수 있습니다.

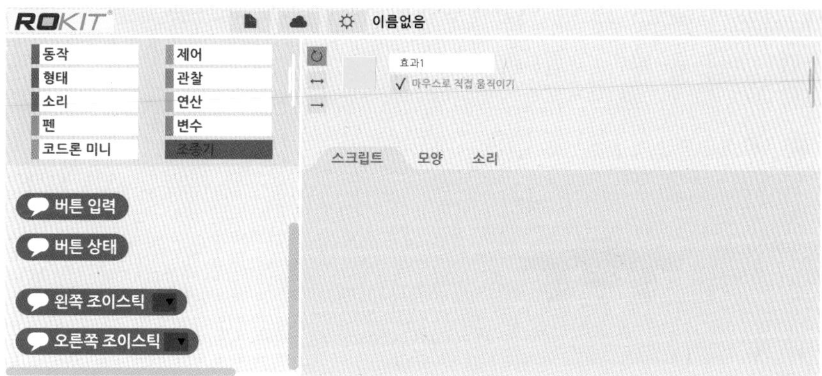

〈조종기〉 팔레트에 있는 블록을 표로 정리했습니다.

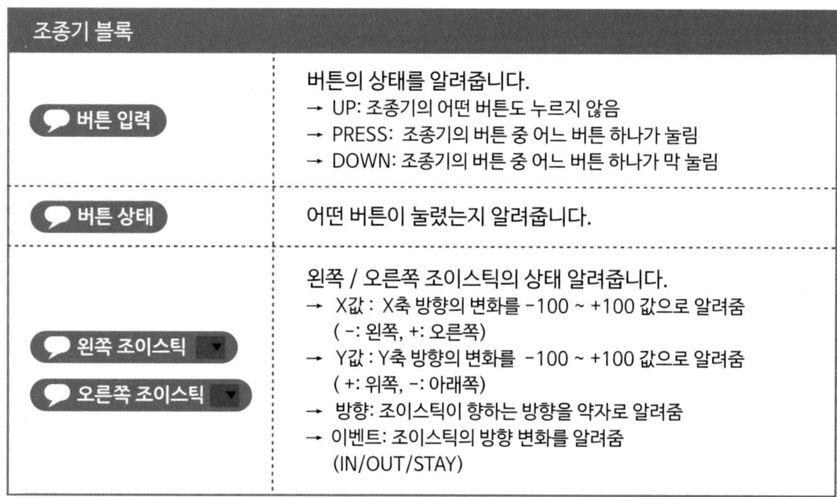

조종기 블록	
버튼 입력	버튼의 상태를 알려줍니다. → UP: 조종기의 어떤 버튼도 누르지 않음 → PRESS: 조종기의 버튼 중 어느 버튼 하나가 눌림 → DOWN: 조종기의 버튼 중 어느 버튼 하나가 막 눌림
버튼 상태	어떤 버튼이 눌렸는지 알려줍니다.
왼쪽 조이스틱 오른쪽 조이스틱	왼쪽 / 오른쪽 조이스틱의 상태 알려줍니다. → X값 : X축 방향의 변화를 -100 ~ +100 값으로 알려줌 (-: 왼쪽, +: 오른쪽) → Y값 : Y축 방향의 변화를 -100 ~ +100 값으로 알려줌 (+: 위쪽, -: 아래쪽) → 방향: 조이스틱이 향하는 방향을 약자로 알려줌 → 이벤트: 조이스틱의 방향 변화를 알려줌 (IN/OUT/STAY)

드론의 정보와 센서값을 확인할 때처럼 〈~말하기〉 블록을 사용합니다.

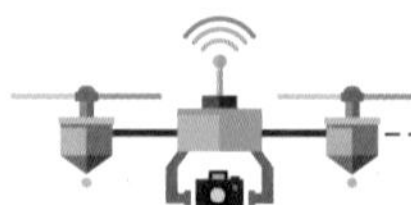

다음과 같이 코딩하면 어떤 버튼을 눌렀는지 알 수 있습니다.

처음 시작하면 아무것도 누르지 않았으므로 'NONE'이라고 말합니다. 버튼을 누르면, 버튼에서 손을 떼도 방금 눌렀던 버튼을 계속 말합니다.

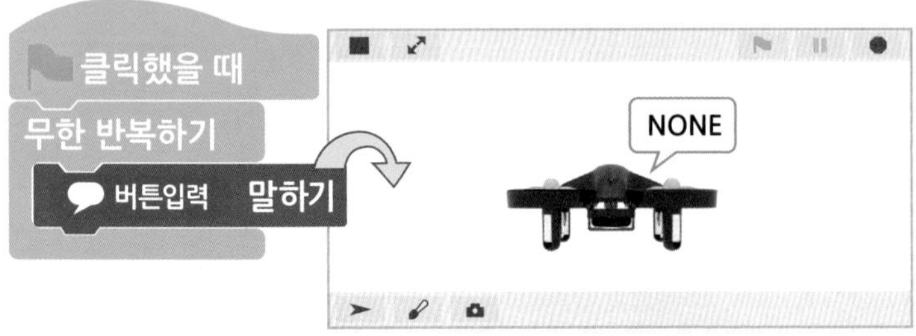

〈버튼 상태〉로 컨트롤러의 버튼의 상태를 알 수 있습니다.

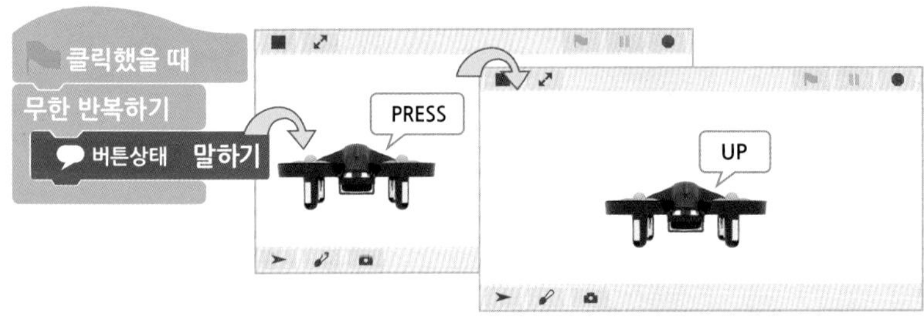

버튼을 누르는 중에 아주 잠깐 'DOWN'이라고 말합니다. 〈버튼 상태〉 블록을 사용해서 아래와 같이 코딩할 수도 있습니다.

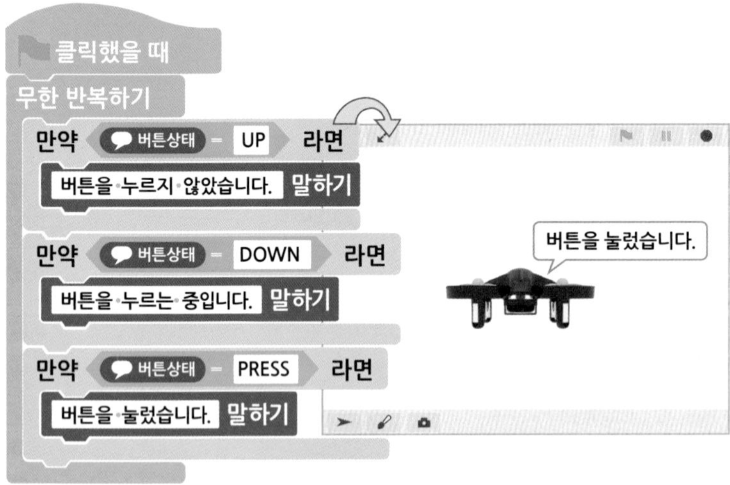

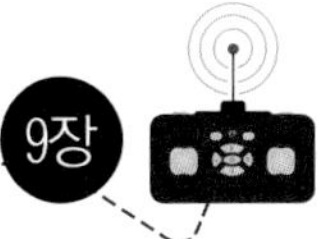

드론을 조종할 때 많이 사용하는 왼쪽과 오른쪽 조이스틱입니다.

왼쪽 조이스틱을 움직여서 [x값]을 확인해 봅시다.

왼쪽 조이스틱을 움직여서 [방향]을 확인해 봅시다.

리스트를 사용해서 스프라이트가 말한 방향대로 왼쪽 조이스틱을 움직이는 프로그램을 만들어 보겠습니다.

리스트는 여러 값을 저장할 수 있는 변수와 같은 것입니다. 변수는 값을 하나만 저장할 수 있지만, 리스트는 값을 여러 개 저장할 수 있습니다. 그리고 그 값을 순서(Index)를 사용해서 관리합니다.

하얀색 칸에 저장하고 싶은 값을 넣습니다. 값을 더 저장하고 싶으면 ▶를 클릭합니다.

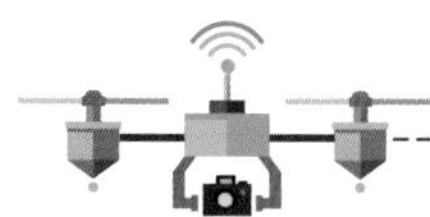

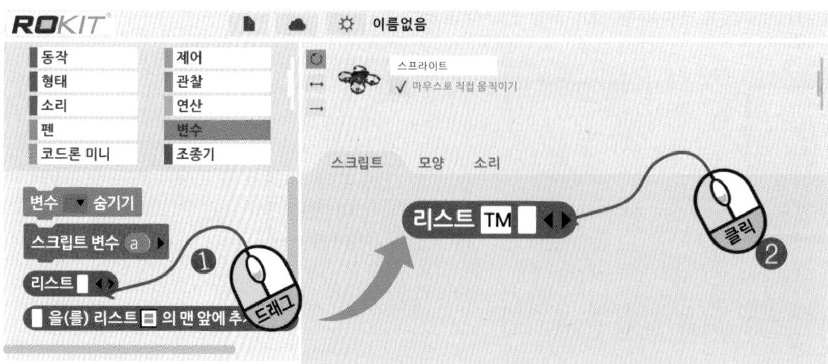

그림과 같이 조이스틱 방향을 나타내는 줄임말을 넣습니다. 8개가 들어가서 '길이'가 8이 됩니다.

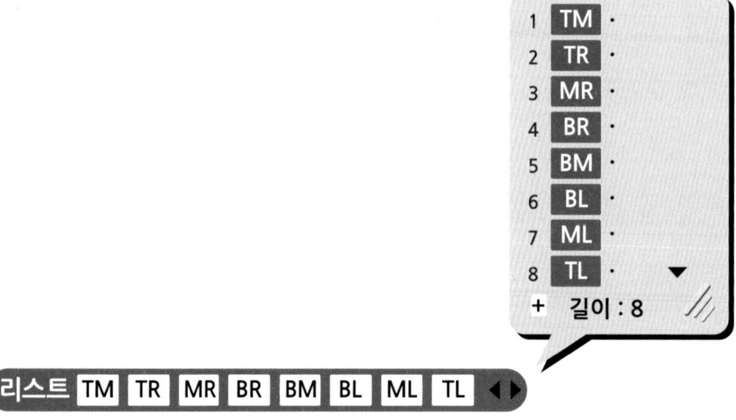

다음의 블록을 사용하면 리스트의 몇 번째에 어떤 값이 들어있는지 확인할 수 있습니다.

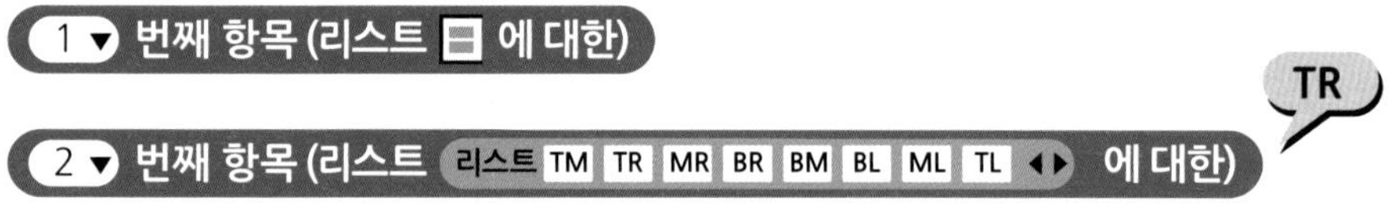

다음의 블록으로는 리스트에 들어있는 값의 개수를 알 수 있습니다.

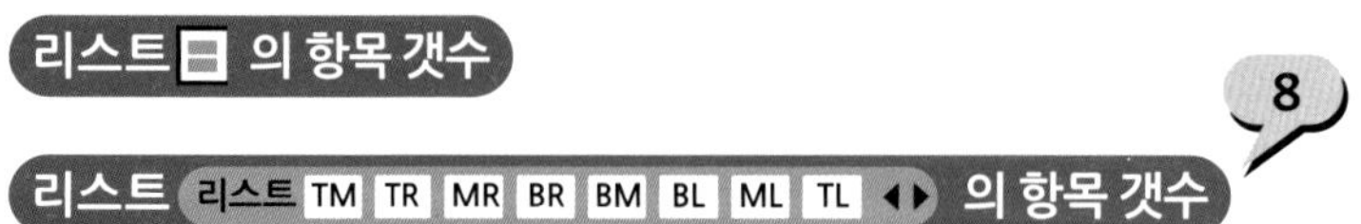

다음과 같이 코딩하면 리스트에서 값을 하나 고를 수 있습니다.

조이스틱의 방향을 묻고 3초 안에 조이스틱을 움직입니다. 만약 방향이 맞으면 '정답입니다.'라고 말하고 그렇지 않으면 '틀렸습니다.'라고 말합니다.
〈결합하기〉 블록을 사용해서 문제를 냅니다. 〈결합하기〉 블록은 글자 등을 합쳐줍니다.
예를 들어 '안녕'과 '드론'을 결합하면 '안녕드론'이 됩니다.

이 프로그램으로 조이스틱의 방향을 잘 익히길 바랍니다.

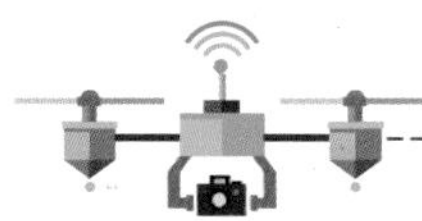

2 컨트롤러로 스프라이트 움직이기

컨트롤러로 스프라이트를 움직여 그림을 그리는 프로그램을 만들어 보겠습니다. 다음과 같이 코딩하면 왼쪽 조이스틱으로 스프라이트를 움직일 수 있습니다.

그림처럼 〈만약 ~라면〉 블록을 사용해도 됩니다.

오른쪽 조이스틱으로 펜의 색깔과 굵기를 바꿀 수 있게 합니다.

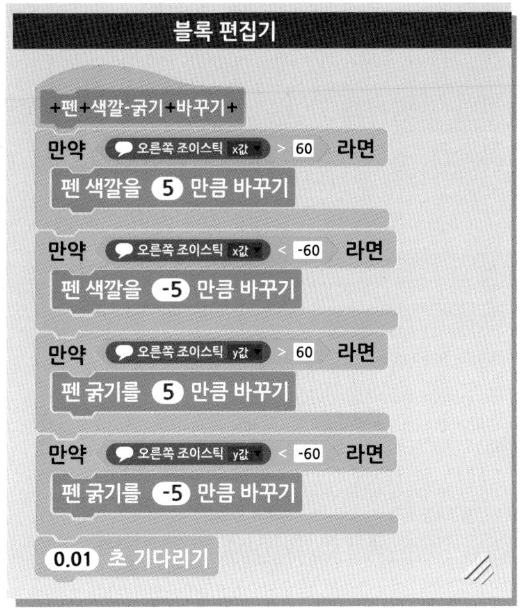

하면 왼쪽-오른쪽 조이스틱을 움직여서 그림을 그릴 수 있습니다.

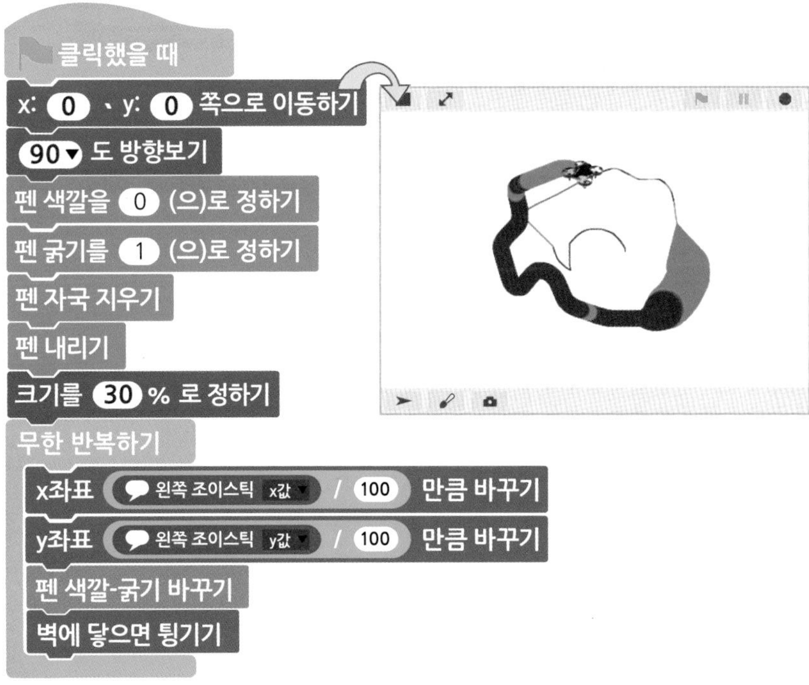

버튼을 눌러서 펜 기능을 사용할 수 있게 코딩을 더 해보겠습니다.

여기서 '논리 연산자'에 관해 간단히 배워보겠습니다. '그리고'는 모든 조건이 만족할 때 '참'이 됩니다. '또는'은 조건 중에 하나만 만족하면 '참'이 됩니다. 예를 들어 '남자 〈그리고〉 축구선수인 사람'이면 남자이면서 축구선수인 사람을 말합니다. '여자 축구선수'면 '거짓'이 됩니다. '남자 〈또는〉 축구선수인 사람'이면 남자이거나 축구선수인 사람을 말합니다. '여자 축구선수'는 '참'이 되겠죠?

〔버튼 입력〕에는 방금 눌렀던 값이 저장되어 있습니다. 버튼을 눌렀을 때 어떤 명령을 실행하려면 그림과 같이 〈그리고〉 블록을 사용합니다.

〈펜 기능 정하기〉 함수를 만들고 누른 버튼에 따라서 다른 펜 기능을 사용할 수 있도록 코딩합니다.

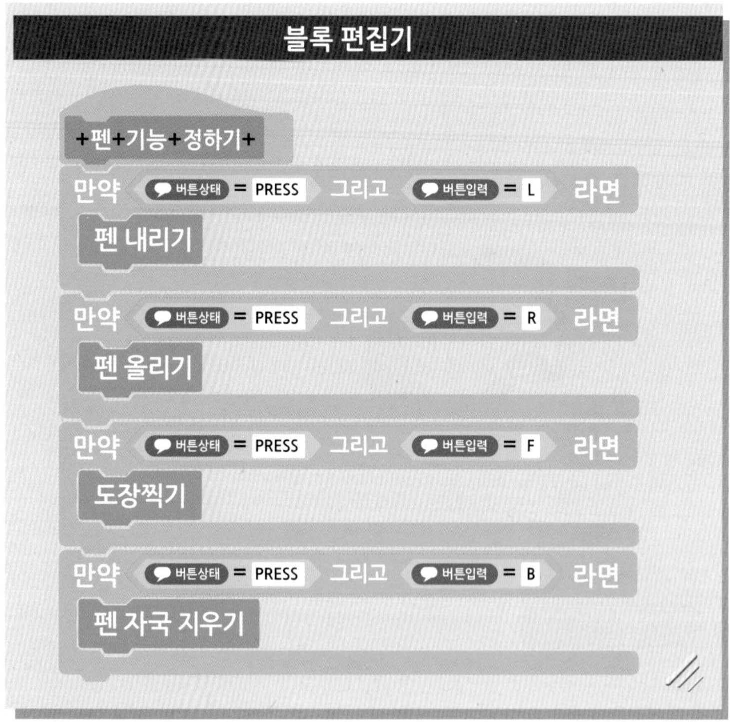

〈도장찍기〉는 무대에 스프라이트와 같은 모양을 마치 도장처럼 찍어서 표시합니다. 이제 만든 함수를 합쳐서 코드를 완성합니다.

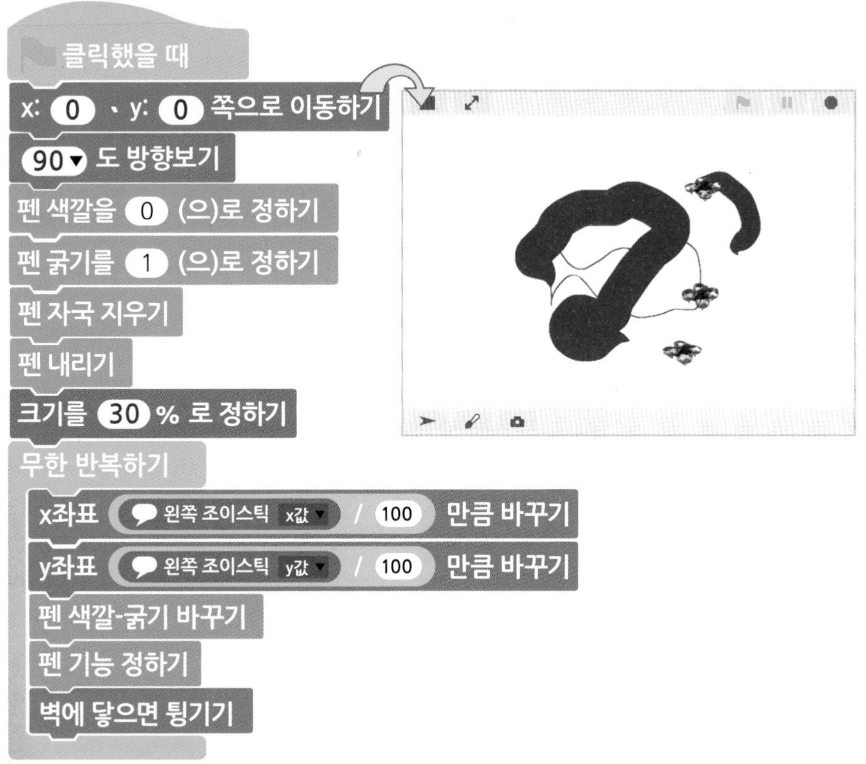

잘 되는지 확인해 볼까요? 조이스틱과 버튼으로 다음과 같이 그림을 그릴 수 있습니다. 여러분도 피카소처럼 멋진 그림을 그려보면 어떨까요?

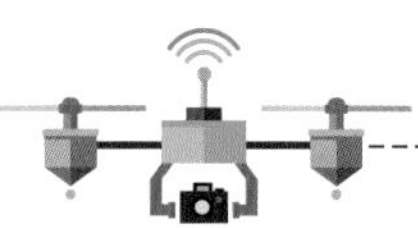

3 컨트롤러 코딩하기

로킷 브릭으로 컨트롤러 코딩해서 드론을 조종하겠습니다. [이륙] 변수를 만들고 '예'일 때만 움직이게 코딩하겠습니다.

오른쪽 그림은 빈칸에 조건을 넣고, 조건을 만족하면 아래 연결된 블록을 실행하는 블록입니다.

〈R1〉 버튼을 누르면 드론이 이륙합니다.
그리고 〈조종 시작하기〉 메시지를 보내고 기다립니다.

〈L1〉 버튼을 누르면 착륙하고 여러 값을 초기화합니다.
L1을 누르면(착륙 시) 롤/피치/요우/쓰로틀 값을 0으로 놓는 이유는 다음에 실행할 때 전에 실행했던 오일러 값들이 비행에 영향을 미칠 수

when 버튼상태 = PRESS 그리고 버튼입력 = L1
변수 이륙 에 아니요 저장하기
착륙하기
롤 0 피치 0 요우 0 쓰로틀 0
3 초 기다리기

있기 때문입니다. 0으로 초기화하지 않으면 남아있는 값들 때문에 다시 이륙할 때 의도하지 않은 방향으로 드론이 움직일 수 있습니다.

〈조종 시작하기〉 메시지를 받으면 〔이륙〕 변숫값이 '아니오'가 될 때까지 조이스틱을 움직여서 드론을 조종합니다.

〈F〉, 〈B〉, 〈L〉, 〈R〉 키로 트림을 해야 합니다. 호버링이 잘 안되면 드론이 원하는 대로 움직이지 않습니다. 버튼을 눌러 값을 바꿀 때는 조금 기다리는 시간을 넣어야 값이 갑자기 커지거나 작아지지 않습니다.

코드를 합쳐서 다음과 같이 코딩합니다.

그러면 조이스틱으로 움직일 수도 있고, 버튼으로 트림도 할 수 있습니다.

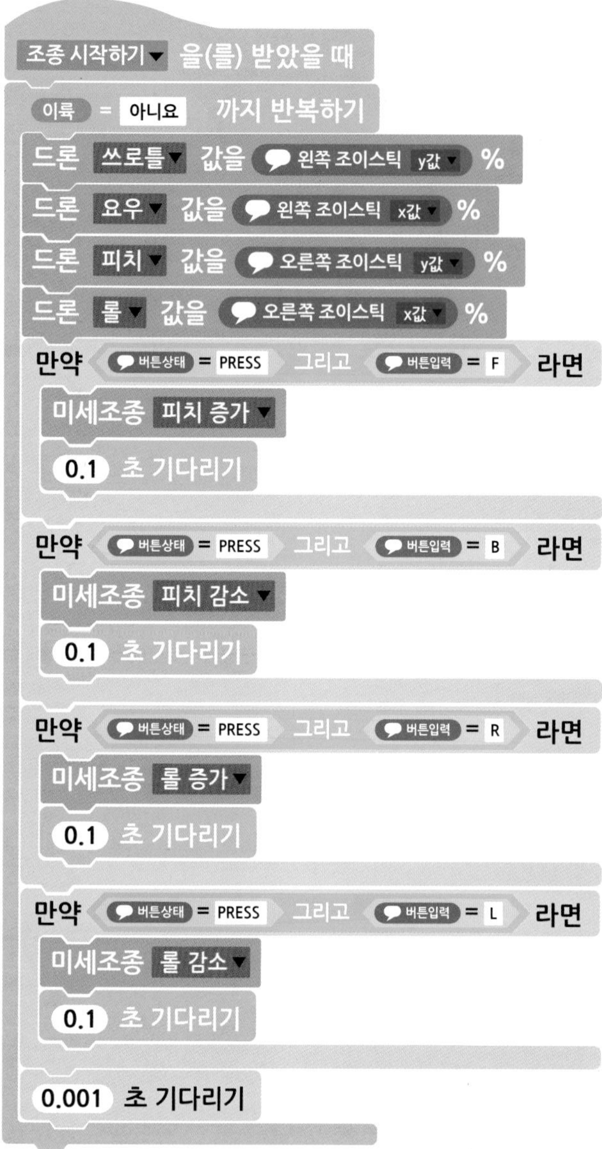

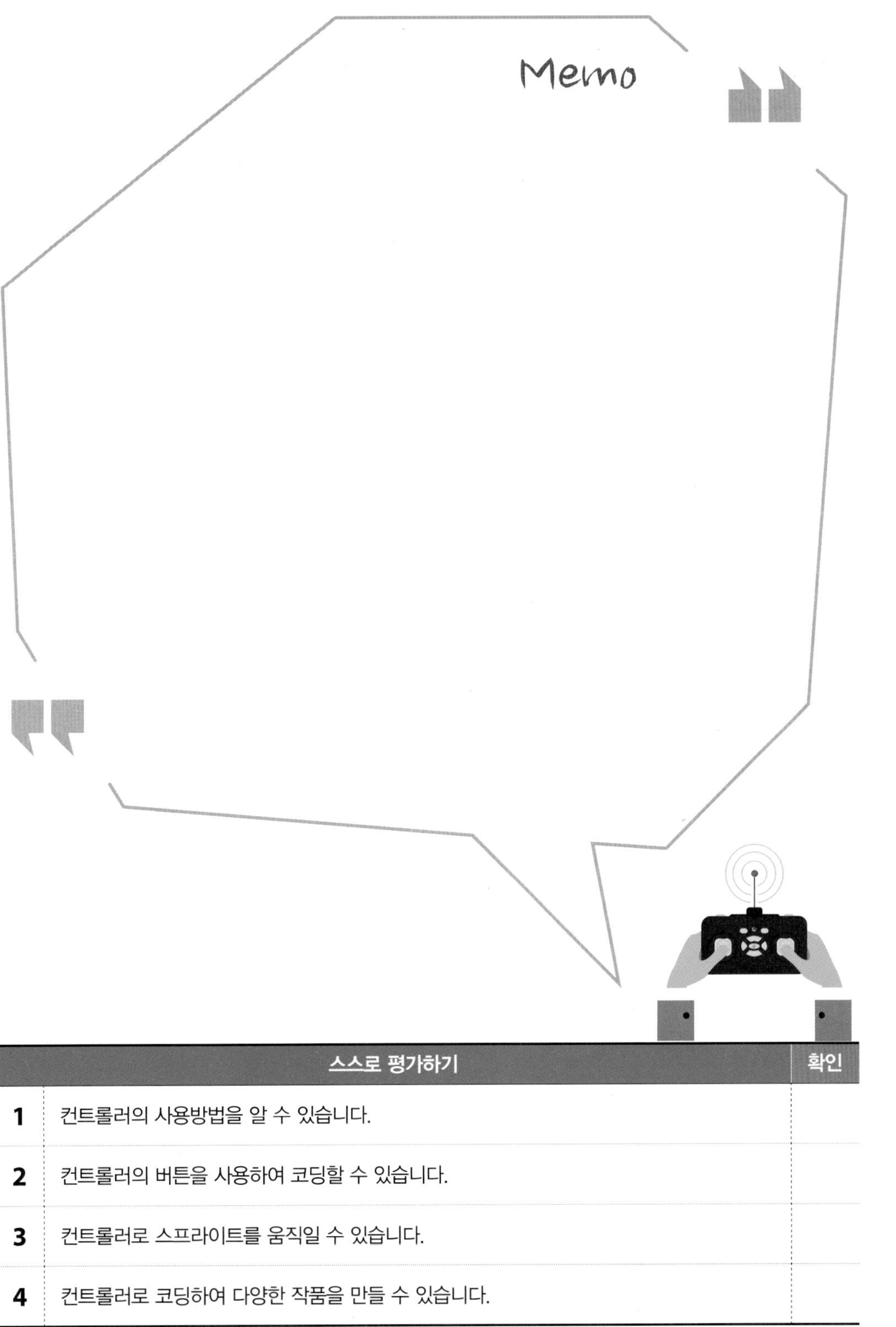

스스로 평가하기		확인
1	컨트롤러의 사용방법을 알 수 있습니다.	
2	컨트롤러의 버튼을 사용하여 코딩할 수 있습니다.	
3	컨트롤러로 스프라이트를 움직일 수 있습니다.	
4	컨트롤러로 코딩하여 다양한 작품을 만들 수 있습니다.	

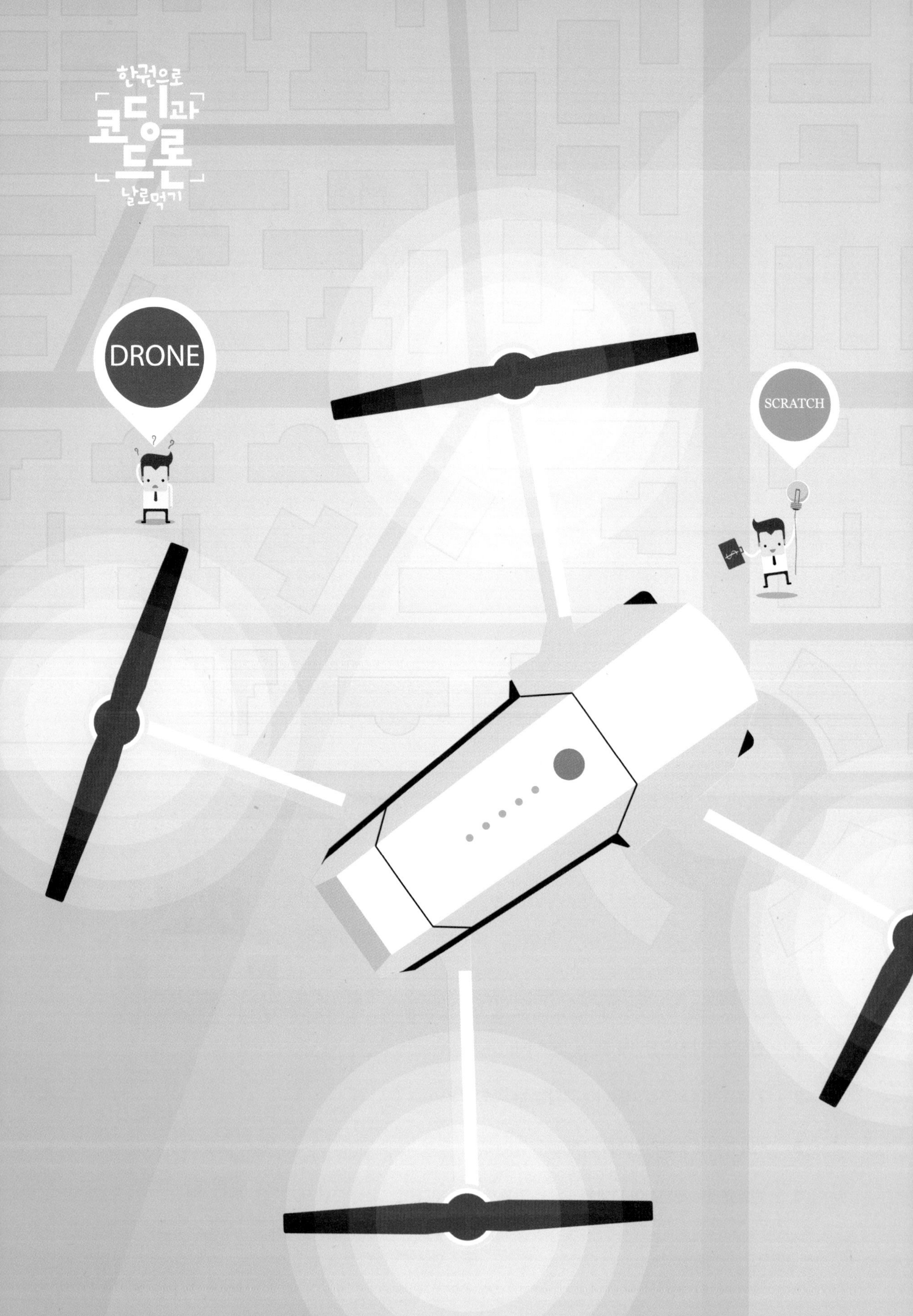

한권으로
코딩과 드론
날로먹기
DRONE
SCRATCH

Chapter
10

드론 군집비행

1. 군집비행 시작하기
2. 이륙과 착륙
3. 패턴비행
4. 키보드로 움직이기
5. 군집비행 코딩하기

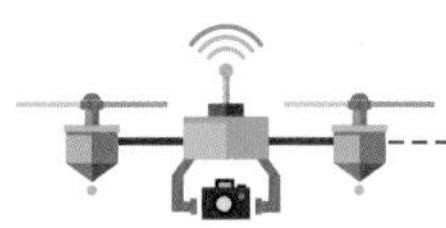

1 군집비행 시작하기

로킷 브릭 프로그램에 컨트롤러를 여러 개 연결할 수 있고 각각의 컨트롤러를 사용해서 게임 등을 만들 수 있습니다. 이런 기능을 활용하면 하나의 컴퓨터로 여러 대의 드론을 조종할 수 있습니다. 이렇게 하나의 컴퓨터를 사용하여 여러 개의 드론을 조종하는 것을 '군집드론' 이라고 합니다.

각각의 컨트롤러는 5핀 USB 케이블로 컴퓨터와 연결합니다. 여러 개의 USB 케이블을 연결할 때 멀티포트를 사용하면 편리합니다.

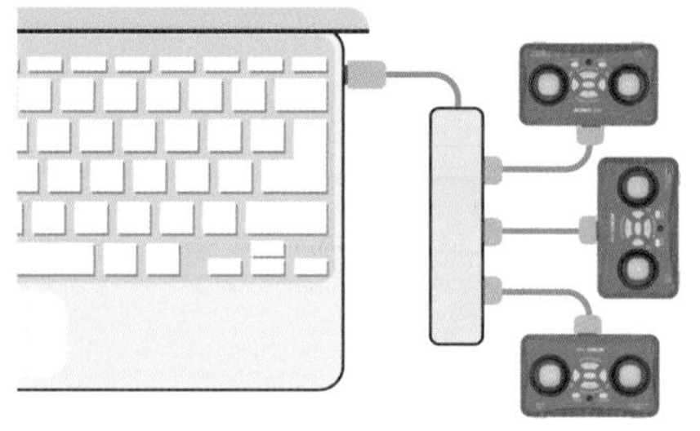

〈장치 관리자〉에서 컨트롤러가 잘 연결되었는지 확인할 수 있습니다. 그림과 같이 '장치 관리자'를 검색하면 〈장치 관리자〉 창이 나옵니다.

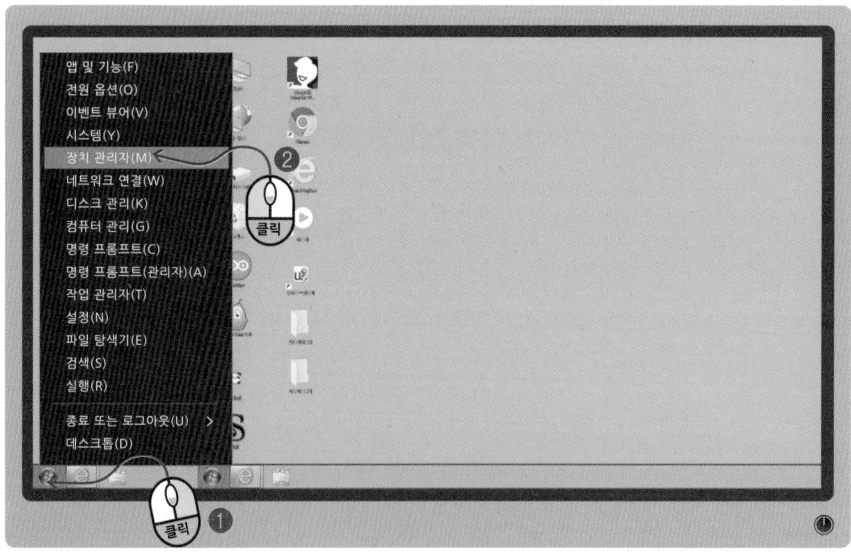

다른 방법으로 〈내 PC〉에서 〈속성〉을 선택하고 〈장차 관리자〉 클릭해도 됩니다.

컨트롤러가 정상적으로 연결되었다면 아래 그림처럼 장치 관리자에서 포트 번호(COM)가 표시됩니다. 이 포트 번호는 PC마다 다를 수 있습니다. 장치 관리자를 통해 컨트롤러가 잘 연결되었는지 확인합니다.

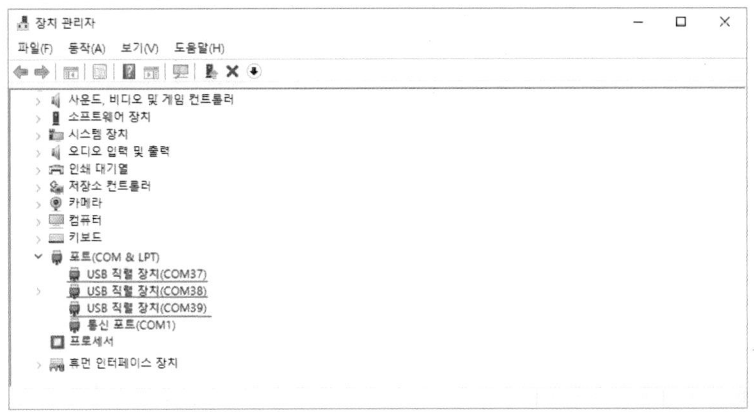

군집드론 코딩 할 때는 메시지를 사용하는 것을 편리합니다. 드론과 연결된 각각의 스프라이트에게 메시지를 보내서 드론을 움직이도록 코딩을 해보겠습니다.

아래와 같이 각각의 드론에게 메시지를 보내는 스프라이트를 사용해서 코딩을 하겠습니다. 스프라이트의 이름을 '군집드론'이라고 정하고 그리고 각각의 드론과 연결된 스프라이트를 추가합니다. 〈새로운 스프라이트 추가하기〉 아이콘을 클릭해서 스프라이트를 추가합니다.
이 책에서는 3개의 드론으로 군집비행을 하겠습니다. 아래와 같이 3개의 스프라이트를 추가하고 이름을 각각 '드론1', '드론2', '드론3'으로 정했습니다.
하나의 스프라이트에는 드론 한 대만 연결할 수 있습니다. 만약 드론 5대로 군집비행을 하려면, 스프라이트를 5개 추가해야 합니다. 화살표를 클릭할수록 스프라이트가 추가로 생깁니다.

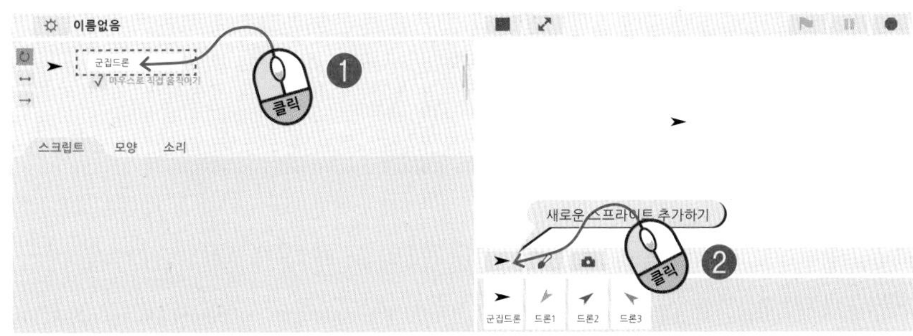

스프라이트를 선택하고 스프라이트마다 드론을 하나씩 연결합니다.

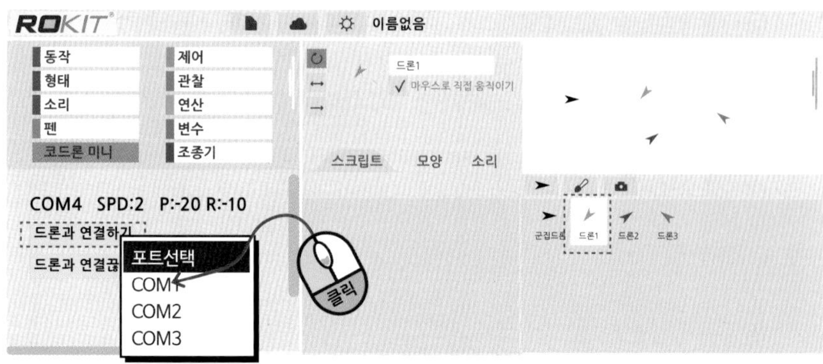

COM 포트의 번호를 확인하고 각각의 스프라이트마다 드론을 연결합니다.
무대에서 화살표 대신 다른 모양을 추가해서 사용할 수 있습니다.

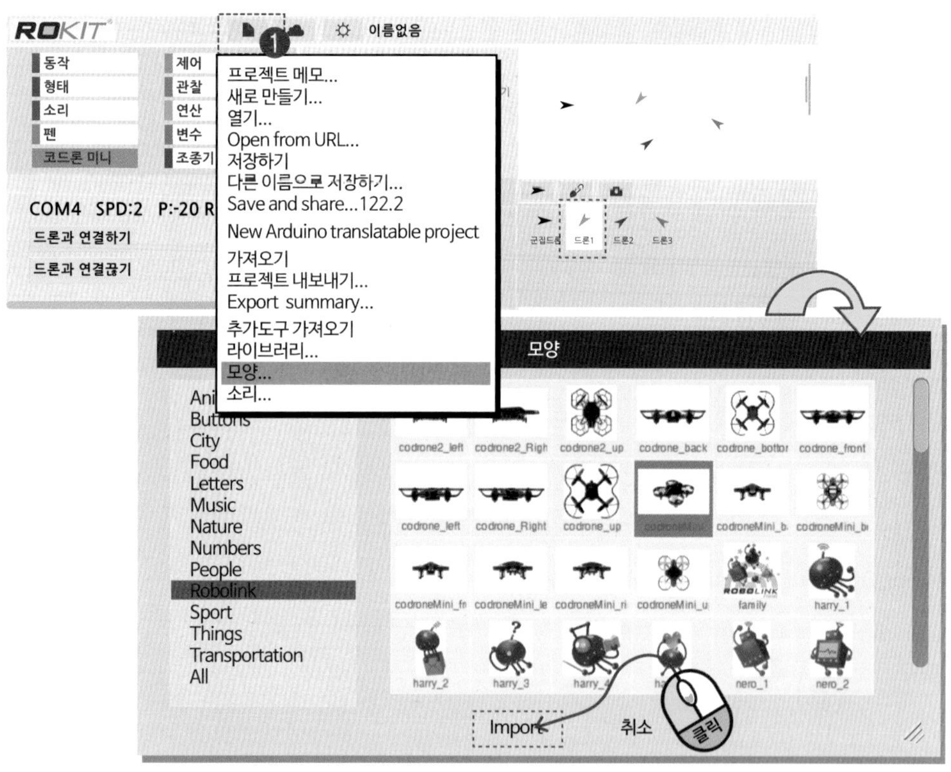

원래 방향을 보도록 <90도 방향 보기> 블록을 사용합니다. 그리고 무대에 맞게 크기를 바꿉니다.

90▾ 도 방향보기
크기를 30 % 로 정하기

이렇게 만든 코드를 다른 스프라이트에 복사해서 사용할 수 있습니다. 아래와 같이 코드를 드래그해서 다른 스프라이트에 놓으면 코드가 복사가 됩니다.

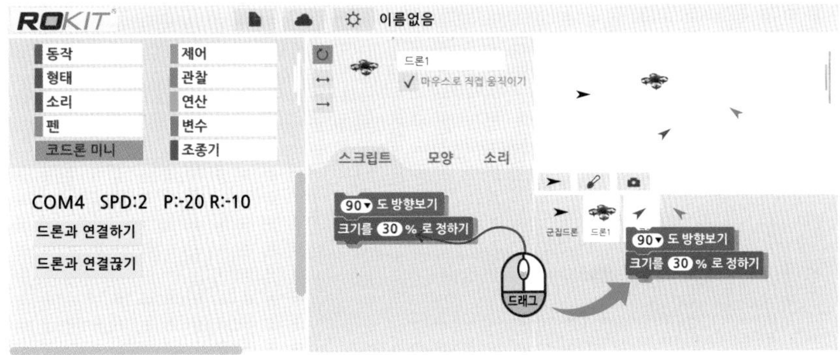

군집비행을 할 때 코드를 복사해서 사용하는 경우가 많습니다. 코드를 다른 스프라이트에 복사하는 방법을 사용하면, 보다 쉽게 군집비행 코딩을 할 수 있습니다.

아래와 같이 스프라이트를 놓습니다. '군집드론' 스프라이트가 아래의 드론 스프라이트에 메시지를 보내면 군집비행을 할 수 있습니다.

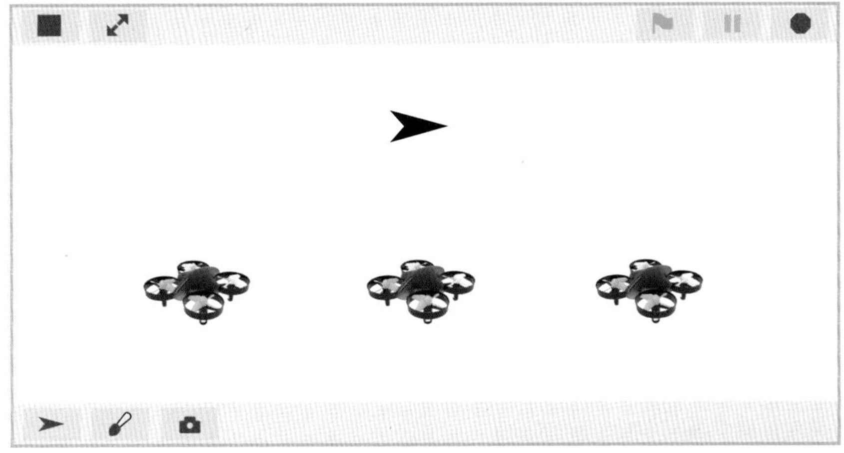

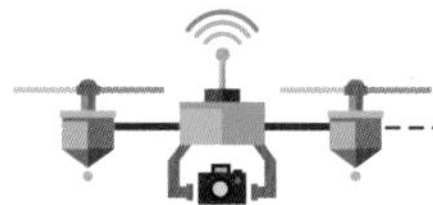

먼저 3대의 드론을 동시에 이륙하고 착륙하도록 코딩을 해보겠습니다.

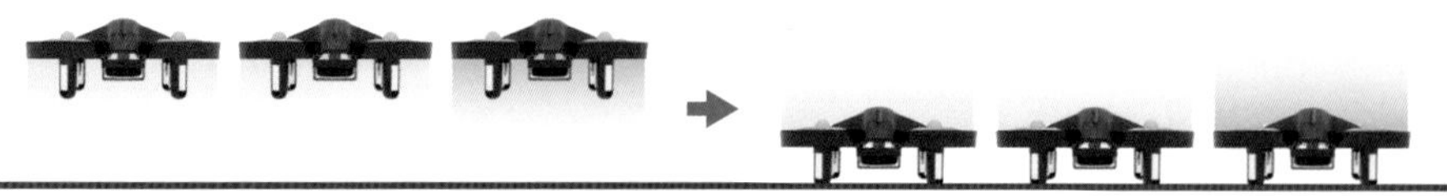

'군집드론' 스프라이트를 선택합니다.

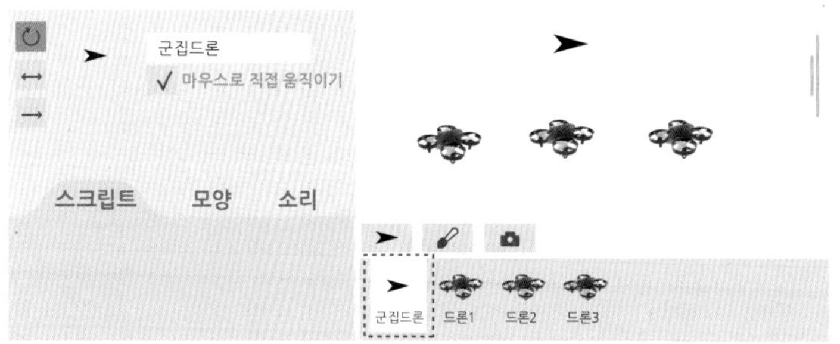

그리고 그림과 같이 코딩합니다.

〈스페이스〉, 〈L〉(Landing : 착륙), 〈P〉(Pause : 멈춤) 키를 누르면 각각 〈군집드론 이륙〉, 〈군집드론 착륙〉, 〈비상착륙〉 메시지를 보내도록 코딩합니다. 이 신호를 받으면 드론이 움직이는 것입니다.

'드론1' 스프라이트를 선택합니다.

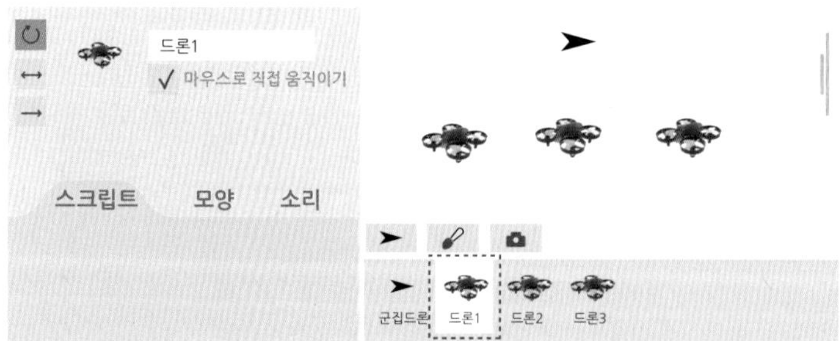

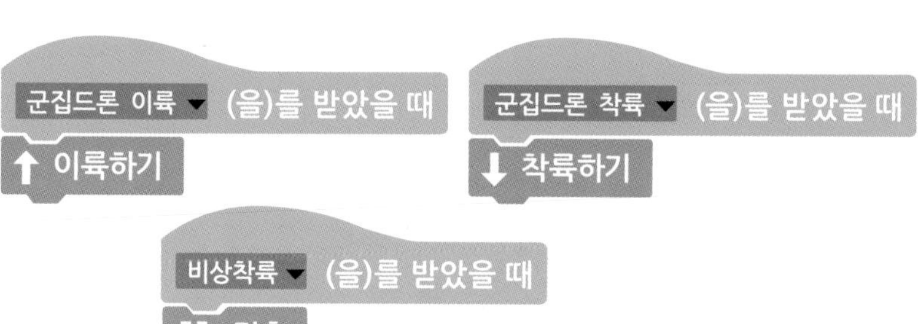

그리고 위와 같이 코딩합니다.
'드론2'와 '드론3'에도 코딩을 합니다. 드래그해서 복사하는 경우 제대로 작동하지 않는 경우가 있습니다.
군집비행 코딩을 할 때 드론을 잘 구분하지 못하는 경우가 있습니다. 이럴 때는 드론의 LED 색을 바꿔서 구분하는 것이 좋습니다.

드론1	드론2	드론3
클릭했을 때 LED 색 모드 유지하기	클릭했을 때 LED 색 모드 유지하기	클릭했을 때 LED 색 모드 유지하기

〈스페이스〉 키를 누르면 동시에 드론이 이륙합니다. 그리고 〈L〉 키를 누르면 동시에 착륙합니다. 이렇게 메시지를 사용하면 여러 드론을 동시에 움직이게 할 수 있습니다.

2 이륙과 착륙

이번에는 순차 이륙과 착륙하는 방법을 알아보겠습니다. 동시에 이륙/착륙하는 것이 아니라 시간차를 두고 이륙/착륙하는 것입니다. 어떻게 코딩하면 될까요?

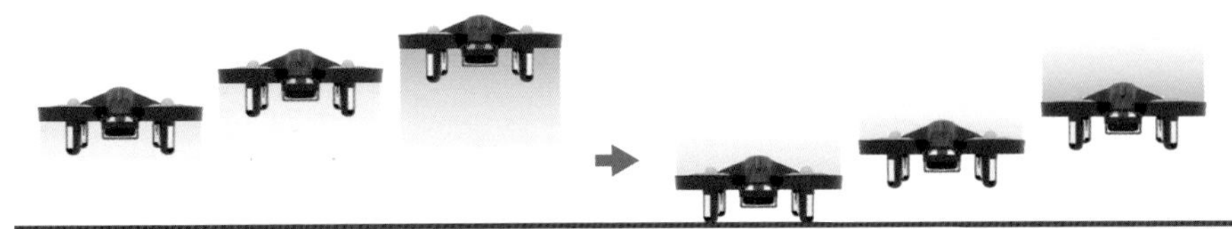

'드론' 스프라이트가 메시지를 받으면 이륙하거나 착륙할 때 기다리는 시간을 다르게 하면 됩니다. 드론1, 드론2, 드론3 순서대로 이륙하고 다시 드론1, 드론2, 드론3 순서대로 착륙하도록 코딩하겠습니다.

'군집드론' 스프라이트에 아래와 같이 코딩합니다.

'드론1' 스프라이트에 코딩을 하겠습니다.
'드론1' 스프라이트는 메시지를 받으면 1초 기다렸다가 이륙 또는 착륙을 합니다.

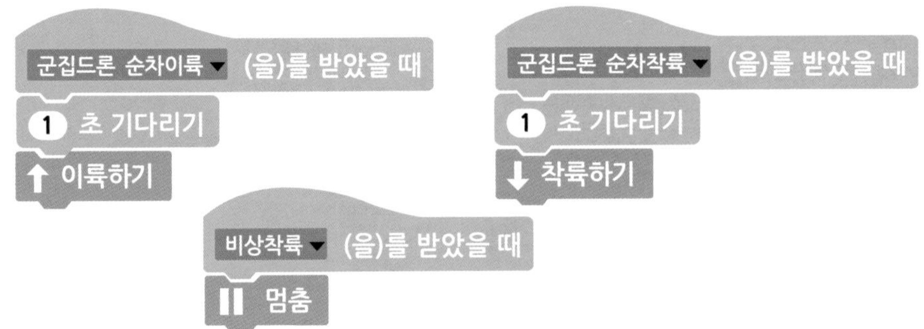

'드론2' 스프라이트는 메시지를 받으면 3초 기다렸다가 이륙 또는 착륙을 합니다.

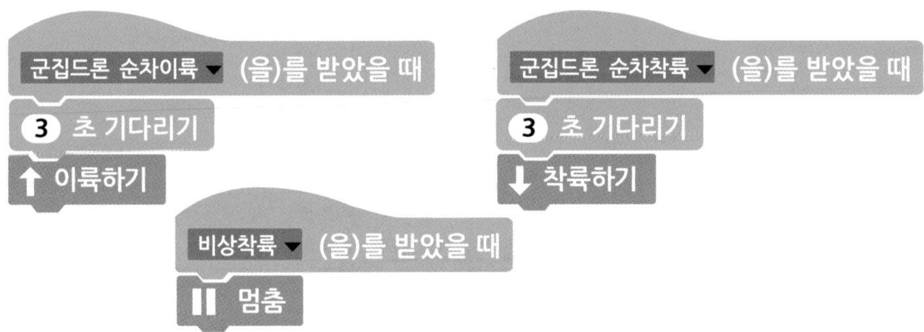

코딩할 때 코드가 화면에 겹치는 경우가 있습니다. 이럴 때는 마우스 오른쪽 버튼을 클릭하고 〈스크립트 정리하기〉 메뉴를 선택하면 코드가 잘 정렬됩니다.

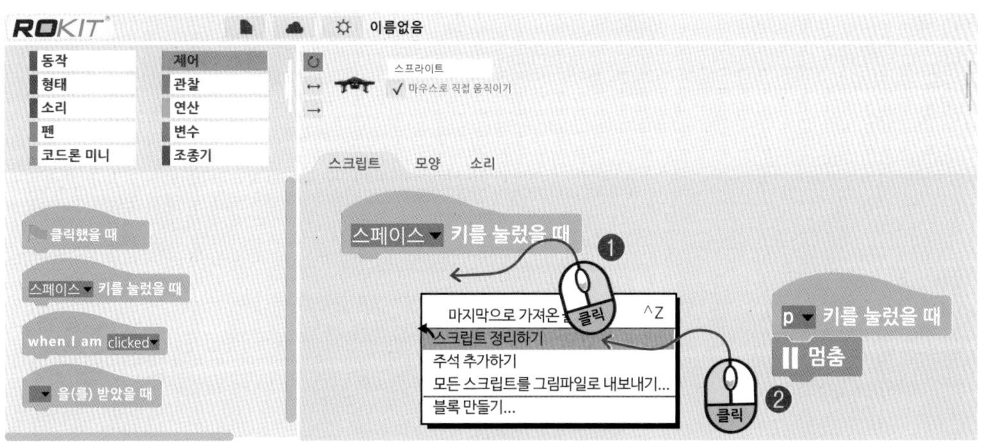

'드론3' 스프라이트는 5초 기다렸다가 이륙 또는 착륙하도록 코드를 바꿉니다.

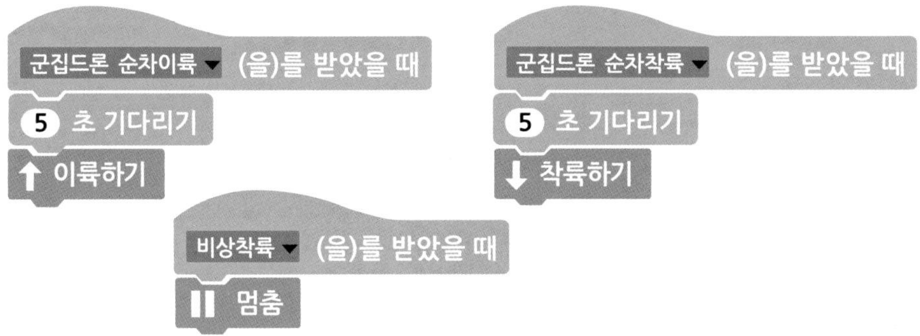

순차 이륙/착륙을 하는 방법을 응용해서 대칭 이륙/착륙을 해보겠습니다.

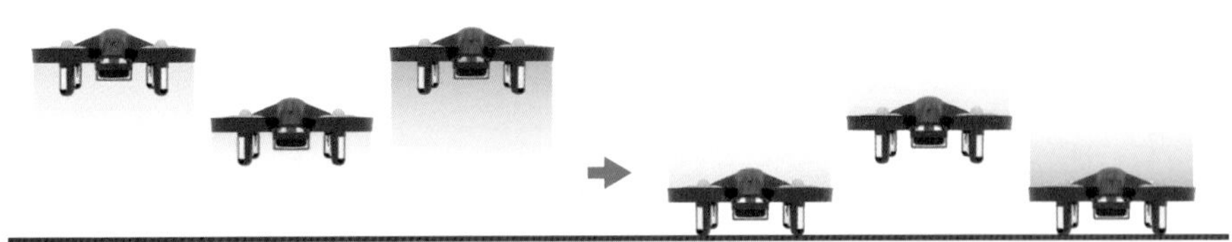

〈군집드론 대칭이륙〉과 〈군집드론 대칭착륙〉 메시지를 만들고 '군집드론' 스프라이트에 아래와 같이 코딩합니다.

메시지를 받으면 '드론1'과 '드론3' 스프라이트가 먼저 이륙하고 착륙하도록 코딩을 하겠습니다.

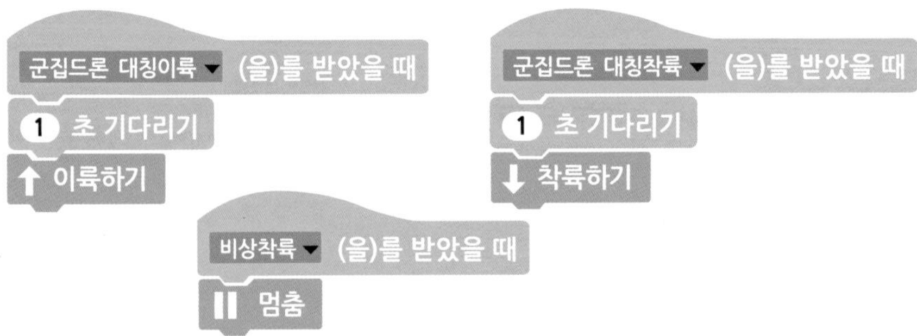

'드론2' 스프라이트는 3초 기다리고 이륙 또는 착륙하도록 코딩합니다.

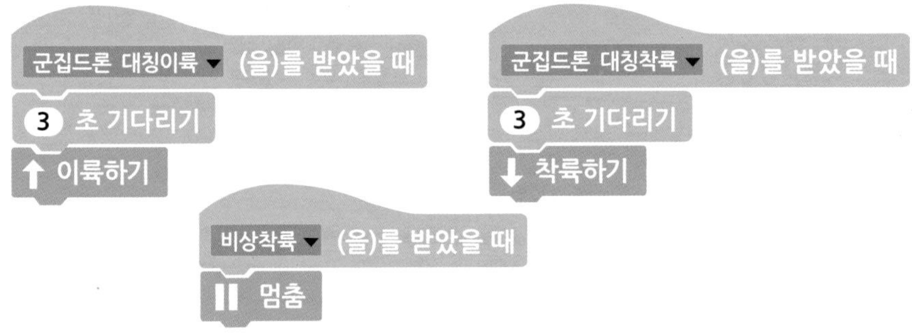

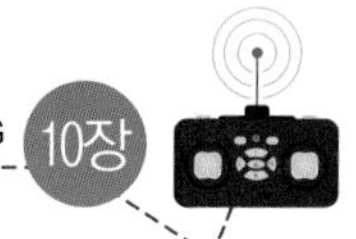

메시지를 받으면 대칭이륙 또는 대칭착륙을 합니다. 이렇게 메시지를 사용해서 다양한 방법으로 군집드론 코딩을 할 수 있습니다.

3 패턴비행

군집드론 패턴비행 코딩도 해보겠습니다. '드론1'은 오른쪽-왼쪽으로 움직입니다. '드론3'은 왼쪽-오른쪽으로 움직입니다. 가운데 있는 '드론2'는 위-아래로 움직입니다.

〈1〉 키를 누르면 패턴비행을 하도록 〈패턴비행 상하좌우〉 메시지를 만들고 '군집드론' 스프라이트에 아래와 같이 코딩합니다.

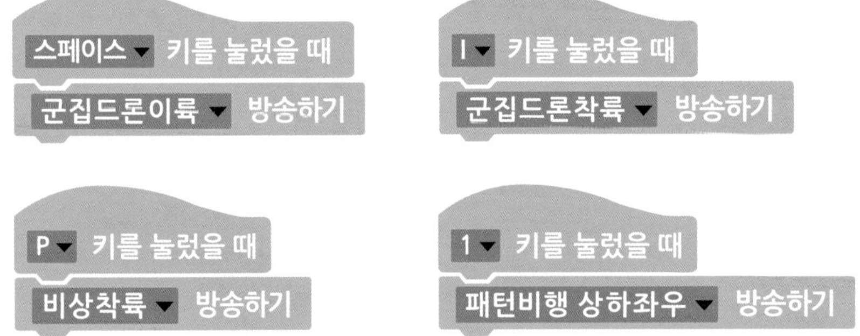

그리고 〔횟수〕와 〔박자〕 변수를 사용해서 패턴비행을 얼마나 반복할지, 기다리는 시간은 얼마로 할지 정합니다.

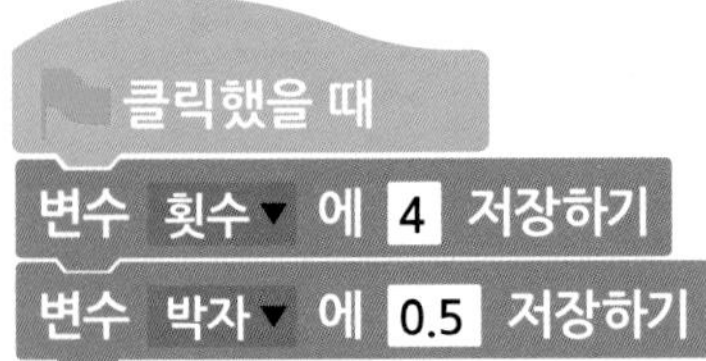

'드론1' 스프라이트에 아래와 같이 코딩합니다.

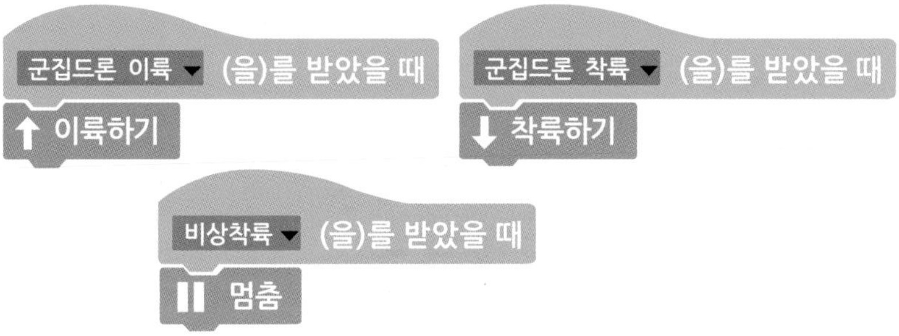

```
군집드론 이륙 ▾ (을)를 받았을 때
↑ 이륙하기
```

```
군집드론 착륙 ▾ (을)를 받았을 때
↓ 착륙하기
```

```
비상착륙 ▾ (을)를 받았을 때
|| 멈춤
```

'드론1'이 오른쪽-왼쪽으로 반복해서 움직이도록 코딩합니다.

드론이 오른쪽으로 움직이려면 롤값을 플러스로 정하고 왼쪽으로 움직이려면 마이너스로 정합니다. 반복해서 움직이고 값을 0으로 초기화합니다. 드론 코딩을 할 때는 항상 관성을 잘 생각해서 코딩합니다.

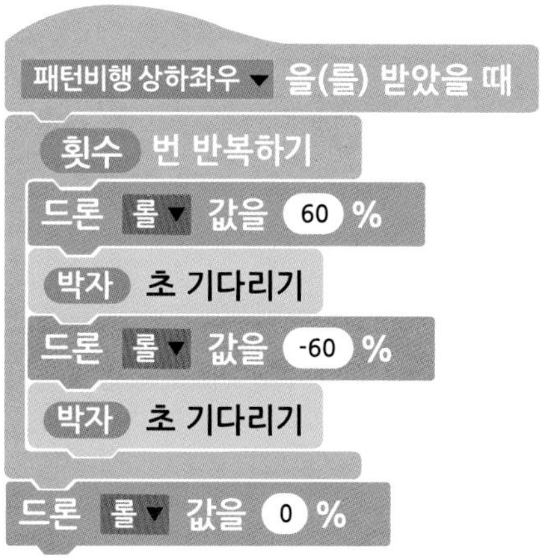

```
패턴비행 상하좌우 ▾ 을(를) 받았을 때
횟수 번 반복하기
    드론 롤 ▾ 값을 60 %
    박자 초 기다리기
    드론 롤 ▾ 값을 -60 %
    박자 초 기다리기
드론 롤 ▾ 값을 0 %
```

'드론3'은 반대로 왼쪽-오른쪽으로 반복해서 움직이도록 다음과 같이 코딩합니다.

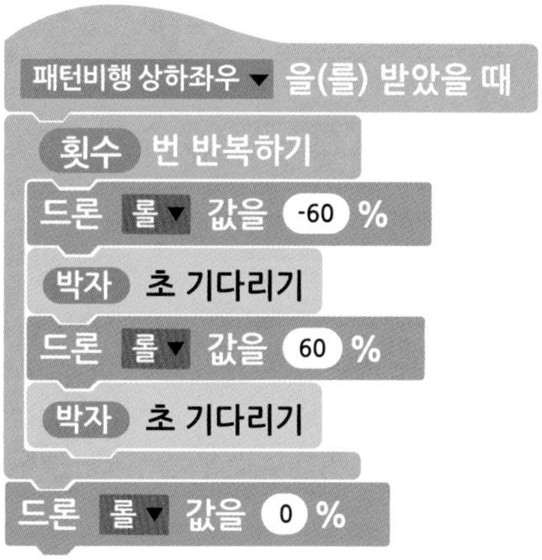

```
패턴비행 상하좌우 ▾ 을(를) 받았을 때
횟수 번 반복하기
    드론 롤 ▾ 값을 -60 %
    박자 초 기다리기
    드론 롤 ▾ 값을 60 %
    박자 초 기다리기
드론 롤 ▾ 값을 0 %
```

'드론2'는 위-아래로 반복해서 움직여야 합니다. 쓰로틀을 바꿔서 위-아래로 반복해서 움직이도록 코딩합니다.
위로 올라갈 때는 내려갈 때 보다 조금 더 많은 힘을 줘야합니다.

스페이스를 눌러서 드론을 이륙시킨후 〈1〉 키를 누르면 패턴에 맞게 군집비행을 합니다.

이번에는 웨이브하면서 움직이도록 코딩해보겠습니다. 위로 올라가고, 아래로 내려가는 시간을 다르게 하면 웨이브 군집비행을 할 수 있습니다.

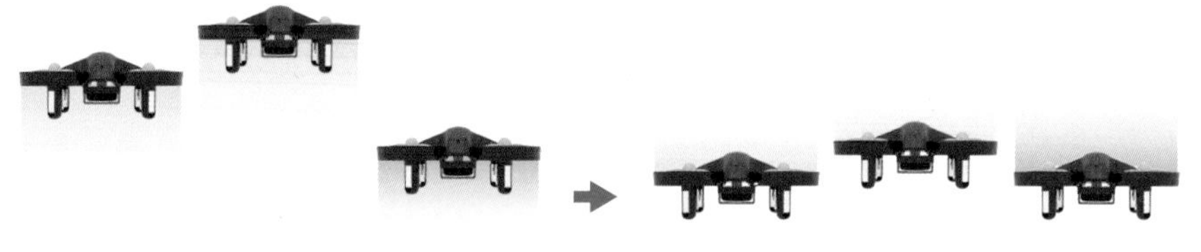

〈2〉 키를 누르면 〈패턴비행 웨이브〉 메시지를 보내도록 다음과 같이 코딩합니다.

2 키를 눌렀을 때
패턴비행 웨이브 방송하기

이 메시지를 받으면 위-아래 움직이는 시간을 다르게 하도록 코딩합니다. 표로 기다리는 시간을 정리했습니다. 위-아래로 움직일 때는 3초를 기다리도록 합니다. 이 표를 활용해서 코딩해보겠습니다.

드론1	드론2	드론3
위로	기다리기	기다리기
기다리기	위로	기다리기
기다리기	기다리기	위로
기다리기	기다리기	기다리기
아래로	기다리기	기다리기
기다리기	아래로	기다리기
기다리기	기다리기	아래로
기다리기	기다리기	기다리기

'드론1' 스프라이트에는 오른쪽 그림과 같이 코딩합니다. 기다리는 시간 없이 바로 위로 올라가고 3초 있다가 내려가도록 합니다.

'드론2' 스프라이트에는 오른쪽 그림과 같이 코딩합니다. 1초 기다리고 위로 올라가고 3초 있다가 내려가도록 합니다.

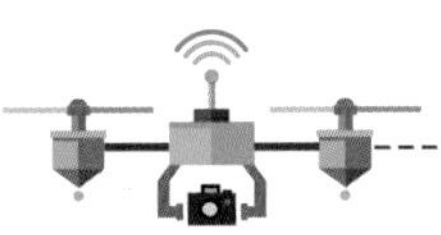

'드론3' 스프라이트에는 오른쪽 그림과 같이 코딩합니다. 2초 기다리고 위로 올라가고 3초 있다가 내려가도록 합니다.

〈2〉 키를 누르면 정한 횟수만큼 웨이브 군집비행을 반복합니다. 이렇게 시간차를 두면 다양한 형태로 움직이는 군집비행을 할 수 있습니다.

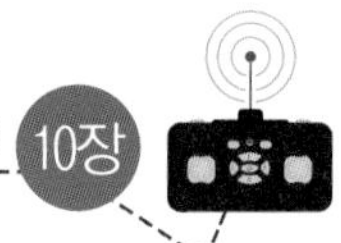

4 키보드로 움직이기

〈W〉〈S〉, 〈A〉, 〈D〉 키와 〈화살표〉 키를 누르면 드론이 동시에 움직이도록 코딩해보겠습니다. '군집드론' 스프라이트에 아래와 같이 코딩하고 키보드를 누르면 각각 메시지를 보내도록 코딩합니다.

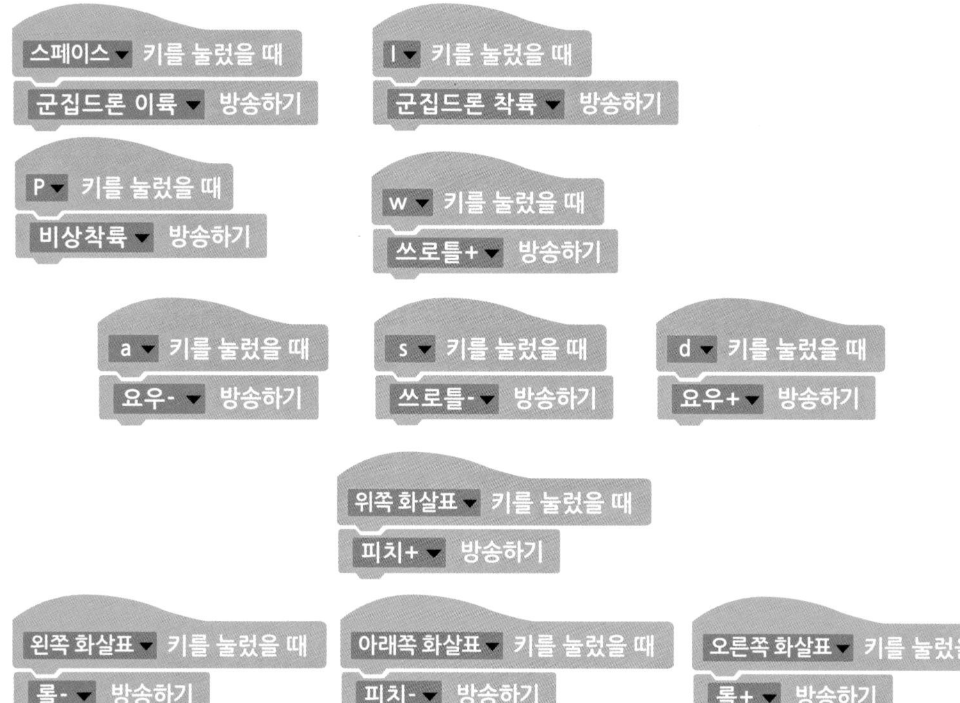

'드론1' 스프라이트를 추가하고 아래와 같이 코딩합니다.

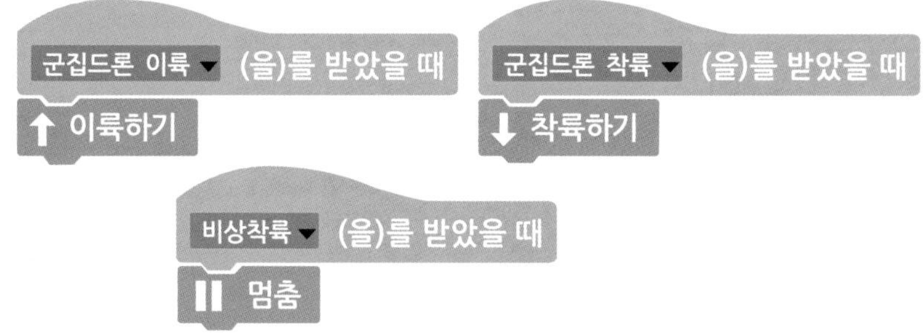

메시지를 받으면 '드론1'이 전후좌우, 상하회전할 수 있습니다.

군집비행하고 싶은 드론만큼 스프라이트를 새롭게 추가합니다. 그리고 이름이 잘 구분되도록 아래와 같이 이름을 바꿉니다.

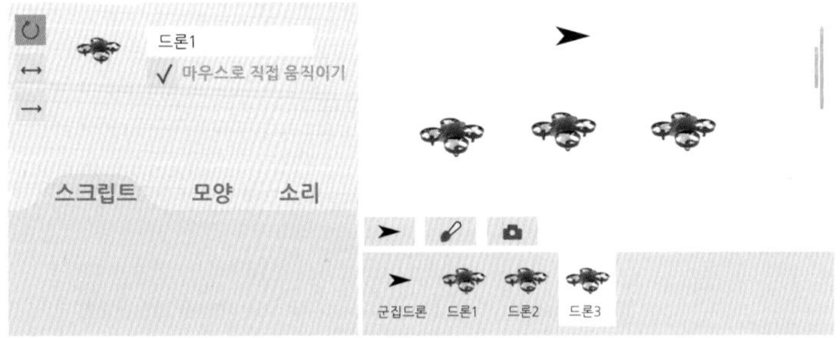

'드론2'와 '드론3'에도 코딩을 하고 '드론' 스프라이트에 드론과 페어링된 컨트롤러를 각각 연결합니다.

키보드를 누르면 드론들이 동시에 움직입니다. 드론의 상태가 다르기 때문에 움직이는 거리가 다를 수 있습니다. 이 점을 생각하고 다양한 방법으로 드론이 움직이도록 코딩을 해보면 어떨까요?

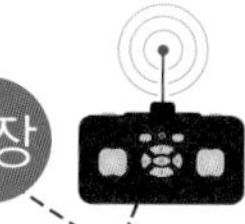

5 군집비행 코딩하기

이제 군집비행 작품을 직접 코딩해보겠습니다. 음악에 맞춰 여러 개의 드론이 춤추는 것처럼 '군집드론' 프로그램을 코딩합니다.

'군집드론'을 위한 음악을 선택합니다. 드론의 배터리 사용량이 제한되어 있으니, 음악의 길이는 1분 내로 정합니다.

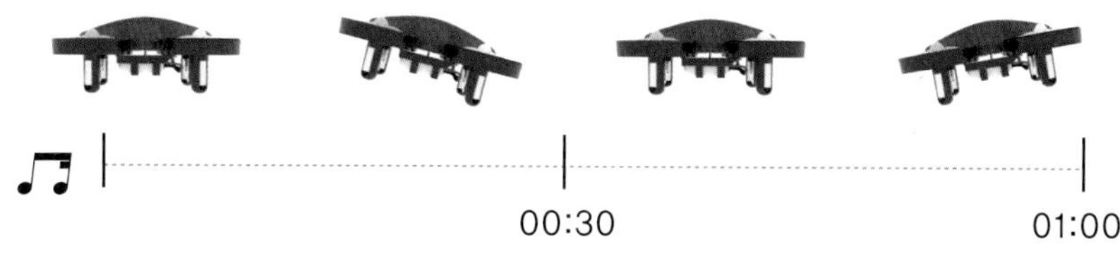

군집비행 코딩을 할 때 박자를 다르게 하면 움직이는 모습이 다양해집니다. 박자를 잘 생각해서 코딩합니다.

그리고 앞에서 배운 것처럼 LED를 사용해도 됩니다. LED 색깔을 바꾸거나 LED 모드를 바꾸면 보다 멋지게 보입니다.

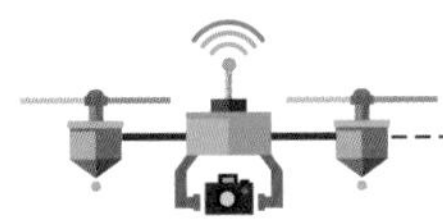

앞에서 배웠던 다양한 비행방법을 응용해서 작품을 만들어 보겠습니다.

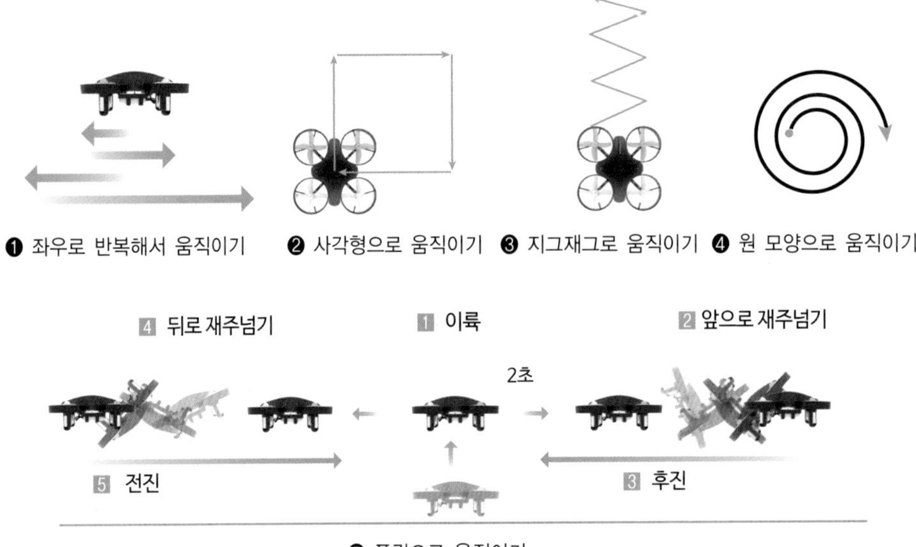

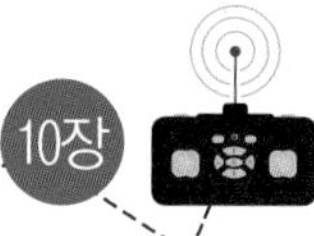

작품을 코딩할 때 주의해야 할 점이 있습니다. 드론은 아래로 바람을 내뿜기 때문에 드론을 위-아래로 움직일 때는 하나의 드론이 다른 드론의 위 쪽이나 아래 쪽으로 이동하는 경우를 피해야 합니다.

또한 군집드론의 경우 여러 대의 드론이 이륙을 하면서 이동하게 되면 충돌의 위험이 있습니다. 이런 점을 잘 생각해서 군집비행 프로그램을 코딩합니다.

이렇게 로킷 브릭은 여러 개의 컨트롤러를 연결할 수 있어서 군집드론과 같은 멋진 작품을 만들 수 있습니다. 군집비행 프로그램을 코딩했다면 음악에 맞춰서 프로그램을 실행해봅니다. 어떻게 드론이 움직이는 잘 관찰하고 부족한 부분을 고쳐서 더 멋진 작품을 만들어 봅시다.

	스스로 평가하기	확인
1	군집드론의 개념을 이해할 수 있습니다.	
2	군집드론 이륙과 착륙을 코딩할 수 있습니다 .	
3	다양한 패턴으로 군집드론 코딩을 할 수 있습니다.	
4	음악에 맞춰 자신만의 군집드론 작품을 만들 수 있습니다.	

한권으로 코딩과 드론 날로먹기

Chapter 11

드론 게임하기

1. 계단 빠르게 오르기
2. 장애물 통과하기
3. 드론 수학 게임
4. 드론 구출 활동

DRONE

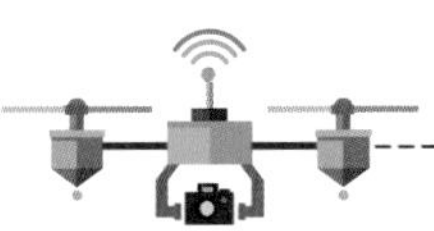

1 계단 빠르게 오르기

앞에서 드론을 코딩하고 조종하는 방법을 배웠습니다. 이제는 드론 게임을 하면서 얼마나 잘 이해했는지 확인할 시간입니다. 비록 아직 잘하지 못하더라도 게임을 하고, 여러 미션을 해결하려고 노력하다 보면 드론 코딩 실력이 향상될 것입니다.

간단히 할 수 있는 게임은 '계단 오르기'입니다. 아래 계단부터 한 계단씩 위로 빠르게 올라가는 게임입니다.

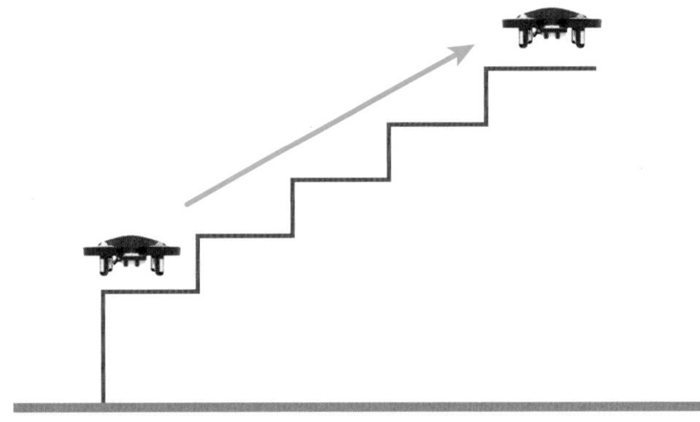

계단을 너무 많이 올라가는 것은 힘들기 때문에 계단 4개~6개만 올라가는 것을 추천합니다. 그리고 계단 폭이 너무 좁으면 게임하기 어렵습니다. 드론 주위에 벽이 있으면 드론에서 나오는 공기가 벽에 부딪혀서 되돌아와 원하는 대로 움직이지 않기 때문입니다.

코딩 게임을 할 수도 있고, 조종 게임을 할 수도 있습니다. 코딩할 때, 〈반복하기〉 블록 안에 〔쓰로틀〕 값과 〔피치〕 값 또는 〔롤〕 값을 잘 넣어서 반복하면 계단을 오를 수 있습니다.

평가표	
계단 몇 개를 올랐습니까?	/10
시간은 얼마나 걸렸습니까?	/10
계단을 끝까지 올랐습니까?	/10

2 장애물 통과하기

드론으로 재미있게 할 수 있는 게임이 바로 '장애물 통과하기'입니다. 장애물을 통과했을 때 큰 성취감이 생기고 경쟁심도 느낄 수 있어서 재미있습니다. 장애물이 단순하면 코딩과 조종 게임을 할 수 있습니다. 하지만 장애물이 복잡하게 있다면 코딩 경기가 조금 어려울 수 있습니다. 장애물의 난이도에 따라 게임 종류를 정하면 됩니다.

▶장애물 위로 넘어서 목표지점에 착륙하기

앞에 있는 장애물을 넘어서 목표지점에 착륙하는 게임입니다. 착륙한 지점에 따라서 점수를 정할 수 있습니다. 그리고 출발해서 착륙까지 걸린 시간을 점수에 포함할 수 있습니다.

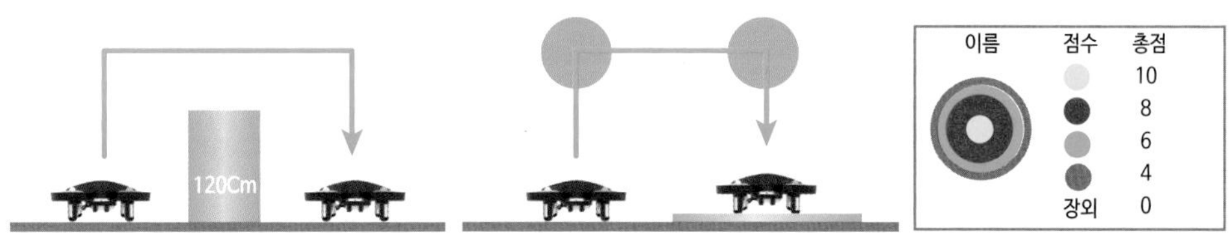

평가표	
목표지점에 잘 착륙했습니다.	/10
시간은 얼마나 걸렸습니까?	/10

▶ 장애물을 통과해서 목표지점에 착륙하기

가운데로 통과할 수 있는 장애물을 사용해서 게임을 할 수 있습니다. 장애물을 위로 넘는 것보다 난이도가 높습니다.

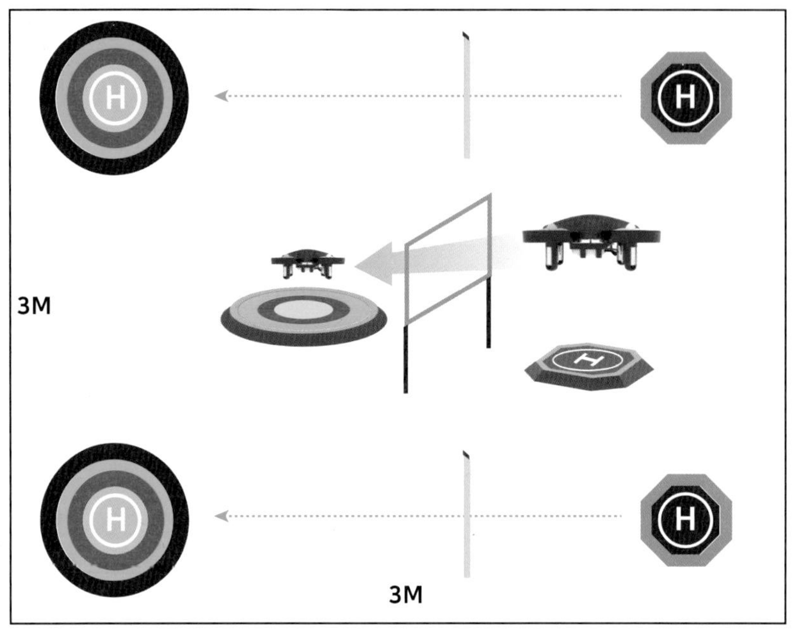

아래와 같이 상세 규칙을 정해도 됩니다.

규칙

1	가로×세로 3m 경기장에 위 그림처럼 장애물을 설치합니다.
2	팀 별로 한 명씩 나와 같은 위치에서 드론을 이륙시킵니다.
3	조종해서 목표지점까지 드론을 이동시킵니다.
4	빨리 착지시키는 팀이 더 좋은 점수를 가져갑니다.
5	점수를 많이 받은 팀이 우승입니다.

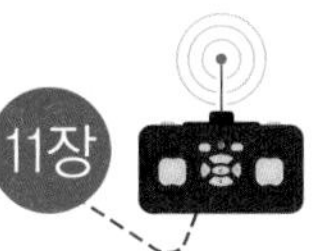

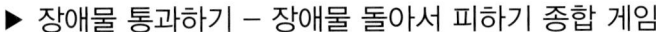

▶ 장애물 통과하기 – 장애물 돌아서 피하기 종합 게임

여러 종류의 장애물로 종합 게임을 만들 수도 있습니다. 장애물을 한 바퀴 돌려면 사각형 그리는 비행법이나 원 비행법을 사용해야 합니다. 너무 어려우면 코딩 게임 대신 조종 게임을 추천합니다. 실제 대회처럼 평가표에 점수를 기록하면 더욱 긴장감을 느낄 수 있습니다.

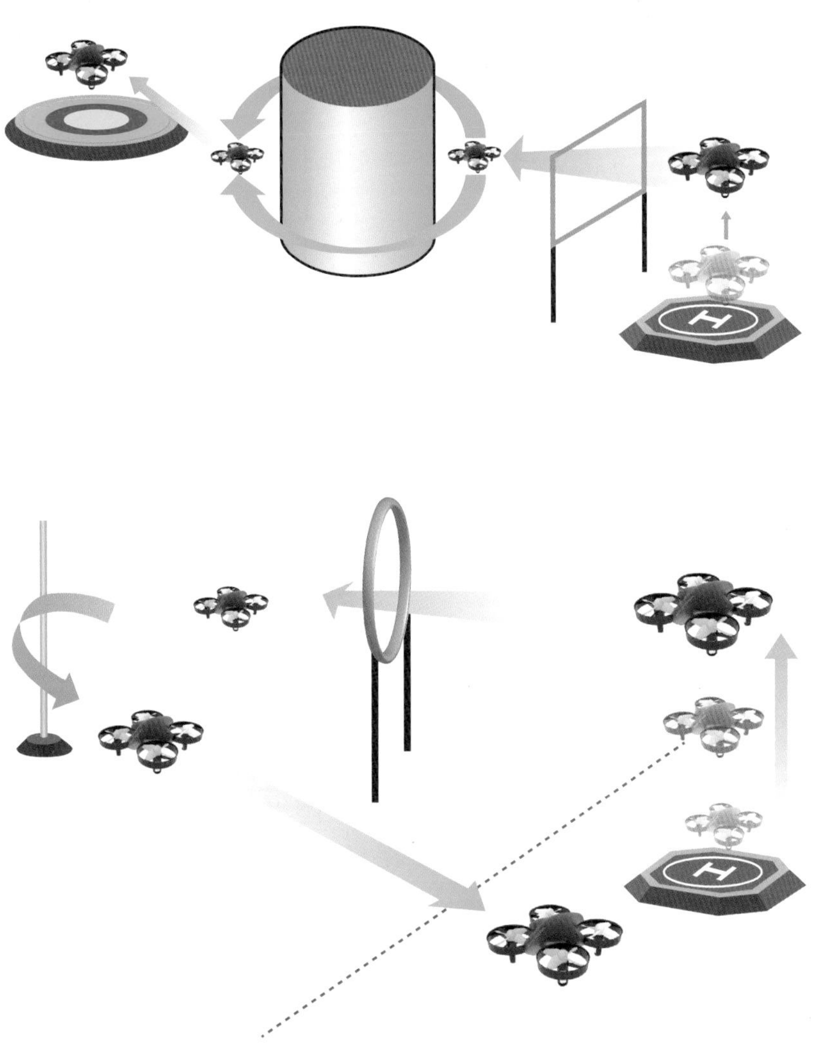

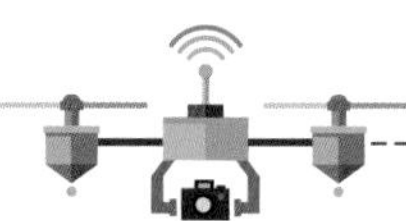

순차 미션

- 아래 순서에 따라 미션을 완료합니다.
- 경기장의 스타트 위치에서 드론을 이륙시킵니다.

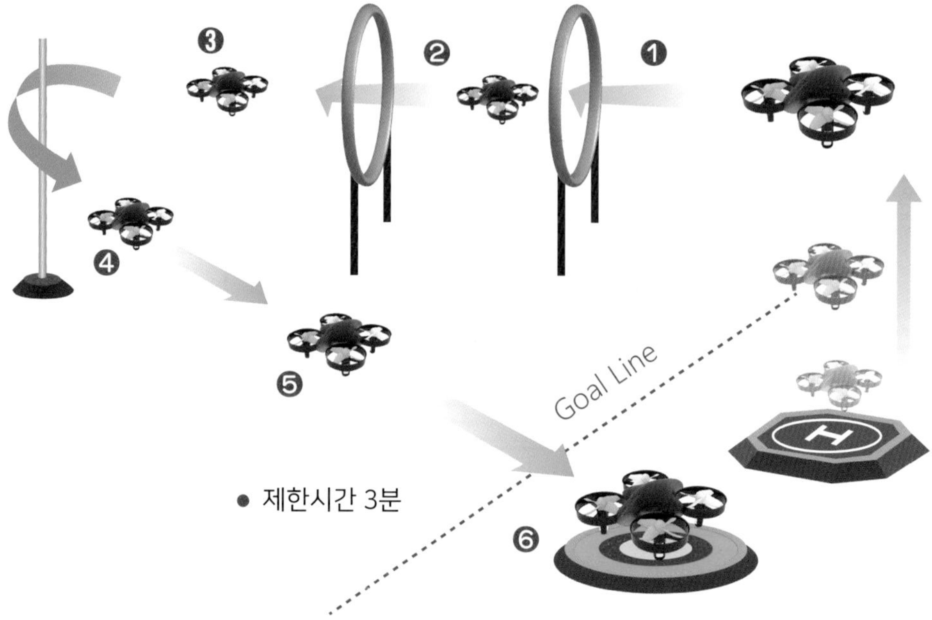

- 제한시간 3분

기체 점검 : 50점		
프로펠러	4개의 프로펠러에 깨진 곳이 있습니까?	/10
	4개의 프로펠러가 올바른 방향으로 끼워져 있습니까?	/10
가드&쉘	가드와 쉘이 잘못 끼워져 있지는 않습니까?	/10
배터리	배터리가 충분히 충전되어 있습니까?	/10
모터	모터가 올바르게 끼워져 있습니까?	/10

비행 실습 : 50점		
시간	3분 안에 비행을 완료했나요?	/20
사고	비행 도중 사고는 없었나요?	/20
착륙	알맞은 장소에 착륙했나요? (오른쪽 표)	/10

점수	총점
●	10
●	8
●	6
●	4
장외	0

3 드론 수학 게임

드론으로 수학 문제를 빨리 푸는 게임도 할 수 있습니다. 쪽지에 수학 문제를 적고 접어서 볼 수 없게 합니다. 그리고 바닥에는 0부터 9까지 쓰인 종이를 섞어 놓습니다.

게임 참가자는 쪽지를 선택해 문제를 풀고 드론을 조종해서 큰 자릿수부터 작은 자릿수까지 순서대로 착륙해서 답을 골라야 합니다. 답이 '147'이면 1, 4, 7을 순서대로 착륙해야 합니다. '554'처럼 같은 숫자가 있으면 이륙했다가 다시 그 숫자로 착륙해야 합니다.

123+431

554

(12X12)+15÷5

147

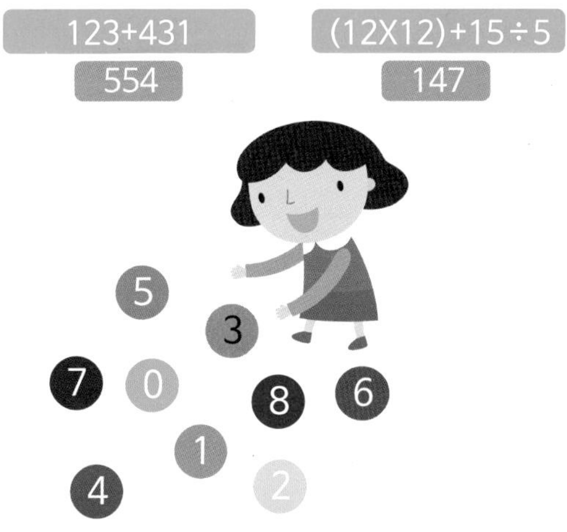

평가표	
수식을 사용해서 문제를 잘 풀었습니까?	/10
시간은 얼마나 걸렸습니까?	/10

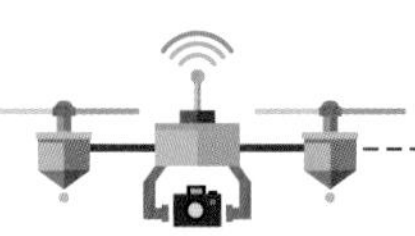

DRONE

4 드론 구출 활동

드론은 공간 제약 없이 비행할 수 있어서 인명구조, 재난탐지 등 다양한 분야에서 이용할 수 있습니다. 위험에 빠진 사람에게 드론으로 비상용품을 전달해주는 경기를 해보면 어떨까요?

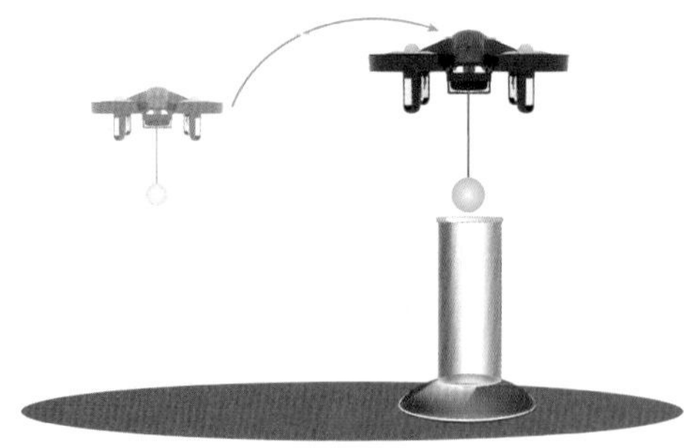

드론에 탁구공을 실로 연결합니다. 그리고 지름 크기가 조금 작은 원통을 준비합니다. 드론을 조종해 탁구공을 원통 안에 넣는 경기를 하는 것입니다. 정밀하게 조종해야 탁구공을 넣을 수 있습니다. 걸린 시간을 기준으로 순위를 정합니다.

	스스로 평가하기	확인
1	장애물을 피하는 게임을 할 수 있습니다.	
2	드론 코딩할 때 주의할 점을 설명할 수 있습니다.	
3	규칙을 지켜서 게임에 참여했습니다.	
4	게임할 때 포기하지 않고 열심히 참여했습니다.	

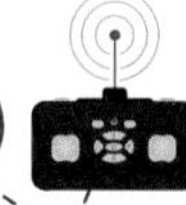

Memo

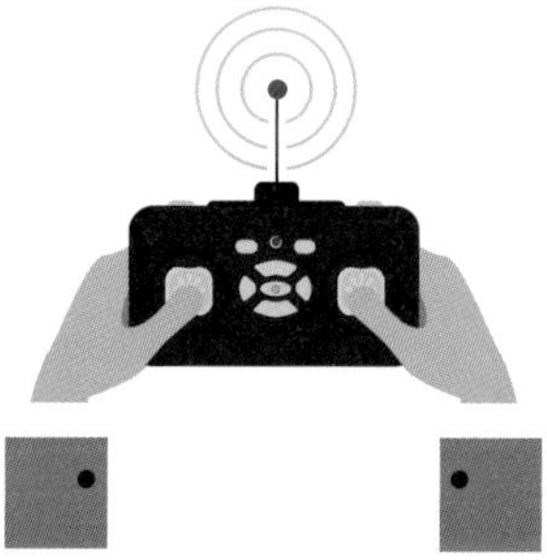

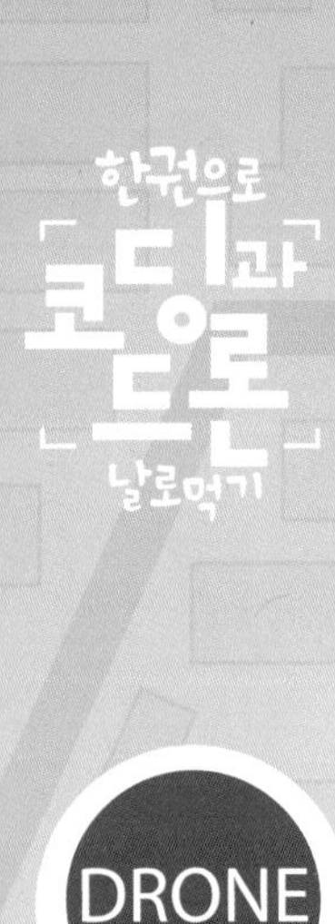
한권으로
코딩과
드론을
날로먹기

DRONE

SCRATCH

CODING

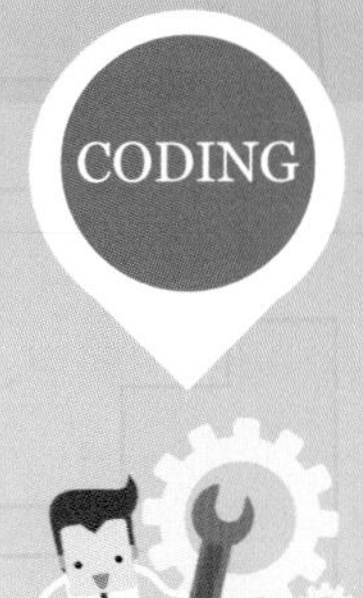

Chapter 12

부록

1. 드론 대회 A to Z
2. 반드시 알아야 할 항공안전법
3.조종을 위한 퀵 매뉴얼

DRONE

1 드론 대회 A to Z

2016년에 열린 두바이에서 열린 세계 최대 드론 레이싱 대회에서, 초등학생 6학년이었던 김민찬 군이 우승했습니다. 조종법을 배운지 3달 만에 세계 대회에서 우승하는 쾌거를 거뒀는데 최연소 출전과 최연소 우승이라는 진기록을 남겼습니다.

김민찬 군이 참가했던 대회는 FPV(First Person View: 일인칭 관점) 드론 레이싱 대회로, 카메라와 조종용 고글로 시속 130km 가까운 속도로 진행하는 레이싱 경기입니다. 마치 직접 드론이 된 것처럼 날아다니는 기분을 느낄 수 있어, 많은 드론 애호가들이 참가했습니다. 경기 도중에 고글의 접속이 안 되는 돌발 상황이 발생했습니다. 하지만 김민찬 군은 고글을 벗고, 맨눈으로 조종하는 기지를 발휘해 다른 선수들을 놀라게 했습니다.

1 드론 코딩 대회

국내에서도 다양한 드론 대회가 열립니다. 드론 대회는 크게 코딩과 경주로 구분할 수 있습니다. 드론 코딩 대회는 미션을 해결하는 실력을 겨룹니다. 컴퓨터로 드론에 직접 코딩해서 미션을 해결하는 것이죠. 장애물 통과, 목적지 착륙, 방향 이동 등 컨트롤러로 조종하는 것이 아니라, 코딩으로 자율비행을 하는 것이 특징입니다. 실제 간단해 보이지만 드론의 비행 특성과 주위 환경을 잘 파악해야 합니다. 미션을 해결할 수 있는 컴퓨팅 사고력과 사물을 제어하는 능력이 중요합니다. 드론의 자율비행 프로그램, 통신, 센서, 제어까지 다루는 IoT 기술 대회라 할 수 있습니다.

드론 코딩 대회에서 꼭 알아야 할 요령을 알아보겠습니다.

1 대회 규정을 정확히 파악합니다.

가장 중요한 것은 드론 대회 규정을 정확하게 알고 있어야 한다는 겁니다. 대회는 정해진 시간 안에 승패가 결정되어야 하고, 공정하게 운영되어야 하므로 여러 가지 제한 조건이 있습니다. 대회 규정을 잘 몰랐을 때의 불이익은 모두 참가자가 책임져야 합니다.

다음은 반드시 확인해야 할 대회 규정입니다.

▶ 일체형 드론과 조립형 드론 중에 어떤 드론을 사용해야 하는가?
▶ 사용할 수 있는 드론의 크기와 무게는 얼마인가?
▶ 드론에 어떤 센서를 연결할 수 있는가?(일체형인 경우는 어떤 센서를 사용할 수 있는가?)
▶ 사용할 수 있는 배터리의 종류는 무엇인가?
▶ 배터리의 전압은 얼마인가?
▶ 배터리를 몇 개까지 사용할 수 있는가?
▶ 팀은 몇 명까지 구성할 수 있는가?
▶ 사용할 수 있는 프로그래밍 언어는 무엇인가?
▶ 채점 기준과 감점 기준은 무엇인가?

대회의 목적과 규정, 용어가 잘 이해되지 않으면 반드시 대회 관계자에게 연락해서 정확하게 알아야 합니다. 실제 대회 때 드론의 크기나 배터리 규격 등이 규정에 맞지 않아 실격되는 경우가 많습니다.
다음은 〈드론 코딩 대회 규정 예시〉 자료입니다. 자료를 보고, 대회 규정을 정확하게 파악하는 연습을 해봅시다.

드론 코딩 대회 규정 예시

1 목적 및 미션

○ 목적
- 차세대 미래 산업인 드론 산업과 관련 지능형 자율비행기술을 활용하는 미래 로봇기술 인재 양성
- 인간과 로봇이 함께 공존할 수 있는 미션을 통해 미래의 드론에 관련한 활용 가능성과 SW 코딩의 콘텐츠 확인

○ 미션
- 코딩 비행 미션: 드론을 코딩 SW를 이용하여 자율로 코스에 맞도록 완주 및 미션 해결(활용한 프로그램 확인)

2 대회 개요

〈코딩 비행 미션〉

○ 심사방식: 자율 미션 점수+코딩 평가 점수

- 동점자 발생 시 결정기준 규정 참조

○ 평가방식: 한 팀장 배정된 시간 총 3분(미션)

- 본선 참가자의 미션은 추가로 현장에서 공지될 수 있다.
- 개별적으로 분리된 코스를 주행한 성적을 합산하여 순위를 평가한다.
- 각 팀당 3회의 기회가 주어지며 높은 점수로 평가한다.
- 코스 이탈 및 드론 정지시간이 30초 이상 지속되면 실격 처리한다.

○ 평가방식: 한 사람당 배정된 시간 총 3분(자율주행 미션)

○ 활용 드론: 코딩이 가능한 모든 드론

3 대회 규정

〈미션〉 드론 패턴(코딩) 주행

1) 선수는 출발선에 드론 배치
2) 코딩을 이용하여 중간 장애물을 통과하는 미션 수행(반드시 높이측정 필수)
3) 착륙은 중심점에 가까울수록 높은 점수 획득

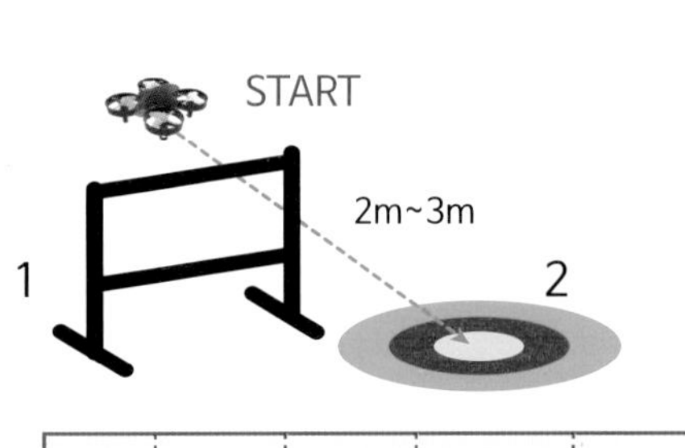

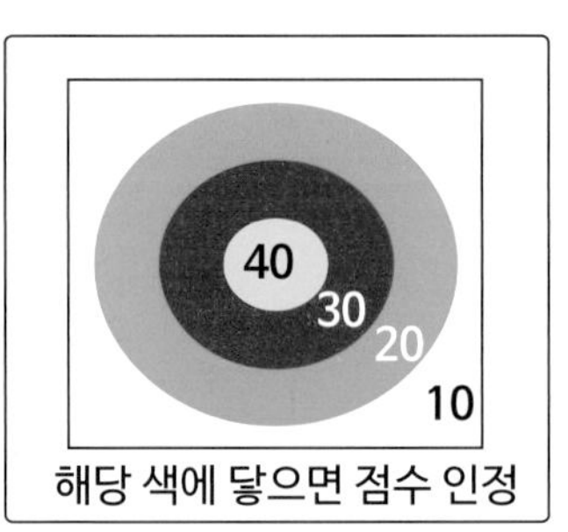

해당 색에 닿으면 점수 인정

구분	미션 1	미션 2	코딩점수	감점	시간·정확도 점수 (기준점에서 감점)	제한시간 3분
배점	50점	40점	10점	-1점씩		

* 동점 시에는 1차 코딩 점수 비교, 2차 도착한 시간 비교로 측정한다.

4 상세규정

1) 배터리

- 리튬폴리머 배터리만 사용 가능하다.

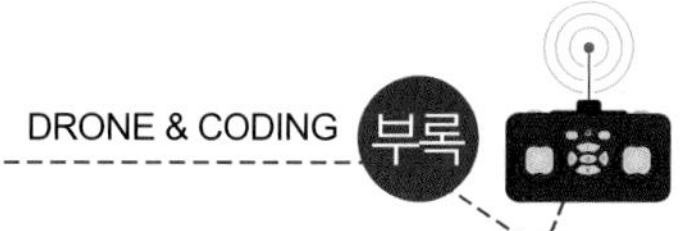

- 3.7V 500mAh 이하만 사용 가능하다.
- 변형된 배터리는 사용 불가능하다.

2) 수행자 규정

- 자율로 드론 구동이 가능한 다양한 방법을 가진 사람은 누구나 가능하다.
- 운영 위원회와 주심과 부심이 참가 조건 미달 혹은 비행이 불가능하다고 판단한 사람은 참가 불가.
- 복장은 타 선수의 시야나 풍기 상 문제가 없어야 한다.

3) 대회 규정

- 종목별 심판은 주심과 부심으로 하며 주심과 부심은 대회 시작까지 공개하지 않는다.
- 수행자는 대회 규정을 숙지해야 한다. 미숙지로 인한 불이익은 수행자의 책임으로 한다.
- 수행자와 참관인은 대회 출전하는 동안 대회 운영 위원회와 주심, 부심의 운영에 따라야 한다.
- 수행자는 대회 출전하는 동안 자신의 기체와 부품을 관리해야 한다. 관리 부족으로 인한 문제는 수행자의 책임으로 한다.
- 경기 시작 전 자신의 기체를 부심에게 확인을 받아야 한다.
- 수행자는 부심의 기체 확인 후 경기 시작부터 해당 경기 종료까지 배터리를 포함한 일체 변경이 불가능하다.
- 경기 시작 후 비행이 가능하지 않거나 수행자가 포기 혹은 운영 위원회와 주심, 부심에 의해 중단하지 않는 경우 경기는 종료 전까지 지속한다.
- 대회 참가 수행자 이외의 보조 수행자는 인정하지 않으며, 경기 중 경기장 외부에서 기체 비행을 불허한다.
- 경기 중 외부 영향에 의해 경기를 지속하기 어렵거나 중단된 경우 대회 운영 위원회나 주심과 부심의 협의에 의해 재경기 혹은 승자를 정한다.
- 경기에 대해 변경이 있을 때는 공지를 하여 모두 알 수 있도록 한다.
- 규정 외의 사항은 대회 운영 위원회나 주심과 부심의 협의로 한다.
- 대회장 및 대회 세부 규정은 대회 당일 확인한다.

2 드론 상태를 잘 점검합니다.

대회를 준비를 위해 연습을 많이 해야 합니다. 연습하다 보면 드론이 벽에 부딪히거나 땅에 떨어져 드론 상태가 매우 불안정하게 됩니다. 이 상태에서 바로 대회에 참가하면 드론이 원하는 대로 움직이지 않아 대회에서 상당히 불리합니다.

항상 대회 전에 부품에 이상은 없는지 확인해야 합니다. 드론의 프로펠러, 모터, 배터리 등의 상태를 확인합니다. 그리고 평평한 곳에서 센서를 초기화(리셋)해서 캘리브레이션합니다. 평평한 곳에서 〈센서 리셋〉 블록을 사용하면 하면 자이로와 가속도 센서가 초기화됩니다.

센서리셋

그 상태를 기준으로 드론의 균형을 잡습니다. 만약 기울어진 곳에서 센서를 초기화하면 드론이 비행할 때 드론이 기울어지기 때문에 원하는 대로 움직이지 않습니다. 그리고 드론이 안정적으로 5초 정도 호버링되는지 확인합니다. 호버링이 잘 되지 않으면 미세조정(Trim)을 해서 호버링이 되게 합니다.

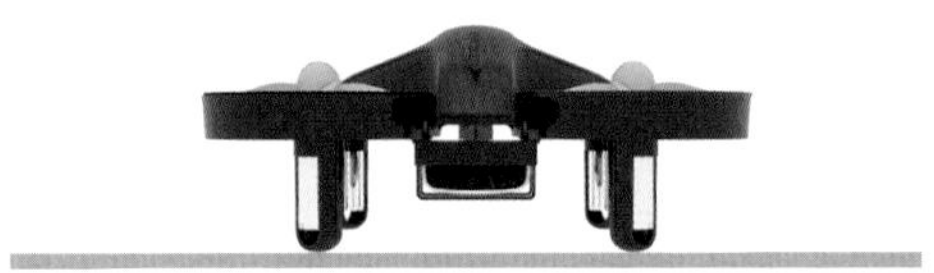

3 드론의 방향 이동을 잘 바꿉니다.

드론을 움직일 때는 뉴턴의 제1법칙 '관성의 법칙'을 잘 알아야 합니다. 드론은 관성에 매우 민감합니다. 따라서 방향을 바꿀 때는 우선 정지하고 드론이 안정된 상태가 되게 하고 나서 다음 동작을 할 수 있도록 코딩해야 합니다. 드론이 안정되지 않은 상태에서 오른쪽과 같은 동작을 하면 드론은 원하지 않는 방향으로 갑니다.

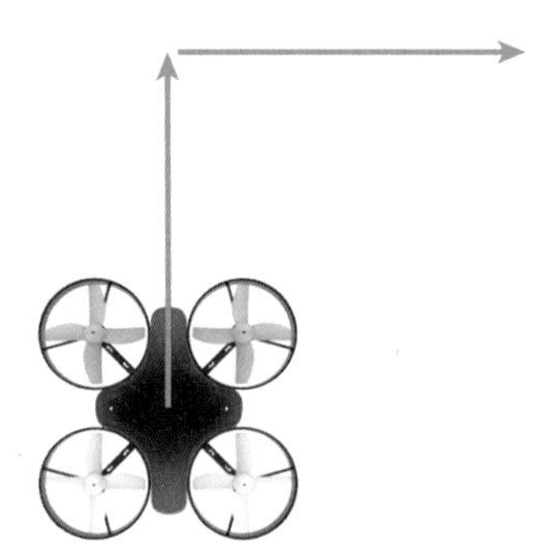

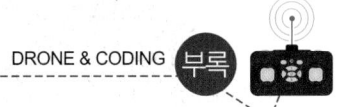

앞으로 가다가 오른쪽으로 가려면 그림처럼 〔피치〕 값을 0으로 해서 멈춘 다음에 〔롤〕 값을 크게 해서 오른쪽으로 가도록 코딩합니다.

```
클릭했을 때
↑ 이륙하기
5 초 기다리기
드론 피치▼ 값을 50 %
2 초 기다리기
드론 피치▼ 값을 0 %
2 초 기다리기
드론 롤▼ 값을 50 %
1 초 기다리기
드론 롤▼ 값을 0 %
2 초 기다리기
↓ 착륙하기
```

▲ 드론 코딩 대회 모습

2 드론 조종 대회

드론 조종 대회는 드론 레이싱, 드론 이착륙, 드론 장애물 통과, 드론 축구, 드론 퍼포먼스 등 다양한 종목이 있습니다. 드론 조종 대회에서는 드론을 정교하고 빠르게 조종할 수 있어야 합니다.

1 조종 실수를 줄입니다.

드론 조종 대회에서는 실수를 줄이는 것이 매우 중요합니다. 아래는 드론을 조종할 때 많이 하는 실수입니다.

1) 드론의 전면 방향을 잊어버리고 추락하거나 부딪히는 경우
2) 드론 컨트롤러의 왼쪽, 오른쪽 조이스틱의 기능을 잘 익히지 못한 경우
3) 드론의 고도조절을 잘못한 경우

2 드론 조종방법을 순서대로 연습합니다.

드론 조종방법을 순서대로 연습해서 익히고, 실수를 줄이기 위해 노력합니다.

1) 드론 비행할 때 드론과 사용자의 방향을 일치하여 조종하도록 합니다.
2) 드론을 공중의 한 공간(50cm×50cm×50cm)에서 30초 이상 머물게 호버링을 연습합니다.
3) 두 곳을 정해서 드론을 빠르고 안정적으로 왕복 이동하는 방법을 연습합니다.
4) 높이와 넓이가 다른 장애물을 빠르게 통과하는 방법을 연습합니다.
5) 직선운동을 하다가 2개의 조이스틱을 동시에 사용해서 곡선운동을 연습합니다.
6) 전체 비행 궤적을 비행 전에 미리 머릿속에 그려보고 처음에는 멈추지 않고 천천히 조종하다가 점점 빠르게 조종하는 방법을 연습합니다.

드론 조종 대회 규정 예시

1 목적 및 미션

○ 목적

- 드론 택배, 농약 드론 등 다양한 드론 서비스 산업과 관련 드론에 대한 비행 원리와 제어능력을 통해 인재 양성

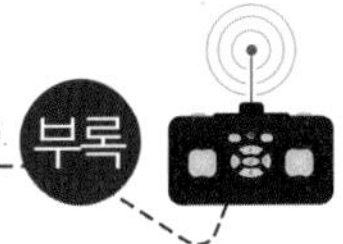

- 드론을 통한 정교한 조종 제어를 통해 빠른 시간에 원하는 목적지까지 갈 수 있도록 실력 향상하기

○ 미션

- 출발점부터 다양한 장애물을 통과하여 목적지까지 빠른 시간에 도달할 수 있도록 코스에 맞춰 완주 및 착륙하는 미션

2 대회 개요

〈이착륙 미션〉

착륙점수

○ 심사방식: 장애물 통과점수 +

- 동점자 발생 시 결정기준 규정 참조

○ 평가방식: 한 팀장 배정된 시간 총 3분(미션)

- 본선 참가자의 미션은 추가로 현장에서 공지될 수 있다.
- 개별적으로 분리된 코스를 주행한 성적을 합산하여 순위를 평가한다.
- 각 팀당 2회의 기회가 주어지며 이 중 높은 점수로 평가한다.
- 코스 이탈 및 로봇 정지시간이 30초 이상 지속되면 실격 처리한다.

○ 평가방식: 한 사람당 배정된 시간 총 3분(이착륙 미션)

- 본선 참가자의 미션은 추가로 현장에서 공지될 수 있다.

○ 활용 드론: 조종 드론

3 대회 규정

〈미션〉 이착륙 주행

1) 선수는 출발선에 드론 배치
2) 조종 컨트롤러를 이용하여 지정된 코스로 장애물을 모두 통과
3) 착륙은 중심점에 가까울수록 높은 점수 획득

4 이착륙방식

〈점수 배점〉

1. 장애물 각 10점씩 총 60점 획득 가능(왕복 통과 점수)
2. 노랑 부분(30점), 노랑-빨강 경계(25점), 빨강 부분(20점), 빨강-파랑 경계(15점), 파랑 부분(10점), 파랑-장외 경계(5점)

3. H에 정확히 착륙 10점
4. 동점자인 경우 경기 시간이 많이 남아있는 사람이 가산점을 받는다.
5. 과녁판에 착륙 후 날개가 멈추지 않은 상태에서 다시 구동 시 과녁 점수 무효

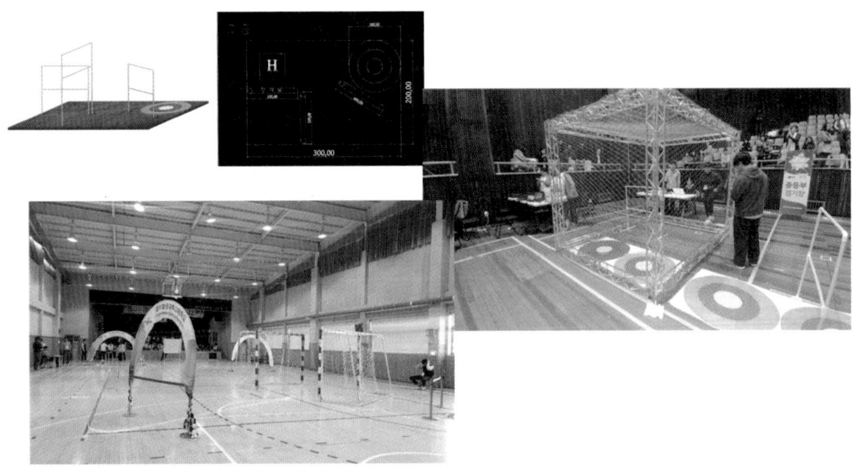

▲ 드론 조종 대회 모습

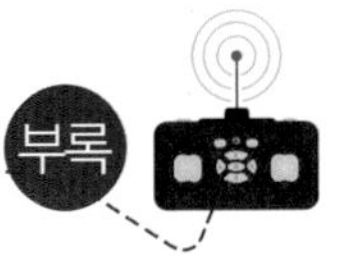

2 반드시 알아야 할 항공 안전법

〈항공안전법〉은 국제민간항공기구(ICAO)에서 정한 법을 따릅니다. 우리나라는 2017년 3월에 개정한 〈항공안전법〉에 따라서, 드론을 초경량 비행 장치로 분류했습니다. 그리고 조종자 자격, 비행 가능 공역 등에 대한 내용을 상세하게 구분해서 이를 적용하고 있습니다. 항공법은 항공법 시행령(대통령령), 항공법 시행규칙(국토교통부령), 고시, 훈령 등의 하위 법으로 구성되어 있습니다.

법제처에서 운영하는 국가법령정보센터(www.law.go.kr)에서 더 자세한 내용을 알 수 있습니다. 그리고 법은 시대적 요구에 따라 바뀔 수 있기 때문에 지속적인 관심을 가지고 확인해야 합니다. 법제처 사이트에서 '항공안전법'을 검색하면 자세한 내용을 확인할 수 있습니다.

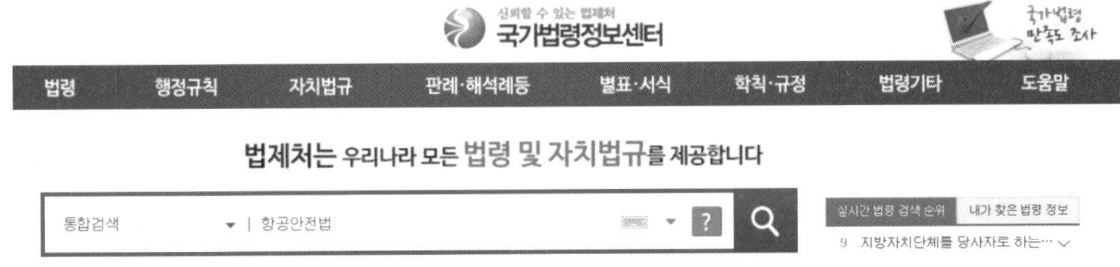

신고 관련

▶ 배터리를 포함한 드론의 무게가 12kg를 초과하면 국토교통부령에 따라 관할 지방항공청에 신고해야 합니다.

▶ 12kg 이하라도 영리를 목적으로 사업에 활용하려면 이를 반드시 신고해야 합니다.

▶ 드론의 소유권을 바꾸거나(이전) 없앨 때에도(말소) 신고해야 합니다.

▶ 드론의 무게가 12kg 이하인 비사업용일 경우 신고할 필요는 없습니다.

안전 관련

▶ 우리나라는 국가 안보와 주민의 안전, 주요 시설물 보호를 위해 비행을 제한 · 금지하는 장소를 지정합니다. 따라서 드론 비행을 위해서는 사전 허가를 받아야 합니다.

▶ 휴전선 인근이나 청와대 상공, 공항 반경 9.3km 이내, 절대고도 150m 이상, 원전 주변 등은 모든 드론의 비행을 금지하는 구역입니다.

▶ 비행 목적이 촬영이라면 비행 장치의 중량이나 크기와 관계없이 항공촬영 허가를 받아야 하며, 카메라가 부착된 드론을 사용할 때는 반드시 국방부에 신고해야 합니다.

▶ 일몰 후부터 일출 전까지 야간 비행은 원칙적으로 금지되지만, 특례법에 의해 승인을 받으면 비행할 수 있습니다. 하지만 조종자가 육안으로 비행 장치를 직접 볼 수 없을 때에는 비행을 금지합니다.

▶ 음주 비행은 할 수 없고, 드론에서 물건을 떨어트리는 행위도 금지됩니다.

▶ 인구가 밀집되어 있거나 사람이 많이 모인 장소의 상공에서 인명 또는 재산에 위험을 초래할 우려가 있는 방법으로 비행하는 것은 금지됩니다.

▶ 비행금지구역이 아니라 일반구역이라도 사람이 많이 모여 있는 콘서트장 등에서는 드론을 비행하면 안 됩니다.

드론을 아무 곳에서나 비행할 수 없습니다. 원칙적으로 비행을 할 수 없는 '비행금지구역', 비행이 제한적으로 허용되는 '비행제한구역', 사전신고 없이 비행이 가능한 지역이 있습니다. 항공안전법에 따라, 법을 잘 지키기 않으면 벌금을 내야할 수 있습니다. 그래서 드론을 날릴 수 있는 지역인지 확인해야 합니다. 첫째는 모바일 어플리케이션으로 한국드론협회가 제작한 'Ready to Fly'이 있습니다. 위치 기반 정보를 활용해 현재 위치가 비행 금지 구역인지 알려줍니다.

Ready to fly - 드론,drone,비행금지

BluezenDrone co.,ltd. 스포츠

★★★★★ 240

기기와 호환되는 앱입니다.

위시리스트에 추가

설치

두 번째는 '와우드로'라는 사이트입니다. 검색 창에 '와우드로'라고 검색하면 드론을 날릴 수 있는 곳을 지도로 확인할 수 있습니다.

Google 와우드로 비행지도

전체 이미지 지도 동영상 뉴스 더보기 설정 도구

검색결과 약 37,900개 (0.36초)

와우드로 비행지도 - Google My Maps

www.google.com › maps › viewer ▾

http://www.wowdro.com 드론 커뮤니티 **와우드로**에서 제공하는 **비행**금지, 제한구역, 전용공역, RC비행장 정보. 원본은 ...

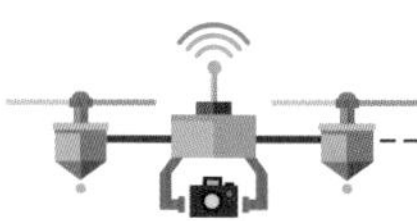

3 조종을 위한 퀵 매뉴얼

주 의 사 항

- ▸ 배터리가 완전히 충전되었는지 확인하십시오.
- ▸ 프로펠러가 올바르게 장착되어 있는지 확인하십시오.
- ▸ 조종기와 드론이 정상적으로 연결되어 있는지 확인하십시오.
- ▸ 주변에 장애물이 없는지 확인하십시오.
- ▸ 드론을 이륙 및 착륙 그리고 비상정지 기능 먼저 연습하십시오.
- ▸ 드론과 사용자의 거리는 2미터 이상 떨어져서 사용하십시오.

▌조종기 주요 기능 안내

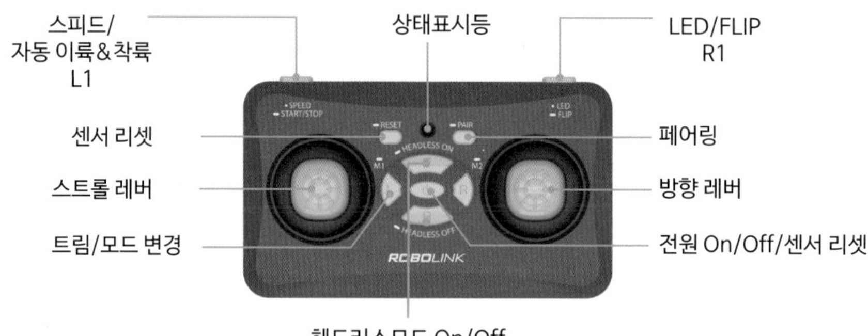

버튼	짧게 눌렀을 때	길게 눌렀을 때
L1	SPEED 속도레벨 바꾸기	START/STOP 이륙/착륙
R1	LED LED 색 바꾸기	FLIP 버튼을 누르고 피치, 롤로 조이스틱을 움직이면 360°회전
RESET		센서 리셋 자이로 센서, 트림 초기화
PAIRING		페어링
POWER		전원 ON/OFF
▲F	미세조정 피치(+)	헤드리스 모드 사용
▼B	미세조정 피치(-)	헤드리스 모드 사용하지 않음
◀L	미세조정 롤(-)	조종 MODE 1
▶R	미세조정 롤(+)	조종 MODE 2

드론 연결하기

1. 조종기와 드론 연결하기

▶ 드론의 배터리를 연결하면, 드론의 LED가 깜빡입니다.

▶ 드론을 평평한 바닥에 내려놓고 조종기의 전원을 켭니다.

▶ 비프 음이 들리면서 자동으로 페어링 됩니다.

※ 조종기와 드론은 기본적으로 페어링 되어 있습니다. 베터리를 연결하고 전원을 켜면 자동으로 페어링 되므로 매번 페어링을 진행할 필요 없습니다.

2. 조종기와 드론 새로 연결하기

드론과 조종기가 연결되어 있지 않은 경우 또는 새로운 조종기와 연결이 필요할 경우, 드론 페어링을 새로 진행합니다.

1. 드론의 베터리를 연결 후 20초 이내에 드론을 손에 들고 빠르게 흔들어 페어링 모드에 진입합니다.(페어링 모드가 되면 LED가 빨강/파랑으로 빠르게 점멸합니다)
2. 페어링 모드에 진입한 드론을 바닥에 내려놓고 조종기의 전원을 켭니다.
3. 조종기에서 페어(PAIR)버튼을 3초 이상 눌러 드론과 페어링합니다.
4. 드론이 연결되면 비프음이 들리며, LED 색상이 고정됩니다.

※ 페어링 모드는 배터리 연결 후 20초 이내에만 가능하며 20초가 지나면 드론의 배터리를 다시 연결해야 합니다.

이륙 및 착륙 연습하기

1. 드론을 평평한 바닥에 놓고 비행을 준비합니다.
2. 조종기의 자동 이/착륙 버튼을 3초 이상 눌러 이륙합니다.
3. 드론이 상승하여 호버링을 합니다.
4. 비행 중 조종기의 자동 이/착륙 버튼을 3초 이상 눌러 착륙합니다.

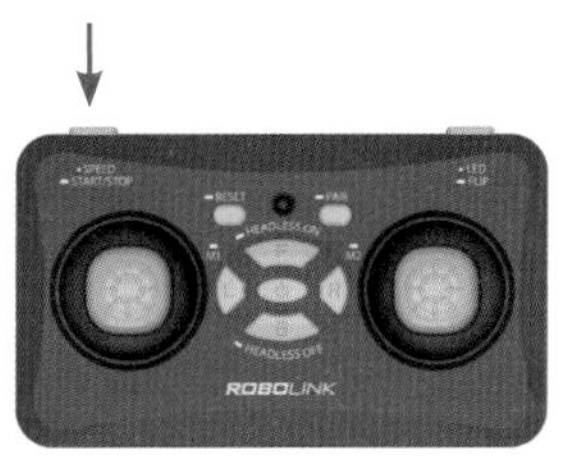

비상정지

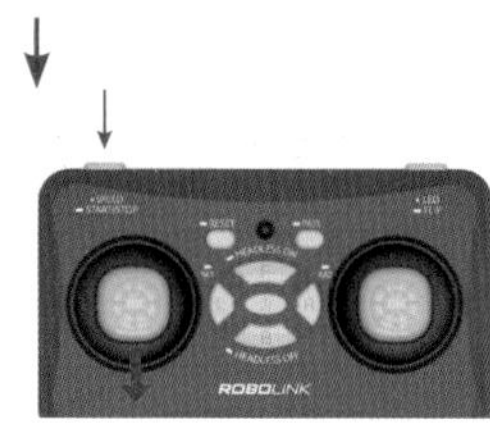

비행 중 긴급상황이 발생할 경우 비상 정지 기능을 사용하여 드론의 모터를 정지시킬 수 있습니다.

L1 버튼을 누르고 있는 상태로 쓰로틀 레버를 아래로 누르면 비상 정지 합니다.

※ 비상정지 기능을 사용할 경우 공중에서 모터가 정지되어 추락하기 때문에, 드론이 파손될 수 있습니다. 해당 기능은 반드시 비상상황에서만 사용하세요.

드론 조종방법(모드2)

드론을 조종하기 전에 다음 방법을 반드시 숙지하여 주십시오.
미숙한 조종은 파손 및 부상을 초래할 수 있으므로 반드시 여러 번 연습하세요.

1. 드론의 앞뒤를 확실히 구분하여 평평한 바닥에 내려놓습니다.
2. 조종기의 자동 이/착륙 버튼을 3초 이상 눌러 드론 비행을 시작합니다.

	 상승 하강	쓰로틀 레버를 올리면 위로 상승하며, 쓰로틀 레버를 내리면 하강합니다. 비행 중 쓰로틀 레버를 내려 지상으로 착륙하면 모터가 정지합니다.
	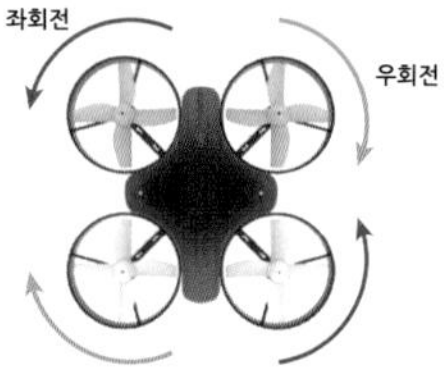 좌회전 우회전	쓰로틀 레버를 왼쪽으로 밀면 좌회전하며, 스로틀 레버를 오른쪽으로 밀면 우회전합니다.
	 전진 후진	방향 레버를 위로 올리면 전진, 방향 레버를 아래로 내리면 후진합니다.
	 왼쪽 오른쪽	방향 레버를 왼쪽으로 밀면 드론이 왼쪽으로 이동하며, 방향 레버를 오른쪽으로 밀면 드론이 오른쪽으로 이동합니다.

모터 시동/중지

또는

비행 상태가 아닐 때 모터를 시동/중지 할 수 있습니다.
양쪽 레버를 이미지와 같이 동시에 밀어 2초 이상 유지합니다.

헤드리스 모드

입문자를 위한 헤드리스 모드를 작동시킵니다. 헤드리스 모드는 드론 앞뒤 방향에 상관없이 드론의 조종 방향이 고정됩니다.

▶ 착륙 상태에서 F버튼을 길게 눌러 조종기의 LED가 깜박거리면 헤드리스 모드 On

▶ 착륙 상태에서 B버튼을 길게 눌러 조종기의 LED가 밝게 점등되면 헤드리스 모드 Off

※ 헤드리스 모드 On/Off는 착륙 상태일 때만 변경 가능하고, 비행 중에서 변경이 불가합니다. 버튼을 눌러 헤드리스 모드가 On이 되는 순간 드론이 바라보는 방향이 앞으로 고정됩니다.

모드 변경

설정을 통하여 모드1 또는 모드2로 변경 가능합니다.

▶ 착륙 상태에서 L트림 버튼을 3초 이상 길게 누르면 모드1

▶ 착륙 상태에서 R트림 버튼을 3초이상 길게 누르면 모드2

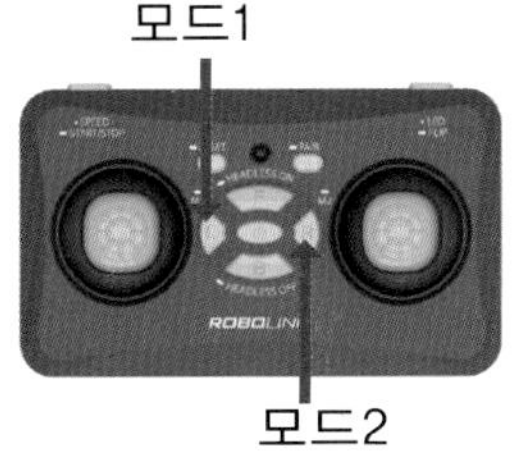

360도 회전(모드2)

오른쪽 FLIP 버튼을 누른 채로 오른쪽 방향 레버로 조종합니다.

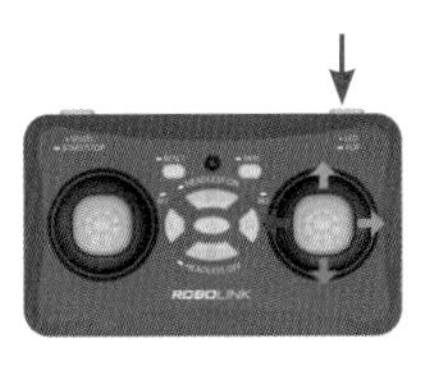

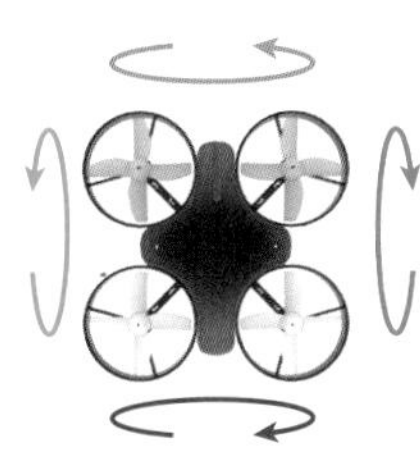

앞으로 회전: 방향 레버를 위로
뒤로 회전: 방향 레버를 아래로
왼쪽 회전: 방향 레버를 왼쪽으로
오른쪽 회전: 방향 레버를 오른쪽으로

트림

바람이 없는 환경에서 드론을 이륙시켜 공중에서 흐르는 현상이 있는지 확인합니다.

1. 전진/후진 이동 트림 :
   드론이 아무런 조작 없이 공중에서 앞으로 흐를 경우 조종기의 B버튼을 눌러 트림을 조절합니다.
   반대로 아무런 조작 없이 공중에서 뒤로 흐를 경우 조종기의 F버튼을 눌러 트림을 조절합니다.

2. 좌/우 이동 트림 :
   드론이 아무런 조작 없이 공중에서 왼쪽으로 흐를 경우 조종기의 R버튼을 눌러 트림을 조절합니다. 반대로 아무런 조작 없이 공중에서 오른쪽으로 흐를 경우 조종기의 L버튼을 눌러 트림을 조절합니다.

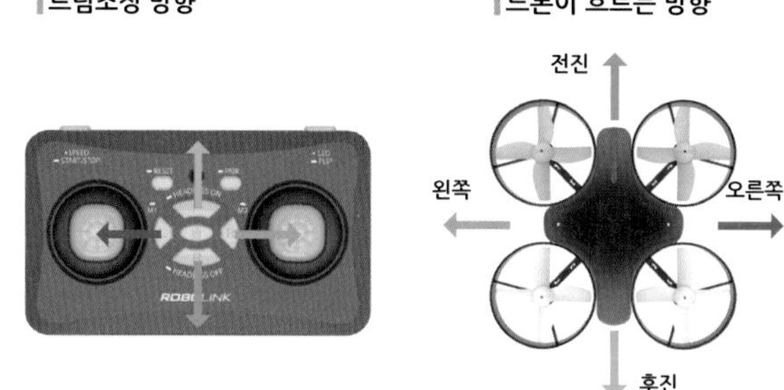

▶ 트림버튼을 누를 때마다 조종기에서 비프음이 들립니다.
▶ 트림 설정의 최대치에 도달할 경우 비프음이 2회씩 들립니다.
▶ 트림 설정으로도 정상적인 비행이 어렵다면 드론 센서 리셋을 해주세요.
(드론을 평평한 곳에 놓고 조종기의 리셋 버튼을 길게 누르면 센서 리셋이 됩니다)

센서 리셋 모드

트림 설정을 하고나서도 드론이 한쪽으로 치우치거나 드론이 정상적으로 비행하지 않을 경우는 센서 리셋을 진행해주세요
드론과 조종기가 연결된 상태에서 드론을 평평한 바닥에 놓고 조종기의 리셋 버튼을 길게 눌러 센서 리셋을 진행합니다.

센서 리셋 중에는 드론 LED가 깜박이며, 리셋이 완료되면 다시 밝게 켜집니다.

문제 해결

	문제	원인	해결 방법
1	드론의 배터리를 연결했는데 깜빡거리기만 하며 응답이 없습니다.	드론과 컨트롤러의 페어링이 끊어졌습니다.	드론과 컨트롤러의 전원을 모두 껐다 켜고, 페어링을 다시 합니다.
2	드론의 배터리를 연결해도 아무런 응답이 없습니다.	배터리가 부족합니다.	드론의 배터리를 충전해서 사용합니다.
3	착륙하려고 레버를 내려도 모터가 멈추지 않습니다.	드론이 바닥에 도착했는지 인식하지 못했습니다.	위로 다시 올려 착륙을 시도합니다. 드론이 바닥에 닿은 후에도 2초 이상 쓰로틀 조이스틱을 내립니다.
4	프로펠러만 돌아가며 드론이 이륙하지 않습니다.	1. 프로펠러 방향이 잘못 되었습니다. 2. 배터리가 부족합니다.	1. 프로펠러를 올바른 방향으로 연결합니다. 2. 배터리를 충전합니다.
5	트림 설정 후에도 드론이 제자리에서 회전합니다.	1. 프로펠러 방향이 잘못 되었습니다. 2. 프로펠러가 손상됐습니다. 3. 센서값이 이상합니다.	1. 프로펠러를 올바른 방향으로 연결합니다. 2. 프로펠러를 바꿉니다. 3. 센서를 리셋합니다.
6	추락 후 드론이 날지 않습니다.	1. 프로펠러가 분리되었습니다. 2. 프로펠러가 손상되어 있습니다.	1. 프로펠러를 다시 연결합니다. 2. 프로펠러를 바꿉니다.

비행 안전 수칙

1 사람이 많은 곳에서는 드론을 날리지 않습니다.

2 야간에 드론 비행은 불법입니다.

3 비행 중인 드론은 직접 만지지 않습니다.

4 비행 중인 드론은 육안으로 확인할 수 있어야 합니다.